問いのデザイン

創造的対話のファシリテーション

安斎勇樹・塩瀬隆之 著

JN029087

学芸出版社

序論

なぜ今、問いのデザインなのか

1.

はじめに

"大学の研究者"と聞くと、どんなイメージを思い浮かべるでしょうか。特定の領域に根を張り、日夜研究室に籠って文献を読み漁り、調査と実験を繰り返しながら、唯一の真理を探究している…そんなイメージをお持ちかもしれません。

筆者ら（安斎・塩瀬）の日々の仕事は、もしかするとそんな大学の研究者のイメージとは、ちょっと違ったスタイルに映るかもしれません。2人に共通している点は、ある意味で「根無し草」とも言えるような、実に幅広い領域において、唯一の「答え」としての真理を求めるのではなく、さまざまな人たちを対象に「問い」を投げかけ続けてきたという点です。

あるときは、企業の若手やマネージャー層を育てるための研修講師として。

あるときは、子ども向けのサイエンスイベントのゲストスピーカーとして。

あるときは、まちづくりで住民の話し合いのコーディネーターとして。

あるときは、企業で崩壊寸前の話し合いの交通整理役として。

あるときは、美術館の作品鑑賞のナビゲーターとして。

あるときは、極秘の製品開発プロジェクトのコンサルタントとして。

数えきれないほどの「顔」を持ち、ときに「何が専門なのかわからない」と揶揄されながらも、あえて領域を定めず、求められるままに現場に足を運び、「ワークショップ」と呼ばれるゆるやかな学び合いの場を開催し、私たち自身も「答え」がまったくわからない「共に考えていきたい問い」を、投げかけ続けてきました。

こうした"脈絡のない仕事"は、唐突に筆者たちのもとに舞い込んできます。「わかったつもりになっている子どもたちに、もっと自分の頭で考えさ

3

せるにはどうすればいいか」「地域の若者と高齢者の交流を促して、一致団結させるにはどうすればいいか」「社員たちに、組織の課題を自分ごとで考えてもらうにはどうすればいいか」「技術の話ばかり繰り返すエンジニアに、革新的なアイデアを発想させるにはどうすればいいか」など…。

　筆者らは、これらの悩みに対する直接の「答え」は持っていません。ですから、いつもやることは、依頼した当事者たちに向き合って、自分たちの素朴な疑問を出発点に「本当にそれが解くべき課題なのだろうか？」と疑いながら、共に考えるべきテーマを設定し、「問いかける」こと、それだけです。けれども、私たちが投げかけた「問い」を出発点としながら、当事者たちがいつもと違った発想をお互いにぶつけあい、見たこともないようなアイデアが生まれてくる現場を経験し、問いの結果として巻き起こるそうした創造的な学びのプロセスに、「ファシリテーター」として、数えきれないほど伴走してきました。

2.
「認識」と「関係性」の固定化の病い

　筆者らの百面相のような仕事を振り返ってみると、もしかすると筆者たちは、現代社会に共通した「ある病い」と闘ってきたのかもしれない、と思うようになりました。それは、人間の「認識」と「関係性」が固定化するという病いです。

　ビジネスパーソンの人材育成の現場にせよ、子どもの学びの現場にせよ、組織のドロドロとした課題の真因にせよ、製品開発のイノベーションを阻害する要因にせよ、それらを紐解いていくと、必ずと言っていいほど、この「認識」と「関係性」が固定化するという病いにぶち当たります。

①認識の固定化

　認識の固定化とは、当事者に暗黙のうちに形成された認識（前提となっているものの見方・固定観念）によって、物事の深い理解や、創造的な発想が阻害されている状態です。

　人間の学習と認識のメカニズムは、切っても切り離せません。人は、日常

生活を送るなかで、特定の認識を変化させたり固定化させたりしながら、何かに上達したり、コミュニティに馴染んだりしています。たとえば大学に進学したとき、会社に入社したとき、新しい会社に転職したとき、家族が増えたとき、最初は新しい環境や慣習に戸惑いを覚えながらも、次第に慣れていき、徐々にやるべきことが上手になっていくものです。他方で、人間は何かに慣れていくと、獲得した認識について意識をしなくなっていきます。つまり、普段は自覚されない"当たり前"なものになっていくのです。

特定の認識が「所与のもの」になることは、日常の大半の場面では、「効率」や「生産性」に貢献してくれます。数学の公式が、教わったときは不慣れでも、練習問題を繰り返すうちに、反射的に公式を活用し、素早く正確に問題を解けるようになっていくのと同じです。

しかし人間は、認識が当たり前のものとして固定化されていくと、その前提が「なぜこうなっているのか？」ということを、改めて考えることはしなくなっていきます。「なぜこの公式は、こういうルールになっているのだろう」「本当にこの公式を使わなくてはならないのだろうか」といちいち考えていては、テストで点を取るためには非効率だからです。乱暴にいえば「頭を使わなくて済む」ようになっていくのです。

ところが、無意識に自動化された認識は、さらに新しいことを学習する場面において、変化の足かせになることがあります。大学に進学してさらに高度な数学を学ぼうとすると、高校で身につけた公式は一度忘れなくてはならない場面もあるでしょう。このように、一度習得したことを「捨てる」タイプの変化のことを、「学習棄却（アンラーニング）」と言います。アンラーニングは、言うは易し、そう簡単には起こりません。日常のなかで大きな不都合やトラブルが起きない限り、人は自らの認識を変えないため、無自覚のうちに皮膚に蓄積した垢のように自覚されない認識は"こすり落とす"ことでしか気づけません。

②関係性の固定化

関係性の固定化とは、当事者同士の認識に断絶があるまま関係性が形成されてしまい、相互理解や、創造的なコミュニケーションが阻害されている状態です。

人間はコミュニティにおいて他者と協働しながら活動します。企業、学校、地域、家庭など、複数のコミュニティに所属している人も少なくないでしょう。仮に同じ目標を共有するコミュニティであっても、そこにいる1人1人の"当たり前"の認識には、何らかのズレがあって当然です。

　知らぬ間に固定化されていく認識と同様に、他者との関係性もまた、時間が経つにつれて安定し、固定化されていきます。ここでいう関係性とは、「先輩と後輩」「教師と生徒」「経営者と従業員」といったような明示的な上下関係や役割分担、契約関係のみならず、お互いが暗黙のうちに感じている「心理的契約（Psychological Contract）」と呼ばれる関係性も含んでいます。

　心理的契約とは、もともとは経営学の用語で、企業と従業員の間で、契約書などで明文化されているわけではないけれど、お互いの暗黙の信頼や期待の上で成り立っている関係性のことです。たとえば「大きな問題がなければ、定年までクビにはならないだろうから、積極的に転職を考える必要もないだろう」といったようなものです。企業外の関係性にも解釈を広げれば、「年齢は同じだが、学年は上なので敬語を使って当然」とか「この人は他人の話を聴かないから、相談を持ちかけても仕方がないだろう」とか、そういったものも含まれるでしょう。

　コミュニティのなかで暗黙のうちに形成された関係性は、個人の認識と同様に、そう簡単に変わるものではありません。学校の親しいクラスメートの前で、無理に「いつもと違う自分」を演じたり、いつも悩みを聞いてあげていた後輩を相手に、突然自分のプライベートな悩みを一方的に打ち明けたりすることは、照れ臭さや抵抗を感じるのではないでしょうか。

　さらには、互いの認識や前提に「ズレ」があったまま関係性が固定化されてしまうと、その溝を乗り越えることは、さらに容易なことではなくなります。「あの人とはわかりえない」という状況は、お互いの認識に齟齬があるまま、そのズレ方が固定化されてしまったがために起こる状況なのです。

3.

企業、学校、地域を揺さぶる問いの技法

　固定化された「認識」と「関係性」は、変化が求められる現代において、「変

わりたくても変われない」という本質的な問題を生み出します。そして、歪（いびつ）なまま固定化した集団の認識は、概して本当に解くべき問題の本質を見失い、課題解決や学習の方向性を誤った方向に導いてしまいがちです。

　筆者らが放ってきた「問い」は、当事者たちが日常のなかで形成してきた認識の前提を揺さぶり、新たな関係性を編み直すための「創造的対話」を生み出してきました。投げかけられた問いに好奇心が刺激され、無自覚だった前提が揺さぶられ、普段とは違った考えが生まれる。自分に湧き起こった意見を、他の人のそれと比較しながら、気づかなかった自分らしさに気づいたり、自分では思いつかない視点をもらったりしながら、「対話」と呼ばれるコミュニケーションを深め、日常の関係性を編み直していく。

　それが結果として、企業の現場でボトムアップによる組織変革やイノベーティブな製品アイデアを生んだり、学校教育が目指す主体的で対話的な生徒や、地域に求められる住民一丸のまちづくりプロジェクトといった、現代社会が希求する成果として結実されていったのです。

　このような仕事を通して、筆者たちは、あらゆる領域において、課題に対する「答え」を急いで出すことよりも、問題の本質を捉え、現状を打破する「問い」をデザインし、それを「ワークショップ」の場で当事者と共有し、対話の場をつくることこそが求められていると確信するようになりました。

　ワークショップは、100年を超える歴史がある手法で、世界中で発展してきましたが、とりわけこの20年で日本全国に広く普及しました。企業、学校、地域における課題解決や学習の手段として当たり前のように用いられるようになりましたが、ワークショップには批判も少なくありません。日常を揺さぶるための遊び心ある仕掛けの本質が誤解され、単なる「レクリエーション」として実施され、参加者が「楽しいだけ」で終わってしまい、後になって実施する意義が感じられなかったといった批判や、あるいは逆に非日常の場であるはずのワークショップの実施が自己目的化し、ルーティーン化し、課題解決への実感が得られないまま“ワークショップ疲れ”しているケースもあるようです。

　また、学校や組織内のワークショップ・ファシリテーターの育成が追いつかず、良いワークショップを実施するだけの技量が足りないまま実施せざるをえないケースが増え、玉石混交状態になっているのも現実です。ワーク

ショップの「玉」と「石」を分ける違いは何でしょうか。筆者らは、それが、本書の主題である「問いのデザイン」にあると考えています。

　しかしながら、これまでのワークショップ関連書籍では、「問いのデザイン」に関して多くは語られてきませんでした。人間の思考、感情、コミュニケーションに関わる複雑な領域であるため、「こうすればうまくいく」というノウハウが語りにくく、理論の体系化が困難であるためでしょう。確実に成果を出すための"鉄則"を提示できないことは、筆者らも変わりません。けれども、これまでの研究成果と実践経験に基づいて、「うまくいくために、このように考えたらよいのではないか」という思考の補助線をお伝えすることはできるはずです。

4.
本書の構成：課題とプロセスのデザイン

　本書は、企業、学校、地域にはびこっている「人々の認識と関係性の病い」を解決するための「問いのデザイン」の技法について、その手順を二つの段階に分けて、その方法論を論じます。

　第一に、「問題の本質を捉え、解くべき課題を定める」段階です。企業、学校、地域における問題は、当事者たちにとって、本当に解くべき課題として、正しく定義されているとは限りません。問題の本質を問い直し、課題を定義し直すことが、問いのデザインの第一歩です。いわば「課題のデザイン」としての問いのデザインです。

　第二に、「問いを投げかけ、創造的対話を促進する」段階です。解くべき課題をデザインしたら、どのような道順を辿って課題に迫っていくのか、効果的なワークショップの流れを計画します。その上で、ファシリテーターとして当事者たちにいくつもの問いを投げかけながら、創造的対話を促し、課題解決のプロセスをファシリテートしていきます。いわば「プロセスのデザイン」としての問いのデザインです。

　以上を踏まえて、本書では以下の構成で、問いのデザインの技法を解説していきます。

　Part Ⅰ「問いのデザインの全体像」では、問いのデザインの基礎につい

て押さえます。具体的には、1章「問いのデザインとは何か」において、問いの基本的な性質を探り、問いの定義、問いのデザインの全体像について解説します。

　Part II「課題のデザイン：問題の本質を捉え、解くべき課題を定める」では、企業、学校、地域における複雑な問題の本質を捉えて、関係者にとって「本当に解くべき課題」を設定するための方法論について扱います。具体的には、2章「問題を捉え直す考え方」では、問題と課題の違いについて明確にした上で、問題状況を多角的に読み解き、問題の本質を捉えるための思考法について解説します。3章「課題を定義する手順」では、課題を定義するための具体的な手順について解説します。

　Part III「プロセスのデザイン：問いを投げかけ、創造的対話を促進する」では、定義した課題に従って、関係者を巻き込みながら創造的対話を通して解決していく方法論について解説します。具体的には、4章「ワークショップのデザイン」でワークショップのプログラムやプロジェクトの設計方法について、5章「ファシリテーションの技法」でファシリテーションの心構えや技術について、理論と事例を交えて解説します。

　Part IV「問いのデザインの事例」は、実際に筆者らがファシリテートした企業、学校、地域における課題解決のプロジェクトを六つ紹介します。具体的なイメージが湧かない方は、Part IVのケースからご覧いただいてもよいでしょう。

　ご自身の実践領域の課題に結びつけ、頭の中に「問い」を持ちながら、お読みいただければ幸いです。

序論 なぜ今、問いのデザインなのか —— 3

1. はじめに　3

2.「認識」と「関係性」の固定化の病い　4

3. 企業、学校、地域を揺さぶる問いの技法　6

4. 本書の構成：課題とプロセスのデザイン　8

Part I 問いのデザインの全体像

1章 問いのデザインとは何か —————— 16

1.1. 問いとは何か　16

　　問いの基本性質を探る　16

　　問いかけによって刺激される思考と感情　21

1.2. 創造的対話とは何か　25

　　問いが誘発するコミュニケーションタイプ　25

　　対話によって揺さぶられる個人の認識　28

　　共通の意味づけを探るなかで、関係性が編み直される　30

　　新たなアイデアを創発する創造的対話　33

　　問いは新たな問いを生みだす　38

1.3. 基本サイクルとデザイン手順　39

　　問いの基本サイクル　39

　　問いのデザインの手順　44

Part **II** 課題のデザイン
問題の本質を捉え、解くべき課題を定める

2章 問題を捉え直す考え方 ———————— 48

2.1. 問題と課題の違い　48

問題とは何か？　48

洞察問題の解決を阻む固定観念　50

当事者の認識によって、問題の解釈は変化する　53

関係者の視点から問題を捉え直す　55

問題と課題の違い　56

2.2. 課題設定の罠　58

課題設定の罠（1）自分本位　59

課題設定の罠（2）自己目的化　59

課題設定の罠（3）ネガティブ・他責　61

課題設定の罠（4）優等生　63

課題設定の罠（5）壮大　64

2.3. 問題を捉える思考法　65

問題を捉える思考法（1）素朴思考　65

問題を捉える思考法（2）天邪鬼思考　68

問題を捉える思考法（3）道具思考　69

問題を捉える思考法（4）構造化思考　71

問題を捉える思考法（5）哲学的思考　74

3章 課題を定義する手順 ———————— 78

3.1. 目標を整理する　78

課題を定義する手順　78

STEP1：要件の確認　80

STEP2：目標の精緻化　80

3.2. 目標のリフレーミング　91
　　STEP3：阻害要因の検討　91
　　STEP4：目標の再設定　98
3.3. 課題を定義する　105
　　STEP5：課題の定義　105

Part Ⅲ　プロセスのデザイン
問いを投げかけ、創造的対話を促進する

4章　ワークショップのデザイン ————110

4.1. ワークショップデザインとは何か　110
　　現代社会とワークショップ　110
　　ワークショップの本質的特徴　111
　　なぜ、ブレストからアイデアが生まれないのか？　114
　　ワークショップデザインにおける問いの重要性　116
　　ワークショップとは経験のプロセスをデザインすること　119
　　プログラムの基本構造　120
4.2. ワークショップの問いをデザインする　125
　　ワークショップの問いをデザインする手順　125
　　手順（1）課題解決に必要な経験のプロセスを検討する　127
　　手順（2）経験に対応した問いのセットを作成する　133
　　手順（3）足場の問いを組み合わせてプログラムを構成する　145
　　プログラムのタイムテーブルの調整　157
4.3. 問いの評価方法　161
　　ワークショップにおける良い問いとは何か　161
　　問いの「深さ」を設定する　165
　　問いを因数分解する　172
　　アイスブレイクこそ問いが肝心　180

5章 ファシリテーションの技法 ———— 184

5.1. ファシリテーションの定義と実態　184

ファシリテーションとは何か　184

ファシリテーションはなぜ難しいのか？　186

ファシリテーションを妨げる六つの要因　189

プログラムデザインとファシリテーションの補完関係　193

ファシリテーターの本当の役割とは何か　196

5.2. ファシリテーターのコアスキル　197

ファシリテーターのコアスキルとは　197

コアスキル（1）説明力　197

コアスキル（2）場の観察力　200

コアスキル（3）即興力　203

コアスキル（4）情報編集力　204

コアスキル（5）リフレーミング力　207

コアスキル（6）場のホールド力　208

5.3. ファシリテーターの芸風　209

ファシリテーターの芸風とは　209

芸風（1）場に対するコミュニケーションスタンス　210

芸風（2）場を握り、変化を起こすための武器　212

芸風（3）学習と創造の場づくりに関する信念　212

5.4. 対話を深めるファシリテーションの技術　215

「導入」のファシリテーション　215

「知る活動」のファシリテーション　221

「創る活動」のファシリテーション　222

「まとめ」のファシリテーション　225

5.5. ファシリテーションの効果を高める工夫　226

4タイプの即興の問いかけを駆使する　226

チームによるファシリテーション　229

組織内のファシリテーターを育てる　232

空間のレイアウトの工夫　233

対話を可視化するグラフィックレコーディング　234

ファシリテーションの技術を磨き続けるために　236

Part IV 問いのデザインの事例

6章 企業、地域、学校の課題を解決する —— 240

ケース1　組織ビジョンの社員への浸透

：資生堂　240

ケース2　オフィス家具のイノベーション

：インスメタル　251

ケース3　三浦半島の観光コンセプトの再定義

：京浜急行電鉄　262

ケース4　生徒と先生で考える理想の授業づくり

：関西の中高生とナレッジキャピタル　279

ケース5　ノーベル平和賞受賞者と高校生の対話の場づくり

：京都の公立高校生とインパクトハブ京都　286

ケース6　博物館での問いの展示

：京都大学総合博物館　294

おわりに　298

Part I

問いのデザインの全体像

1章

問いのデザインとは何か

1.1.

問いとは何か

問いの基本性質を探る

　問いの技法を探究する前に、そもそも「問いとは何か？」という素朴な問いに、向かい合っておかなくてはなりません。曖昧な言葉の輪郭をつかもうとする態度は、優れた「問いのデザイナー」に求められる素養の一つです。頭をひねってみる前に、辞書に書かれている「問い」の定義を参照してみましょう。

> **辞書の問いの定義**
> ① 問うこと。尋ねること。質問。「―を発する」「客の―に応答する」
> ② 問題。設問。「次の―に答えよ」

　質問、問題、設問。性質の異なる多様な場面で“問”という言葉は活用され、私たちにとって馴染み深い行為です。「問い」を英語に訳すと、この言葉の曖昧さをより実感します。辞書の定義の通り、question と表現することもできるし、problem と表現することもできます。もう少し広げて解釈すると、inquiry、issue、theme なども、意味の近い対訳として考えられるかもしれません。

　これらの言葉から思い浮かべる「問う」場面も、実にさまざまです。日常会話やインタビューの質問のように1対1で直接交わされる問いもあれば、学校のテストの問題やアンケートの設問など、不特定多数に向けて一方的に

提示される問いもあります。また、研究者や哲学者が掲げるテーマやリサーチクエスチョンのように、長年かけて自分が立ち向かうための問いもあるでしょう。さらには組織が抱えている問題や社会問題など集団に共有される問いもあるはずです。

どのような場面においても、上記の辞書の定義文に「答える」という言葉が含まれている通り、問う行為には、それに対して「答えを出す」という行為がセットで想定されていることがわかります。そこから見えてくる「問い」の一つ目の基本性質として、「問い」が変わると、最終的に導かれる「答え」も変わりうる、という点について考えていきましょう。

問いの基本性質（1）
問いの設定によって、導かれる答えは変わりうる

問いの転換から生まれた、新規事業のアイデア

問いの設定を変えたことが、最終的な答えを大きく変えてしまった事例として、筆者（安斎）がファシリテートした、ある自動車メーカーの「カーアクセサリー」を開発する部署のプロジェクトをご紹介しましょう。

カーアクセサリーとは、自動車内外の環境を整えるための物品全般を指しており、「カーナビ（カーナビゲーション）」が代表的な製品で、カーオーディオやタイヤ、メンテナンス備品なども幅広く含みます。本プロジェクトのクライアントチームはカーナビの開発を得意としていましたが、昨今の人工知能（AI）技術の発展と普及の影響について、漠然とした不安を感じていました。それもそのはず、人工知能の技術が普及すれば、車の運転は自動化され、ドライバーにとっては運転機会そのものが減っていくことが想定されます。そうすれば、運転を補助するカーナビの地位が揺らぐ可能性がありますから、「カーナビはこのままで大丈夫なのだろうか？」と不安を覚えることは、頷けます。

そのような背景から、クライアントから筆者に持ちかけられた相談は、「人工知能を活用した新しいカーナビのアイデアを考えたいが、社内で企画会議を繰り返しても、良いアイデアが出ない。革新的なアイデアが生まれるように、企画会議の場（ワークショップ）をファシリテートしてほしい」という

ものでした。言い換えると、クライアントは「人工知能が普及した時代において、カーナビはどうすれば生き残れるか？」「人工知能を活用した新しいカーナビとは？」という問いを掲げ、それを解決しようとしていたのです。

　これに対して筆者は、この元の問いの設定では、良い答えに到達できないのではないだろうか、と考えました。なぜならば、そもそもカーアクセサリーとは、自動車単体では得られないユーザーのニーズを満たす「目的」を達成するための「手段」であったはずです。もし人工知能の普及によってカーナビが不要になるのであれば、それは社会の変化によってユーザーの目的が変容したということです。変化しつつある目的を問い直さぬまま、手段を生き残らせることが自己目的化してしまっては、本質的な課題解決にはならないのではないか、と思ったのです。

　そこで筆者は、クライアントに対して改めて丁寧なヒアリングを行いました。単に情報を収集するだけでなく、依頼の背後にある真意や、問題の本質はどこにあるかを探りながら、質問を重ねていったのです。筆者は、自動車はおろか運転免許すら持っていないため、自動車や運転の領域についてはドがつくほどの素人です。

　ですから、頭に浮かんだ素朴な疑問をもとに、「カーナビは運転者だけのものなのでしょうか？」「カーナビとは、ユーザーにとってどのような存在なのですか？」「これまで何を動機にカーナビを開発してきましたか？」などと、問いをぶつけていきました。

　すると、クライアントは、「自分たちは、生活者に"快適な移動の時間"を提供したいのだ」という想いを語ってくれました。なるほどたしかに、たとえ人工知能が普及し、自動運転技術によってドライバーの運転機会が消失したとしても、生活者の「移動」の時間そのものはなくなりません。クライアントは、「カーナビ」を開発したかったわけではなく、「生活者の移動の時間」を支援したかったのです。

　そこで筆者とクライアントは対話を重ね、プロジェクトの問いを「自動運転社会において、どのような移動の時間をデザインしたいか？」「その移動の時間を、自社技術を活用してどのように支援できるだろうか？」へと変更し、未来の移動の時間を支えるプロダクトを考えるワークショップを実施したのです（図1）。

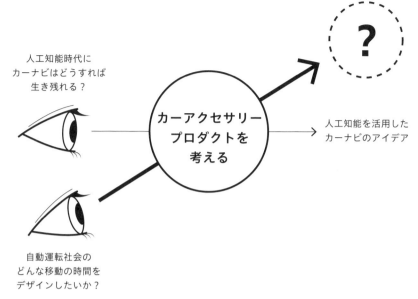

図1　問いを転換すると、見えてくるアイデアも変わる

　クライアントがもしどうしても「カーナビ」にこだわりを持っていたとしたら、また別の問いの転換が必要だったかもしれませんが、このケースでは問題の本質はそこにはなかったため、「自社製品」から「自社技術」へと水平展開することで、関係者が「解決したい問いはこれだ」と納得できる問いへと大きく転換することができました。

　具体的なアイデアはご紹介できませんが、結果として、自動運転社会における移動の時間を本質的に支援できる"カーナビではない"プロダクトのアイデアがいくつも生まれました。同じ「人工知能時代における自動車メーカーのカーアクセサリー部門の問題」であっても、どのような視点から「問い」を設定するかによって、問題の解釈は異なり、結果として導かれる「答え」としてのアイデアや解決策のアプローチは劇的に異なるものになるのです。

アイデアの進化の歴史とは、問いの進化の歴史である !?

　逆説的に考えると、プロダクトの進化の歴史とは、問いの進化の歴史とし

て読み替えることができるかもしれません。試しに身の回りのプロダクトの歴史の変遷を辿りながら、その背後にどのような問いがあったのかを想像してみると、「問い」がいかに「答え」を変えてきたかがわかることでしょう。問いをデザインする力を鍛える上で、良いエクササイズになるはずです。

　たとえば、身近なプロダクトとして「トイレ」を例に考えてみましょう。世界最古のトイレは、紀元前2200年ころのメソポタミア文明のレンガを組み立てた水洗式トイレだといわれています。椅子のようなトイレに腰をかけて用を足し、水で流すという点で、現代のトイレと大きく変わらない機能が当時から実現されていたことに驚かされます。

　他方で、トイレを取り巻く環境は、大きく変化してきました。中世のヨーロッパでは、数百年もの間、排水のしくみがなかったために、排泄物を自宅の窓から外へと投げ捨てる方式が一般的だったそうです。したがって、当時のヨーロッパの路上には、足元に汚物が広がっているのが当たり前で、街中の悪臭もひどかったようです。諸説あるうちの一説によれば、このような汚物から身を守るために「ハイヒール」は生まれたという話もあります。また、匂いをごまかすための「香水」が普及したのも、このような状況が影響したと言われています。

　いずれにしても、中世においては、「どうすれば、足元の汚物から身を守れるか？」「どうすれば、街中の悪臭を誤魔化せるか？」という問いが、人々の根底にあったのではないでしょうか。それが次第に、下水処理など、トイレに関するインフラが発展し、川や窓から汚物を垂れ流さなくても済むようになっていきました。おそらく人々は「街中に溢れる汚物をどうするか？」という問いから、「街中に汚物を垂れ流さずに処理できないだろうか？」という問いへと転換させたのでしょう。

　トイレにまつわる「問い」は現代もつきることがありません。たとえば、トイレットペーパー業界において最近の主流となっている「長尺」「増巻き」のプロダクトは、どのような問い（疑問、不満、問題意識）から生まれたものでしょうか。ユーザーの「どうすればもっと長持ちするだろうか？」「何度も買い替えずに済む方法はないだろうか？」という声から生まれたのかもしれません。あるいはメーカーや店舗側の「一度にたくさんの製品を流通できないか？」「店舗の置き場所を節約できないか？」という発想から生まれた

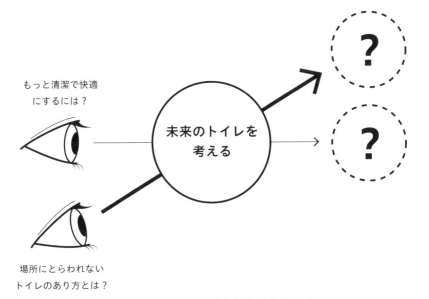

図2　未来のトイレをどのような問いから捉えるか

のかもしれません。あるいは「シャワートイレ」は、どのような問いから生まれたものでしょうか。

　たとえ正解はわからなくても、プロダクト誕生の背後にあったであろう問いの変化を想像してみると、問いのデザインの想像力が広がるはずです。逆にいえば、もしあなたが「未来のトイレ」のアイデアを考える場面があったとしたら、いきなりプロダクトのアイデアを考え始めるのではなく、まず「未来のトイレを考えるための問い」を考えるところから始めるとよいでしょう(図2)。導かれる「答え」を大きく変えたければ、まず「問い」を変えることが必要なのです。

問いかけによって刺激される思考と感情

　それでは問いの役目は、良い「答え」を手に入れることだけでしょうか。良い「結果」を手に入れたいがために、私たちは問いをデザインするのでしょうか。必ずしもそうではないように思います。もしそうであれば、「答え」を持ち合わせていない筆者らのようなファシリテーターに、これほどまでに

企業、学校、地域の課題解決の相談は持ちかけられないはずですし、現代社会における人々の「認識と関係性の病い」が、問いのデザインによって解決されうる理由が説明できないからです。

「問うこと」と「答えること」の間のプロセスには、まだまだ他に何かがありそうです。ここで、もう一つ大事な問いの基本性質を紹介します。それは、問いは、問いかけられた者に対して、何らかの思考や感情を刺激する、という性質です。

問いの基本性質（2）
問いは、思考と感情を刺激する

この性質を理解するために、いくつかの問いのサンプルを味わってみましょう。これは、筆者らが「問いのテイスティング」と呼んでいる、問いを使ったある種の遊びです。スパイスや具材を変えればカレーの味わいがまったく変わるように、問いもまた、表現や制約の設定によって、受ける印象は異なるものになります。まずは試しに、以下の二つの問いを見比べて、少しの間、思考を巡らせてみてください。

> A. あなたがこの本を手に取った理由は？
> B. あなたがこの本を読み終えるころに得ていたいものは？

上記の問いは、いずれも「この本を読む動機」について尋ねた類似した問いですが、想起された思考は、少し違ったものだったのではないでしょうか？

Aの問いは、あなたがこの本を手に取ったときの気持ち、つまり「過去」に向けて問いを放っていますが、Bの問いは、あなたが読了後に目指す状態、つまり「未来」に向けて放った問いです。同じ「本を読む理由」を尋ねる問いであっても、そのまなざしを過去に向けるのか、未来に向けるのかによって、頭の中に浮かび上がった景色は少し違ったものになったはずです。

問いの興味深い性質や、問いのデザインの醍醐味をあなたと共有するため

に、"問いの味見"をもう少し続けてみましょう。以下に複数の「問いのデザイン」に関する問いを並べます。一つ10秒ほどでよいので、それぞれの問いに対峙したときに、あなたの頭のなかにどのような思考や感情が湧き上がるか、確かめてみてください。

C. あなたがこの本を手に取った、七つの理由は？

D. この本を読み終えたあなたは、どんな問いのデザイナーになりたいか？

E. 今のあなたに必要なのは、本当に問いのデザインなのか？

F. この本を読むなかで、あなたが考え続けたい問いは？

G. その問いは、本を読む過程で、どのように変わるだろうか？

H. あなたの問いのデザインのスキルは100点満点中、何点くらい？

I. 問いのデザインスキルを＋10点上げるために、何が必要？

J. もしあなたがこの本の著者だったら、6章に何を追記したいか？

K. これまで見聞きした問いのなかで、最も印象に残っている問いは？

L. あなたが生涯かけて考え続けたい、人生の問いとは？

M. 本当は考えたくないのに、頭に浮かんでしまう問いは？

N. あなたの才能を活かすための問いは？

O. 3年前の自分に問いを投げかけられるとしたら、何を問う？

P. 未来を生きる自分の子孫に会えるとしたら、何を問う？

Q. "良い問い"とは何か？

R. 私たちにとっての"豊かな問い"とは？

S. 子どもが立てる問いは、"良い問い"だと思うか？

T. 万国共通の"良い問い"の条件を三つ挙げるとしたら？

U. 子どもの才能を潰す、"悪い問い"とは？

V. これまで科学の発展に最も貢献した問いは何だろうか？

W. 人工知能に問いをデザインすることは可能か？

X. なぜ人類は問うのだろうか？

Y. 今、何問目？

Z. A〜Zの中で、お気に入りの問いはどれ？

いかがでしたでしょうか。もしかしたら、深く考え込んでしまったものもあれば、何も考えが浮かんでこなかったものもあったかもしれません。ワクワクしたものもあれば、無理に絞りだしたものもあったかもしれません。また、1人でじっくり考えたい問いもあれば、家族・友人・同僚など、特定の誰かと一緒に探究したい問いもあったかもしれません。

　問いの表現や構成の仕方によって、問われた側に生みだされる現実は、違ったものになります。これが「問いのデザイン」の面白さであり、難しさでもあります。

ゾウの鼻くそはどこに溜まる？

　問いの基本性質（2）において強調しておきたいことは、問いは人の思考だけでなく、感情をも刺激するという性質です。人は何かを問われたら、答えるために考えようとする。これはアンケートや学校のテストなどの場面を想像しても、明らかな性質です。けれども、人を「考えたい」と動機づけることは、簡単なことではありません。楽しさや好奇心、驚きなどの感情を刺激することは、「わかったつもり」を打破し、日常で凝り固まった認識を揺さぶるきっかけづくりとして、とても有効です。

　以前、筆者（塩瀬）が動物園で子ども向けに実施したワークショップの事例を紹介しましょう。それは動物園の飼育員さんから教えてもらった動物観察のヒントにあります。「キリンって、牛みたいに反芻する動物だから、食べたものを胃から口に戻して咀嚼し直すんだよ。キリンは首が長いから、飲み込むのとは逆向きに食べ物が喉を通って戻ってくるところも見えるんだよ。でもそのためにはキリンがご飯を食べた後に5〜10分そのまま見続けないとダメなんだ」。

　このことを聞いて、子どもたちが動物ごとにじっくりと観察できるような仕掛けや問いかけを考えることになりました。そこから生まれたのが、「踵だけ注目しよう」「モグモグ口の動き、ピクピク耳の動き、ヒクヒク鼻の動きだけ注目しよう」など、動物の前でじっくり観察したくなるような問いかけの数々です。

　そのなかでも明らかに参加した親子の対話が劇的に変わったのが、「ゾウの鼻くそはどこに溜まるの？」でした。「先の方じゃないとほじれないんじゃ

ない？」「いやどうせあの大きな前足では鼻の穴に指が入らないでしょう」
「じゃぁ奥の方だ」「いや真ん中くらいに溜まっているのが、水を吸ったり吹
きだしたりするときに一緒に出ていくんじゃない」と、次々に仮説が生まれ
ると同時に、みんなの目線がゾウの鼻に向けられます。すると、「鼻がしわ
しわ」「なんか毛が生えてる」「鼻の付け根にあるのは唇かな？」などなど、
鼻くそ以外に気になることが次々に生まれてきます。

　その日のワークショップの帰り道、偶然に電車の中で参加者親子の1組が
向かいに居合わせました。すると、「でもゾウの鼻の奥に鼻くそがあったら、
水を吸ったときに全部口の中に入っちゃうんじゃない？」と、半日経っても
まだ対話が続いていたのです。

　ちなみにこの問いについて、筆者自身も答えは知りませんでした。ただ単
に自分が素朴に「どうなんだろう？」と疑問に思っただけなのです。問う側
が常に正解を知らないといけない、というのはある種、大人や学校の先生が
持つ強迫観念のようなもので、問う側の理解度は実は、問われる側の思考や
感情を刺激するのに必ずしも直結しません。

　むしろ、筆者自身が「なぜだろう？」と素朴に思っていたからこそ、問い
かける側と問いかけられる側に優劣や上下関係がなく、問いの前に対等な関
係性が構築できていたことが、参加者の思考や感情を刺激することができた
のかもしれません。そしてこの問いは、筆者が問いかけてから早10年以上
経つというのに、いまだに使いまわしてしまうほど自分自身にとっても刺激
的であったということです。

1.2.
創造的対話とは何か

問いが誘発するコミュニケーションタイプ

　問いが持つ効果は、問われた側の思考と感情を刺激するだけにとどまりま
せん。「ゾウの鼻くそはどこに溜まるのか？」について、参加者たちが「話
し合い」を始めてしまったように、問いは集団に共有されたとき、主体的な
コミュニケーションを誘発する性質を持っています。

問いは、集団のコミュニケーションを誘発する

　問いの基本性質（2）で確認した通り、問いは、問われた側の思考や感情を刺激します。問いに対峙した個人は、頭のなかで自分なりの意見を考えたり、新しいアイデアを思いついたり、あるいは新しい疑問やモヤモヤが生まれているかもしれません。そうした個人の思考の「種」は、同じ問いに対峙していたとしても、1人1人異なるものであるはずです。その思考や感情の種が「場」に共有されたとき、コミュニケーションは駆動されます。問いから生まれるコミュニケーションには、主に「討論」「議論」「対話」「雑談」の4種類があります（表1）。

①討論

　討論（debate）とは、あるテーマに対して、異なる意見の立場（たとえば賛成派と反対派など）に分かれて、お互いの意見を述べ合い、どちらの意見が正しいかを決めるコミュニケーションです。討論において、最終的に結論となった主張に、その場にいる全員が納得するとは限りません。勝ち負けがはっきりしており、論理的に正しい特定の誰かの主張が結論として採用され、反対意見を持っていたが、うまく主張が通せなかった誰かが「討論に負ける」ということがありえます。

②議論

　議論（discussion）とは、あるテーマに対して、関係者の合意形成や意思

討論	どちらの立場の意見が正しいかを決める話し合い
議論	合意形成や意思決定のための納得解を決める話し合い
対話	自由な雰囲気のなかで行われる新たな意味づけをつくる話し合い
雑談	自由な雰囲気のなかで行われる気軽な挨拶や情報のやりとり

表1　4タイプのコミュニケーションの違い

決定をするための話し合いです。論理的な話の道筋や、主張の正しさ、効率性が重視され、コミュニケーションを通して「結論を決める」ことが目的です。討論とは違って、勝ち負けを決めるよりも、全員で協力をしながら納得のいく「答え」を導くことに主眼が置かれます。

③対話

対話（dialogue）とは、あるテーマに対して、自由な雰囲気のなかで、それぞれの「意味づけ」を共有しながら、お互いの理解を深めたり、新たな意味づけをつくりだしたりするためのコミュニケーションです。議論や討論とは異なり、正しさや勝ち負けはありませんから、他者を打ち負かそうとしたり、答えを導こうとする必要はありません。自分とは異なる意見に対して早急な判断や評価を下さずに、どのような前提からその意味づけがなされているのか、「理解を深める」ことを重視します。それはすなわち、自分自身の前提を相対化し、理解することにもつながります。結果として、お互いに共通する新たな意味を発見し、自分たちにとっての現実を形づくっていくことができます。

④雑談

雑談（chat）とは、対話と同様に自由な雰囲気のなかで行われますが、もう少しカジュアルなコミュニケーションを指しています。お互いの価値観や意味づけの共有までは踏み込むことなく、気軽な挨拶や情報のやりとりによって成立します。関係構築が目的の場合もあれば、目的そのものがない場合もあるでしょう。

テーマがプライベートなものであれば、「雑談」になるというわけではありません。たとえば「漫画」のような趣味的なテーマであっても、「最近面白かった漫画は？」という問いからは「雑談」が弾むかもしれませんが、「人気のない漫画はすぐに打ち切りにすべきだろうか？」という問いを立てれば、活発な「討論」が生まれるかもしれませんし、「中学生のうちに読んでおくべき漫画とは？」という問いで「議論」をしてみるのも面白いかもしれません。漫画についての「対話」を期待するならば、「良い漫画とは何か？」と問い、

お互いの意味づけを共有してみるのはどうでしょうか。

　目的を持たずに情報交換をするのか、納得する結論を決めるのか、互いの意味づけを共有するのか。生みだされるコミュニケーションの性質は、「問い」によっても影響されるのです。

対話によって揺さぶられる個人の認識

　この４タイプのコミュニケーションのなかでも、固定化された「認識」と「関係性」に揺さぶりをかけてくれるのは、「対話」です。「討論」「議論」「雑談」は、参加する１人１人の暗黙の認識に迫ったり、お互いの関係性を「わかりあう」ことによって編み直したりしなくても、進めることができます。他方で「対話」は、物事に対する意味づけ、つまり個人の認識の共有を重視しますから、１人１人の暗黙の認識が場に可視化され、相対化されることで、自分自身の認識が問い直されたり、相互理解したりするきっかけとなります。

問いの基本性質（4）
対話を通して問いに向き合う過程で、個人の認識は内省される

　たとえば「良い漫画とは何か？」と問われ、対話を深める場面を思い浮かべてみましょう。物心ついたときから漫画をよく読んでいたＡさんは、幼少期に読みふけったいくつかの作品を思い浮かべ、そのときのワクワクした気持ちを懐かしみながら「読み終えた後も、長く記憶に残る作品ではないか」「記憶に残る漫画とは、日常では経験できない世界に連れていってくれるものではないか」と、考えるかもしれません。他方で、成人してから漫画を読むようになったＢさんは、人生において役に立つ教訓が得られることを重視し、実際に役に立った場面を過去の記憶から振り返り、ビジネスを題材にした漫画やノンフィクションの歴史漫画などを挙げるかもしれません。

　ＡさんとＢさんの漫画を捉える暗黙の前提となっている認識は、まったくの別物です。Ａさんは漫画を「非日常の体験」として捉えており、Ｂさんは「日常に役立つ道具」として捉えているからです。この背後にある価値観は、問いに対峙している時点では、本人には必ずしも客観視されているとは限り

ません。自分にとって「当たり前」すぎることは、日常においてはっきりと「メタ認知」（自分の思考についての客観的な思考）をすることは、簡単なことではないからです。

ところが、この2人が対話の機会を持つと、それぞれの暗黙の前提は、初めてメタ認知の対象となります。異なる前提から話されるそれぞれの経験や意見は、最初はお互いにとってどこか「違和感のある意見」として認識されるかもしれません。けれども対話的なコミュニケーションでは、そうした異なる意見に対して早急な判断や評価を下さずに、どのような前提からそれが話されているのか、背景を理解することが奨励されます。その過程において、自分とは異なる前提に立つ他者への理解を深めるとともに、自分自身の前提がどのようなものなのかが相対的に意識され、これがメタ認知につながるのです。

自分の暗黙の前提をメタ認知することは、自分の前提を再構成する「リフレクション」を誘発します。リフレクションとは、自分自身の経験を内省することであり、過去の経験に意味づけをしたり、ものの見方を再構成したりする認知プロセスを指します(図3)。リフレクションのレベルはさまざまで、過去の経験に意味づけを行い、今後に活かすための教訓を得るときもあれば、これまでの自分の無自覚だった認識に対して違和感や葛藤を覚え、価値観が大きく変わるような場合もあります。

成人教育学の偉人ジャック・メジローは、成人にとって最も重要な学習は、

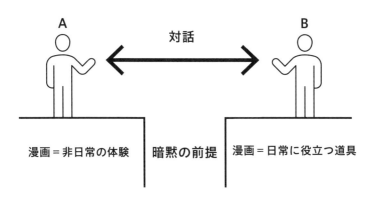

図3　対話による暗黙の前提の内省

現実に対する認識の仕方が変化することであり、そのプロセスを「変容的学習」として以下のように定式化しました[*1]。

変容的学習のプロセス

1. 混乱を引き起こすジレンマ
2. 恐れ、怒り、罪悪感や恥辱感の感情を伴う自己吟味
3. 想定（パラダイム）の問い直し
4. 他者も自分と同様の不満と変容プロセスを共有していることの認識
5. 新しい役割や関係性のための、別の選択肢の探究
6. 行動計画の作成
7. 自分の計画を実行するための、新しい知識や技能の獲得
8. 新しい役割や関係性の暫定的な試行
9. 新たな役割や関係性における、能力や自信の構築
10. 新たなパースペクティブ（ものの見方）の、自分の生活への再統合

　メジローが、認識の変容のプロセスの起点を「混乱を引き起こすジレンマ」に置いているように、こうしたドラスティックな認識の変容には、"痛み"が伴う場合もあります。対話によって意味づけを共有する「相手」がいることは、自分自身の暗黙の前提を見つめ直すための"比較対象"としてだけでなく、ともに変化を乗り越える"仲間"という意味でも、重要な存在です。

共通の意味づけを探るなかで、関係性が編み直される

　対話のプロセスは、個人の認識が内省されるだけにとどまりません。先ほどの漫画の例でいえば、2人の間で「漫画は非日常的な体験なのか？日常のための道具なのか？」について「議論」をして決着をつける必要はありません。対話においては、異なる価値観に触れ、自分自身の前提をメタ認知しながら、お互いに素朴な疑問を投げかけたり、違う角度から意見を述べてみたりしながら、共通の意味を探っていきます（図4）。

　たとえば、お互いの前提を理解するために「なぜこの人は、非日常にこだわるのだろう？」「漫画を読み始めたきっかけは何だろう？」「漫画をどうい

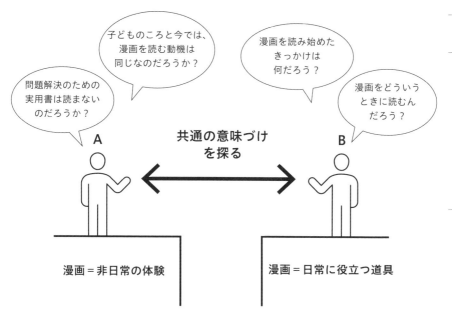

子どものころと今では、
漫画を読む動機は
同じなのだろうか？

漫画を読み始めた
きっかけは
何だろう？

問題解決のための
実用書は読まない
のだろうか？

漫画をどういう
ときに読むん
だろう？

A

B

共通の意味づけ
を探る

漫画＝非日常の体験

漫画＝日常に役立つ道具

図4　共通の意味づけを探る

うときに読むのだろう？」「なぜこの人は、役に立つことにこだわるのだろう？」「漫画を読む動機は子どものころも今も同じなのだろうか？」「問題解決のための実用書は読まないのだろうか？」などと疑問を投げかけ、「なぜそのような意味づけがされているのか」について、理解を深めながらも、共通の意味を探るための問いが生起されていきます。

　たとえば、「非日常性の強い漫画は、本当に役に立たないのだろうか？」「日常に役立てるために、人は漫画を読むのだろうか？」「設定は非日常であっても、日常に共感できる構造があるからこそ、面白いと感じるのではないか？」などと、新たな問いを生成しながら、共通の意味を探っていくのです。

　そうしていくうちに、たとえば「問題解決の道具であれば、実用書を読めばいい。漫画はあくまで面白さを追求した文化的コンテンツであるべきであり、読者はのめり込むからこそ、人生に役立つ教訓を副産物として手に入れてしまうのかもしれない」といった、相互理解の先にある新たな意味づけに到達するかもしれません。

組織における対話を専門とする経営学者の宇田川元一は、マルティン・ブーバーやミハイル・バフチンの対話に関する理論を下敷きにしながら、「対話」というコミュニケーションの定義そのものを「新しい関係性を構築すること」としています。そして新しい関係性を構築する対話の四つのステップを以下の通り示しています[*2]。

**　新しい関係性を構築する四つのステップ**
①溝に気づく
②溝の向こうを眺める
③溝の渡り橋を設計する
④溝に橋を架ける

　個々人の暗黙の前提の違いによる断絶が、ここでは「溝」と表現されています。すなわち、「溝の向こうを眺める」とは、自分とは異なる他者の認識を想像することに他なりません。宇田川の対話のプロセスでは、異なる認識をつなぐための「橋」として、新たな共通認識をつくりだすことで、結果として新たな関係性が構築されると位置づけられています（図5）。

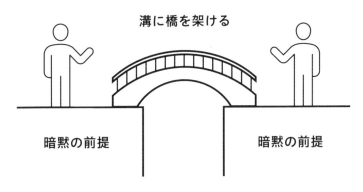

図5　対話によって溝に橋を架ける

> **問いの基本性質（5）**
> 対話を通して問いに向き合う過程で、集団の関係性は再構築される

新たなアイデアを創発する創造的対話

　対話によって新たな関係性が構築されるとき、相互理解が深まるだけにとどまらず、ときに新たなアイデアが創発する場合があります。

　ケネス・J・ガーゲンとロネ・ヒエストウッドは、著書『ダイアローグ・マネジメント』のなかで、対話にはいくつかの目的やプロセスパターンが存在することを示しながらも、参加者の会話が「どこか新たなところに行く」生成的な対話には、「学び」があり、また同時に「創造性」の基盤になることを指摘しています。すなわち、対話の参加者の思考と感情が揺さぶられながら、対話に参加する以前には保持していなかった共通認識が新たに「創発」する対話のことを指し示しています[*3]。

　本書では、このようにコミュニケーションから新たな意味やアイデアが創発する対話のことを、「創造的対話」と呼ぶことにします。

> **創造的対話の定義**
> 新たな意味やアイデアが創発する対話のこと

　筆者（安斎）は、創造的対話のトリガーとしての問いの力を実証すべく、以前ある実験を行いました[*4]。実験は、筆者のオリジナルワークショップの一つである「Ba Design Workshop」を題材に行いました。「Ba Design Workshop」とは、「未来にどんなカフェがあったら面白いだろうか？」と構想し、そのアイデアを体現したカフェのミニチュア作品をレゴブロックで制作するワークショップです（図6）。

　タイトルの通り、「場のデザイン」をテーマとしており、具体的なカフェという場をデザインする経験を通して、「場をデザインするとはどういうことか？」「場とは何か？」について考えることを狙いとしています。ワークショッ

図6　Ba Design Workshopの様子

プでは、参加者たちが馴染みのある場やお気に入りのカフェなどをお互いに
共有し、どのようにデザインされた場なのかを分析する活動や、20世紀前半
のパリのカフェ文化に関する話題提供[*5]などを通して考えを深めた後に、メ
イン活動として、グループでカフェのミニチュア作品の制作に取り組みます。

このワークショップで、プログラムの内容や時間の長さは変えずに、メイ
ン活動で2種類の問いを用意し、参加者に投げかけると、参加者の創造的対
話のプロセスがどのように変わるかを実験したのです。

問いAは、一般的なカフェのイメージに沿った「居心地が良いカフェと
は？」という問いを設定しました。もう一つの問いBは、少しひねりを加
えて、「危険だけど居心地が良いカフェとは？」という問いを設定したので
す。

問いの比較実験

問いA：居心地が良いカフェとは？
問いB：危険だけど居心地が良いカフェとは？

結果、「A：居心地が良いカフェとは？」と問われたグループは、「居心地
が良いカフェには、ソファが必要だ」「照明は暗い方がリラックスできる」「ハ

ンモックもあるといいよね」「いいねいいね」「そうしよう」などと、グループのそれぞれのメンバーの意見に共感しながら、比較的スムーズに制作が進んでいました。しかしながら、提案されたアイデアが“足し算的”に採用されていき、創造的なコミュニケーションが起きていたかというと、疑問が残りました。

他方で、「B：危険だけど居心地が良いカフェとは？」と問われたグループは、最初は「危険だけど、居心地が良い…？」などと困惑した様子が見られました。ところが、次第に発想と好奇心がくすぐられ、「雪山で心地よく眠れるカフェはどうだろうか？」「漫画喫茶で火災が起きるとか」「それは命にかかわり危険すぎるでしょう（笑）」などと、一見すると矛盾したこの二つの条件をなんとか乗り越えようと、アイデアを果敢に出しながら試行錯誤をする様子が見られました。

そして次第に「自分にとって居心地が良すぎるコミュニティは、かえって危険だと感じる」「クラブのような非日常性の強い場は、危険もあるけれど、居心地の良さもあるよね」などと、それぞれが自分の体験を振り返りながら、“危険だけど居心地が良い”を取り巻く価値観や経験を共有し、アイデアの源泉を探っていく様子が見られました。

結果として、「A：居心地が良いカフェとは？」と問われたグループよりも、「B：危険だけど居心地が良いカフェとは？」と問われたグループの方が、はるかにコミュニケーションが活発に交わされ、創造的対話を通して、新しいアイデアが導かれていたことが明らかになりました。同じテーマのワークショップであっても、創造的対話が促進できるかどうかは、投げかける「問い」のデザインにかかっているのです。

問いの基本性質（6）
問いは、創造的対話のトリガーになる

問いの答えは当事者の対話で意味づけられる現実：社会構成主義の考え方

ここまで、デザインした「問い」から「答え」が導かれるまでの間に、1

人1人の思考や感情が刺激され、創造的対話が促進されることで、背後にある認識や関係性が編み直されるプロセスがあることを確認してきました。

　この「答え」は、「問い」に対する「客観的な正解」というわけではありません。対話を通して、関係性のなかでつくりだされた「自分たちにとっての現実」と表現した方が良いかもしれません。この考え方は、「社会構成主義」という認識論に基づいています*6。

　社会構成主義では、私たちが「現実だ」と思っていることは、客観的に測定できるものではなく、関係者のコミュニケーションによって意味づけられ、合意されたものだけが現実である、と考えます。

　たとえば、ある組織で何かトラブルが起きているとしましょう。このときに、社会構成主義の価値観においては、第三者が組織を"診断"をして「これが問題である」と客観的に断定することはできない、と考えます。何か「問題」があるとすれば、それはあくまで当事者たちのコミュニケーションを通して「これが問題であると合意された現実である」、と考えるのです。

　先述した自動車メーカーのカーアクセサリー部門の例でいえば、依頼がもちかけられた当初、クライアントチームが認識していた問題は、「人工知能を活用した新しいカーナビのアイデアを考えなければ、カーナビは生き残れない」というものでした。これは、客観的に定義されたクライアントチームが解くべき課題ではなく、クライアント内のコミュニケーションによって社会的に構成された認識にすぎません。

　そこで筆者（安斎）は、クライアントと対話を深めながらこの現実を問い直し、新たな現実をつくり変えるために「自動運転社会において、どのような移動の時間をデザインしたいか？」「その移動の時間を、自社技術を活用してどのように支援できるだろうか？」と問いを変更し、創造的対話を通して、未来の移動の時間を支えるプロダクトのアイデアを生みだしたのです。

　ここで生みだされたのとまったく同じアイデアを、第三者のコンサルタントが「このプロダクトを開発すべきだ」と、コミュニケーションのプロセスを抜きにして一方的に提示しても、それはクライアント自身のコミュニケーションによって生みだされた現実ではありませんから、まったく違った意味になるでしょう。"問題"とされている現実を解決するためには、当事者自身が対話を重ねて、現実を再構成するしかないのです。

抽象と具体の往復で対話の解像度は上がる

　ここまで、社会構成主義に基づく創造的対話におけるキーワードとして「意味」という言葉を繰り返し用いてきました。そもそも「意味」とは何かについてもう少し補足をしておきます。

　意味とは、具体的なモノやコトに対する抽象的な解釈のことです。よくある例でいえば、「コップの中に水が半分入っている」という具体的な事実に対して「まだ半分ある」と考える人もいれば、「もう半分しかない」と考える人もいれば「お酒が飲みたいのに、水しかない」と考える人もいる。これが「意味」の違いです（図7）。

　対話が深まるプロセスは、「具体的なモノやコト」と「抽象的な意味の解釈」の絶えざる往復によってもたらされます。具体性がないまま抽象的な解釈ばかり話し合っていても、地に足のつかない空中戦となり、何に対してどのような意味づけをしているかが共有されず、お互いの「溝」は埋まりません。他方で、抽象的な意味づけを共有しないまま、「自分はこの漫画が好きだ」「私はあの漫画が好きだ」と、具体例だけを述べ合っていても、雑談の域を超えません。抽象と具体を結びつけながら、1人1人が体験した具体的なモノやコトを共有し、それに対する抽象的な意味の解釈を重ねていくことによって、

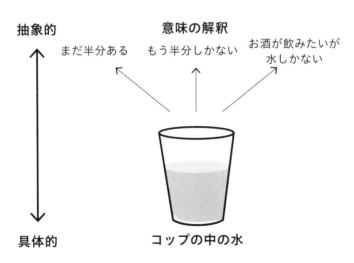

図7　コップの中の水の意味の解釈

対話は「深まる」のです。

　企業の商品開発においては「意味のイノベーション」という言葉が注目されています[*7]。ミラノ工科大学のロベルト・ベルガンティ教授が提唱した概念で、文字通り、商品の具体的なモノとしての特性ばかりをアップデートするのではなく、作り手から生活者に提案する「意味」をアップデートすることに主眼を置いた考え方です。商品に込める新たな意味を見いだすためには、作り手同士が、ときに生活者を巻き込みながら、対話を繰り返すしかありません。現代の商品開発現場において、ワークショップが重宝されている理由には、こうした背景もあるのです。

問いは新たな問いを生みだす

　最後に、もう一つだけ、重要な問いの基本性質を確認しておきたいと思います。それは、問いに答えようと対話を重ねていくうちに、新たな問いが生み出される、ということです。

　何か「わからないこと」を解消したくて本を読み進めていくうちに、当初の疑問は解消されたけれど、わからないことを理解したことによって、また新たに「わからないこと」が増えた、という経験をしたことがあるのではないでしょうか。

　筆者（塩瀬）が、視覚障害者とともに動物園を楽しむワークショップを開催したとき、生まれつき目の見えない人にシマウマの模様を説明する機会がありました。「体の大部分は黒白の縦縞で、タテガミも縞々です。人間でいうところの肩や太ももらしきところから縞模様が横向きに流れるように変化して、足の付け根に向かって横縞が続きます」「全部縦縞じゃないんだ？」。

　目の見える人が目の見えない人に対して、はじめは教えるつもりで説明し始めたところ、実は目の見える人もそれまでじっくりとシマウマの模様を観察したことがなかったことに気づきます。目の見える人と見えない人の関係性が〈教える―教わる〉という一方通行の関係から、ガラリと変わる瞬間です。

　「あっ、全部が縦縞じゃなかったんだ！」「タテガミも縞々なの？」「僕もタテガミが縞々なんて知らなかったんです」と、教えたつもりの目の見える人が自分の認識のズレに気づき、この発見が２人によってはじめてなしえたということに気づきます。

もはや〈教える―教わる〉という関係性ではなくなったことを自覚し、また その直後から、「シマウマの模様って茂みに隠れたり、群れに埋もれたり するためだって聞いてたんですけど、それなら全部縦縞にすればいいのに、 なぜ縦と横を混ぜたのでしょうね？」「シマウマの模様が縦横両方の縞模様 が混じっているとすると、他の縞模様のある動物はどうなんだろう？」とい うように、次々と問いが新たな問いを生み始めます。

〈教える―教わる〉という関係が固定化されたままの場合、多くの問いは 教わる側から始まりますが、2人のどちらからも問いが生まれるようになる と、その関係性が変化し始めたと考えられます。曖昧なまま個人のなかに蓄 積されてきたはずのたくさんの経験が、たった一つの問いによって芋づる式 に次々と連鎖していくような状況です。

「問う」という行為は、創造的対話を通して「答え」に辿り着くことがゴー ルではありません。創造的対話を通して認識と関係性が新たに編み直された からこそ、現実を捉える別のまなざしが生まれ、新たな「問い」がそこから 立ち現れる。そのようにして、デザインされた問いは、また新たな問いを生 みだすのです。

問いの基本性質（7）

問いは、創造的対話を通して、新たな別の問いを生みだす

1.3.
基本サイクルとデザイン手順

問いの基本サイクル

ここまで見てきた問いの基本性質を整理してみましょう。

問いの七つの基本性質

（1）問いの設定によって、導かれる答えは変わりうる

（2）問いは、思考と感情を刺激する

（3）問いは、集団のコミュニケーション誘発する

（4）対話を通して問いに向き合う過程で、個人の認識は内省される

（5）対話を通して問いに向き合う過程で、集団の関係性は再構築される

（6）問いは、創造的対話のトリガーになる

（7）問いは、創造的対話を通して、新たな別の問いを生みだす

　以上見てきた通り、問いはそのデザイン次第で、問われた側に思考や感情を刺激し、創造的対話のきっかけを生みだします。問いに対峙しながら集団の創造的対話のプロセスが回り始めると、自然と人々は自身が暗黙のうちに形成していた認識に気がつき、ときに問い直し、またお互いに共有することによって、関係性が変化し、新しい気づきやアイデアを生みだす契機となります。

　認識と関係性が編み直され、一定の解を得た人々は、そこで探究を止めず、新たな問いを生みだし、またこの探究のサイクルを回していくかもしれません。あるいは、問いのデザイナーとしてのファシリテーターが、新たな問いを投げかけることで、新たな探究をファシリテートするかもしれません。こ

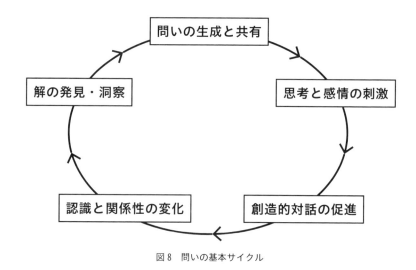

図 8　問いの基本サイクル

れが、問いを介しながら人々が認識と関係性を編み直していくプロセスであり、この循環を、本書では「問いの基本サイクル」と呼ぶことにします（図8）。

①問いの生成と共有

起点となる問いをデザインし、関係者に共有します。クライアントの依頼を受けて、第三者であるファシリテーターが問いをデザインする場合もあれば、問題状況に置かれた当事者たちが自ら、問いをデザインする場合もあります。

②思考と感情の刺激

共有された問いは、関係者たちの何かしらの思考や感情を刺激します。それらは1人1人異なるものであるはずで、問いに対する答えを出す上での意見の種となります。

③創造的対話の促進

1人1人の頭のなかに湧き上がった問いに対する意見や意味づけを場に共有し、創造的対話を通して、集団にとっての新たな意味づけや、納得のいく答えとなるアイデアを探っていきます。

④認識と関係性の変化

創造的対話の過程で、1人1人が暗黙の前提として持っていた認識は相対化され、揺さぶられます。集団にとっての新たな意味づけを探る過程で、集団の関係性も編み直されていきます。

⑤解の発見・洞察

認識と関係性が変化すると、対峙していた問いの捉え方も変わります。創造的対話の成果として、問いに対する納得のいく解が発見され、それが集団にとっての現実となります。同時に、新たに「わからないこと」「探究したいこと」が生じ、それがまた次の「問い」として、新たな対話の機会を拓いていきます。

このサイクルは、集団が問題を解決するためのプロセスでもあり、持続的に学び続けるためのプロセスでもあります。筆者らが取り組んできた企業、学校、地域におけるワークショップ型のプロジェクトでは、投げかけた問いに対して答えが出たらそれで終わりではなく、この問いの基本サイクルを何度も循環させながら、課題解決へと迫っていきます。問いはデザインしたら終わりではなく、人々が認識と関係性を編み直し、創造的対話を促進するための媒体（メディア）のようなものなのです。

　以上を踏まえて、冒頭で掲げた「問いとは何か？」に対して、本書では以下のように回答し、「問い」の定義をしておきたいと思います。

「問い」の定義

人々が創造的対話を通して認識と関係性を編み直すための媒体

質問と発問との違い

　問われた側に何らかの思考やコミュニケーションを誘発する「問いのデザイン」の類似領域として、インタビューやコーチングなどの「質問」の方法論や、学校教育における授業設計の「発問」の領域などが、思い浮かぶ人もいるかもしれません。問いのデザインについて探究する上で、これらの関連領域との違いについて、整理しておきます（表2）。

　第一に、コーチングやインタビューにおける「質問」について考えてみます。コーチングとは、対象者（クライアント）の目標達成や学習を指導するための方法論です。直接的にやり方や答えを教える「ティーチング」と対比され、あくまで「クライアントの中に答えがある」と考え、質問を投げかけながら、自発的な思考を引きだし、気づきを生みだしていきます。

　コーチングにせよ、インタビューにせよ、その方法論に共通する点は「相手のなかに引きだすべき情報がある」という前提です。したがって、質問は「情報を適切に引きだすための手段」として位置づいています。もちろん一般的な会話における「質問」のなかには上記に当てはまらない例外もありますが、多くの場合は「知らない人」が、「知っている人」に対して情報を引きだす

	問う側	問われる側	機能
質問	答えを知らない	答えを知っている	情報を引きだすトリガー
発問	答えを知っている	答えを知らない	考えさせるためのトリガー
問い	答えを知らない	答えを知らない	創造的対話を促すトリガー

表2　質問と発問との比較整理

手段を想定しているのが特徴です。

　第二に、学校教育で議論されてきた「発問」について考えてみます。発問とは、授業の狙いを達成するために、教師が生徒に向かって投げかける問いかけや課題を指します。答えを直接提示するのではなく、子どもに考えさせるために問い方を工夫することが重要とされています。

　発問にはいくつかの分類があり、ここでは詳しく紹介しませんが、たとえば教科書上に直接書いてある内容を読み取らせるための「事実発問」や、教科書に書かれたことから書かれていないことを推測させる「推論発問」、それに対して生徒自身の意見や態度を答えさせる「評価発問」などがあります。これらを組み合わせて授業を展開するとなれば、たとえば「浦島太郎は、竜宮城から何をお土産に持ち帰ったか？（事実発問）」「玉手箱の中身は、何だったと思うか？（推論発問）」「あなただったら、玉手箱を開けるか？それはなぜか？（評価発問）」といった具合です。

　これら「発問」の知見も、特に学校など学びの場における「問いのデザイン」に参考になるところが多いと感じます。けれども、学校教育における発問というのは、基本的には「答え（知識としての正解や、考えを深めるべきこと）を知っている教師」が、「答えを知らない生徒」に対して、投げかける問いの工夫によって考えさせ、答えに到達させるための手段を想定しています。

　他方で、本書で扱う「問いのデザイン」は、これまで見てきた「質問」や「発問」とは決定的に異なる点があります。それは、ワークショップにおいて、問いを投げかけるファシリテーターも、それに答えるかたちで対話を進行する参加者も、対話に取り組む時点では「誰も答えを知らない」という点です。

　どこかに「答え」を知っている誰かがいるのであれば、そのゴール地点に

向かって、情報を引きだしたり、到達のための努力を促したりすることで、目標は達成されます。ところが、本書が目指す「問いのデザイン」の方法論は、認識と関係性の病いによって、誰も「答え」が見えなくなってしまっている問題状況のなかで、創造的対話を通して向かうべきゴールを探りあてていくための手段として、位置づいています。以上を整理したものが、表2です。

　事前に答えがわからず、さらには答えがあるかどうかもわからない状況において、答えを探るための創造的対話を促進させるためのトリガーとして、「問い」は位置づいているのです。この意味で、問いを投げかけるファシリテーターと、問いに向き合う集団は、極めてフラットな関係性でなければならないと言えます。

問いのデザインの手順

　以上、問いの定義と基本性質について確認したところで、いよいよ「問いをいかにしてデザインするか」について考えていきます。序論で述べた通り、本書では、問いのデザインの手順を「課題のデザイン」と「プロセスのデザイン」の2段階に分けて解説していきます（図9）。

（1）課題のデザイン：問題の本質を捉え、解くべき課題を定める

　問題を解決するために、どのような「問い」を通して、問題を捉えるのか。問題の背景を多角的に読み解きながら、本質を捉えて「解決すべき課題」を正しく定義することが、「課題のデザイン」です。

　ワークショップのデザインの技法や、ファシリテーションのテクニック以前に、問題と向き合う「問い」の立て方を誤ってしまうと、その後どのようにワークショップで参加者に投げかける問いに工夫を凝らしたところで、問題を解決するための創造的対話の深まりは期待できません。

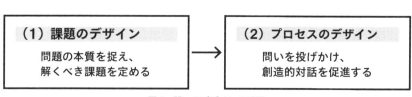

図9　問いのデザインの手順

そもそもなぜワークショップを開催するのか。何のために創造的対話の場を設けるのか。課題のデザインとは、集団が目指す理想的な状態や、乗り越えるべきハードルを問い直すことに他なりません。したがって、これが企業、学校、地域における問題を解決するプロジェクトにおいて、上流の段階にあたる問いのデザインといえます。

課題のデザインの方法論については、次章から始まる Part II「課題のデザイン：問題の本質を捉え、解くべき課題を定める」において解説します。ここで「問題」と「課題」という言葉を使い分けていますが、詳しくは次章で説明します。

（2）プロセスのデザイン：問いを投げかけ、創造的対話を促進する

解くべき課題をデザインしたら、問題の当事者たちを集めて「ワークショップ」を開催し、対話を通して課題の解決に迫ります。けれども、定義した課題をそのまま当事者に投げかけ、無計画に話し合いをしているだけでは、対話の深まりは期待できません。

どのような道順を辿って課題に迫っていくのか、ワークショップにおける時間の使い方を計画し、当事者たちの気づきや対話を深めながら、ファシリテーターとして伴走すること、それが「プロセスのデザイン」です。プロセスのデザインにおいてもまた、問いのデザインがその質に大きな影響を与えます。

ワークショップにおいて創造的対話を促すためには、参加者に投げかける問いの制約に工夫を凝らしたり、いくつかの問いを効果的に組み合わせたり、戦略的にプログラムをデザインすることが必要です。プログラムとは、複数の活動を順序立てた時間割のようなもので、複数の問いの構成によって成り立っています。ワークショップの成否は、プログラムのデザインで決まるといっても過言ではありません。

課題によっては、複数回のワークショップを組み合わせて、数カ月間から数年間にわたるプロジェクトやカリキュラムを構成し、長期にわたって伴走が必要な場合もあるでしょう。そうしたときこそ、プロセスのデザインは重要になります。

適切に課題を定義し、戦略的にワークショップをデザインすれば、あとは

ファシリテーターは何もしなくてよいのかといえば、そうではありません。よく練られた問いをプログラムに設定していたとしても、参加者によって、対話の過程においてどのような思考とコミュニケーションのプロセスを辿るかは、事前に予想がつきません。

　ファシリテーターは、場をよく観察し、参加者の状況に合わせて、もし対話が深まっていかない様子が見られたら臨機応変に「問いかけ」をしながら、ときにプロセスをサポートしたり、ときに揺さぶりを与えたりすることが必要です。このようなファシリテーションにおける「問いかけ」の工夫もまた、「プロセスのデザイン」としての問いのデザインの範疇に入ります。

　定義した課題や、設計したワークショップ・プログラムのポテンシャルを最大限発揮できるように、それぞれの問いの伝え方、参加者との関係構築の仕方、問いを深める過程のサポートなど、ファシリテーションによる問いかけの技術を磨くことも重要です。

　プロセスのデザインの方法論については、Part III「プロセスのデザイン：問いを投げかけ、創造的対話を促進する」において解説します。

＊1　Mezirow,J.（1978）Education for Perspective Transformation: Women's Re-entry Program in Community Colleges, Teachers College Columbia University
＊2　宇田川元一（2019）『他者と働く：「わかりあえなさ」から始める組織論』NewsPicks パブリッシング
＊3　ケネス・J・ガーゲン、ロネ・ヒエストゥッド、伊藤守／監修・訳、二宮美樹／訳（2015）『ダイアローグ・マネジメント：対話が生み出す強い組織』ディスカヴァー・トゥエンティワン
＊4　安斎勇樹、森玲奈、山内祐平（2011）「創発的コラボレーションを促すワークショップデザイン」『日本教育工学雑誌』35（2）
＊5　20世紀前半のパリのカフェは、アポリネール、ピカソ、エコール・ド・パリの画家たち、シュルレアリストたち、ヘミングウェイやサルトル、ボーヴォワールら実存主義の知識人たちなど、世界中の逸脱者たちの避難場所であり、学びと創発を生みだす装置だった。当時の状況は次の書籍に詳しい。飯田美樹（2011）『café から時代は創られる』いなほ書房
＊6　ケネス・J・ガーゲン、東村知子／訳（2004）『あなたへの社会構成主義』ナカニシヤ出版
＊7　ロベルト・ベルガンティ、安西洋之／監修、八重樫文／監訳（2017）『突破するデザイン：あふれるビジョンから最高のヒットをつくる』日経 BP

課題のデザイン

問題の本質を捉え、解くべき課題を定める

問題を捉え直す考え方

問題と課題の違い

問題とは何か？

　問いのデザインにおける「課題のデザイン」は、企業、学校、地域における問題を解決するためのプロジェクトにおいて、最も上流段階にあたります。ワークショップやファシリテーションの場面で、参加者に具体的に投げかける「問いかけ」の工夫以前に、そもそもなんのためにワークショップを実施するのか、どのような課題を解決するために対話を実施するのか、誰のどんな学びを促すためなのか、その目標設定がずれてしまっていては、成果が期待できないからです。

　ワークショップがうまくいかない、当日のファシリテーションが難しいと嘆くファシリテーターは、まずこの根本的な課題の設定の仕方でズレてしまっていないかを確認する必要があります。

　「解決すべき課題」を適切に定義するためには、複雑な問題状況を捉え直して、問題の本質を掴む必要があります。2 章では、課題を正しく定義するための前提として、問題を捉え直す考え方について解説していきます。

　ここまで「問題」と「課題」という二つの言葉を使い分けてきましたが、それぞれの言葉の定義について整理しておきましょう。いずれも「problem」を訳語とした同義語で、意味はイコールであるという考え方もあれば、ビジネスの現場では解決の志向性によって区別をすることもあるようです。「課題とは何か」について考える前に、まずは馴染みの深い「問題とは何か」について考えるところから始めましょう。

　いわゆる「問題解決（problem solving）」の膨大な研究の蓄積を参照すると、

「問題」とは、何かしらの目標があり、それに対して動機づけられているにもかかわらず、到達の方法や道筋がわからない、試みてもうまくいかない状況、と定義されています[1]。

「問題」の定義

何かしらの目標があり、それに対して動機づけられているが、
到達の方法や道筋がわからない、試みてもうまくいかない状況のこと

問題は、企業、学校、地域のさまざまな場面で発生しています。たとえば、以下のようなものです。

・組織としてもっと一致団結したいが、うまくいかない
・革新的なヒット商品を生みだしたいが、うまくいかない
・もっと生徒の意欲を引きだしたいが、うまくいかない
・地域の元気がなく、観光客を増やしたいが、うまくいかない

問題は、必ずしも明確に定義されているとは限りません。どこから手をつければよいのか、「漠然としたうまくいかない状況」も、問題として認識されます。先行研究の整理[2]によれば、問題の初期状態（スタート）と目標状態（ゴール）が決まっていて、到達までのプロセスがはっきりしている問題は「良定義問題（well-defined-problems）」と呼ばれます。「八角形の内角の和は何度か？」「二酸化炭素の分子量はどれほどか？」といったような、学校の教科教育に多く見られる「解き方がはっきりしている問題」の多くは、良定義問題です。

他方で、問題に対する解が二つ以上ある可能性があって、目標状態がはっきりしない場合、到達するまでのプロセスは特定できません。このような問題は「難定義問題（ill-defined-problems）」と呼ばれます。前述したような「どうすれば生徒の意欲を引きだせるか？」「どうすれば組織を一致団結させられるか？」といった問題は、難定義問題にあたります。学校において生徒に向けられる問題の多くは、この難定義問題は忌避される傾向にありますが、企業、地域などで遭遇する複雑な問題の多くは難定義問題と言えるでしょう。

洞察問題の解決を阻む固定観念

　良定義問題と難定義問題の境界線は曖昧で、はっきりと線引きすることはできません。たとえば初期状態と目標状態がはっきりしていて、唯一の正解がある問題でも、正解に到達するまでにひらめきや発想の転換が必要な問題は「洞察問題」と呼ばれ、難定義問題の一種として捉える考え方もあります[*3]。洞察問題として有名なのは、以下の「9点問題」と呼ばれる問題です(図1)。

図1　9点問題

問題：一筆書きで九つの●を結んでください

　頭の体操だと思って、紙とペンを用意して、この問題にトライしてみてください。素直に引こうとすると、図2のように5本の直線を一筆に描くことによって、九つの●を結ぶことになるでしょう。

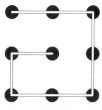

図2　5本の直線で結ぶ

　ところがもし「4本の直線で結べるか?」と問われると、どうでしょうか。途端に洞察問題としての難定義問題に姿を変えます。どこから筆を入れても、なかなか4本だけですべての点を通ることはできません。けれども何度も引き

直しながら試行錯誤を繰り返していくと、「なるほど、そういうことか！」と
気づきの瞬間（洞察）が訪れて、図3の正解に辿り着くことができるはずです。

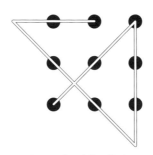

図3　4本の直線で結ぶ

　この問題がなかなか解けない理由は明確で、無意識のうちに「見えない枠」
をつくりだしてしまい、その枠の中で線を引こうとしてしまうからです（図4）。
試行錯誤の過程で、暗黙のうちに「見えない枠」の中で線を引こうとしてしまっ
ていたことに気がつき、枠の外にはみだしてもよいということに気づけば、途
端にこの問題は解に到達することができます。

図4　見えない枠

　一度わかってしまえばシンプルな問題ですが、解に到達した気づきの瞬間
を特定しやすいことから、創造性の認知科学研究では、実験室で被験者に出
題されるテストとして繰り返し扱われてきました。

　筆者（安斎）がこの「9点問題」を気に入っている理由は、人間の固定観
念の強固さと、面白さを同時に教えてくれるからです。認知科学研究で扱わ
れる「9点問題」のメカニズムの解説は、通常はここまでです。けれども筆
者なりの視点からもう少し掘り下げてみると、この問題は、まだまだ味わう

ことができます。

　たとえば「3本の直線で結べるか？」と問われたら、いかがでしょうか。先ほどと同じ要領で、「見えない枠」の外側にはみだして線を引いてみても、3本だけでは到底無理なように思えます。けれども、問題文をよく読んでみると、九つの●は、あえて「点」とは表記されていません。数学において定義された「点」には「面積がない」というのが常識です。しかし、もしこの九つに配置された「●」が、ごくわずかな面積を持った単なる円状の図形なのであれば、紙面の余白と直線の傾き次第では、3本でも結ぶことが可能となるはずです（図5）。

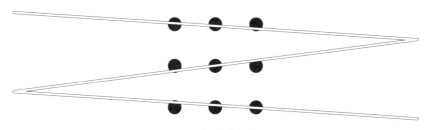

図5　3本の直線で結ぶ

　さらにいえば、「大きさ」という概念にとらわれないのであれば、規格外の特大の「筆」を持ってくれば、文字通り「一筆」＝1本で結ぶことだってできるかもしれません（図6）。

図6　"一筆書き"

　この問題から学べることは、私たちは無自覚のうちに、問題の背後にある制約に対して、「見えない枠」を設定したり、点や筆に対して「だいたいこれくらいの大きさだろう」という想定を持ったり、自ら形成した固定観念を

通して問題に対峙してしまうということです。これはまさに前章までに述べてきた「認識の固定化の病い」の影響です。問題を解決しようとすることと、そこに対峙する人の認識の影響は、切っても切り離せないのです。

また、「一筆書きで九つの●を結べ」という問題に対して「4本の直線で結べるか？」と問われたときと、「3本の直線で結べるか？」と問われたときでは、問題の見え方や、想起される前提や制約は異なるものになったのではないでしょうか。「3本の直線で結べるか？」と問われなければ、点や筆の大きさの認識には気づかなかったかもしれません。背後にどんな認識を持つか、またどんな「問い」で問題を捉えるかによって、問題の意味合い、定義のされ方は大きく変わってくるのです。

当事者の認識によって、問題の解釈は変化する

これまで見てきた通り、企業、学校、地域における諸問題は、そもそも多くの場合は初期状態（スタート）や目標状態（ゴール）が曖昧に定義されていない「難定義問題」ばかりです。また、仮にそれらの問題が具体的に定義されている「良定義問題」に見えたとしても、問題に対峙した当事者たちが背後で保持する暗黙の認識によっては、問題の解釈は異なるものになり、導かれる答えも異なるものになります。ときには、答えの存在すら、不確かなものになるでしょう。

人間は目先の問題状況を解決しようと試行錯誤しているうちに、いくつもの暗黙の認識にとらわれ、問題の本質を見誤ったり、問題をすり替えてしまったり、特定の偏った認識から別の新たな問題を生成してしまったり、無自覚のうちに"自分本位"に問題を解釈してしまう生き物です。それがかえって問題の解決を阻害してしまうということは、日常の場面においても少なくありません。

以下は、ある架空の高校1年生のA君が、問題に対峙した際の誠実な思考のプロセスです。このケースを例に、考えてみましょう。

A君にとっての問題

僕の学校のテストの成績が悪いと、母親の機嫌はとたんに悪くなる。母親は機嫌を損ねると、口数を減らすタイプで、食事の時間などは気ま

ずくてたまらないし、食事の味もまずくなる。

　最悪なのは、お小遣いが減らされてしまうことだ。

　次の試験も、きっと母親が満足のいく成績ではないだろう。

　どうにかして、テストの結果を親に知られずに済ますことはできない
だろうか？もしくは、テストが返ってくるころに、何か別の方法で、親
の機嫌をとることはできないだろうか？

　やはりどちらも難しそうだ。

　いっそのこと、お小遣いが減らされることは仕方がないと諦めて、ア
ルバイトでも始めた方が、建設的かもしれない。

A君が設定した問い

　「楽して稼げるバイトは、何かないだろうか？」

　この例では、当初は「学校のテストの成績が悪いと、親の機嫌が悪くなる」
という状態が、解決したい問題の初期状態として認識されていたようですが、
親の機嫌の悪化によるお小遣いの減額を回避しようとするあまり、自由に使
えるお金を確保することが目標状態として明確に意識され、結果として「楽
して稼げるバイトは、何かないだろうか？」という問いが設定されています（図
7）。割の良いアルバイトが見つかれば、この問いは解決できたことになります。

　考え方によっては「学校のテストの成績はさほど大事ではないし、学生の
うちは思う存分に遊ぶことが重要だから、効率的なアルバイトでお金を稼ぐことは重要だ」とする価値観もあるかもしれません。A君自身がその価値観に心から合意できるのであれば、割の良いアルバイトを見つけだすことは、A君にとっての問題の解決のプロセスとしては成功といえるでしょう。

楽して稼げるバイトは
何かないだろうか？

図7　A君にとっての問い（©iStock.com / mari_matayoshi）

　けれども、当初認識されてい

た問題状況において、「学校のテストの成績が悪い」ことと、その結果として「親の機嫌が悪くなること」は、割の良いアルバイトを発見することでは解決できません。むしろ、Ａ君はアルバイトをすることで学業の時間が確保できなくなり、成績と親の機嫌はさらに悪くなっていく可能性すらあるでしょう。Ａ君が立てるべき問いは、「楽して稼げるバイトは、何かないだろうか？」で良かったのでしょうか？

関係者の視点から問題を捉え直す

忘れてはならないことは、この問題の「関係者（ステークホルダー）」はＡ君だけでなく、Ａ君の母親にとっての問題でもある、ということです。ここで、母親の目線からこの問題がどのように見えていたのか、覗いてみましょう。

Ａ君の母親にとっての問題

息子には、豊かな人間性を形成するために、充実した高校生活を過ごしてほしい。そのためには、学校の勉強や部活動に取り組む時間や、友達と遊ぶ時間も、同様に重要だ。その両方を大事にして、バランスのとれた生活を送ってもらいたい。

アルバイトも社会勉強にはなるかもしれないが、高校生のバイトの時給などたかが知れているし、大学生になってからでも遅くはない。だから今のうちは、アルバイトをしなくても友達と遊ぶには不足しない程度のお小遣いは、毎月与えたい。

けれどもそんな親の想いとは裏腹に、息子の頭の中は遊びのことばかりのようで、部屋に籠っているときも、どうやら１人でテレビゲームに没頭しているようだ。

その証拠に、学校の成績は毎回あまり良いとは言えない。やはりテストの具体的な結果を突きつけられると、親として不安を感じる。自分の不甲斐なさに、憤りを感じてしまうこともある。ゲームに浪費されるだけなのでお小遣いを減らしてみたこともあるが、成績は変わらない。

Ａ君の母親が設定した問い

「どうすれば、息子が勉強してくれるだろうか？」

どうすれば息子が勉強してくれるだろうか？

図8　A君の母親にとっての問い（©iStock.com / mari_matayoshi）

「A君の成績が芳しくない」という問題を、A君と母親の「2人とっての問題」として再解釈すると、問題はやや複雑化します。

A君が「楽して稼げるバイトは、何かないだろうか？」という問いを解決しようとすればするほど、母親の「どうすれば、息子が勉強してくれるだろうか？」という問いは、解決が遠のくばかりか、母親にとっての問題状況はさらに悪化することが予想されます（図8）。母親の立場から問題を捉えれば、A君が本当に立てるべき問いは、「どうすれば学校の成績が上がるか？」だったのかもしれない、と考えることもできるでしょう。

問題と課題の違い

上記の「どうすれば学校の成績が上がるか？」という問いは、お小遣いの減額を恐れるA君にとっても、子どもの勉強時間の確保を願う母親にとっても、お互いにとって望ましい目標状態を見据えているという意味で、問題を捉えるまなざしとして妥当であるといえるかもしれません。

けれども、上記の問いは、やや母親の立場を考慮するあまりに、かえって息子の背景や心情、そもそも「勉強したいと思っていない」という現状を軽視しているという点で、やや近視眼的な問いの設定といえなくもなさそうです。そもそも、学力というのは一朝一夕で上がるものではありません。にもかかわらず、「テストの成績」という一時的な結果に対して、親が一喜一憂し、感情的な反応を示していること自体が、じっくりと勉強する学習環境を阻害しているのではないか、という仮説も考えられます。

すなわち、この問題の本質は、親子の「関係性」にあると考えることもできるのです。本来的には、A君の母親は中長期的な人間形成に重きを置き、バランスのとれた時間を送ってほしいと思っていたはずです。その評価指標

が、無自覚のうちに一時的な「成績」に置かれてしまっている状況は、親子の間にディスコミュニケーションを引き起こす一因になっているとは考えられないでしょうか。

　人は、問題状況が自分にとっての「痛み」を伴う場合は特に、問題の設定の矛先を「目の前の痛みの解消」に焦点化しがちです。自分にとっての目先の「痛み」にとらわれてしまうことで、長期的な思考ができなくなったり、問題を構造的に捉えることができなくなり、解くべき問題の設定の仕方を誤ってしまうのです。

　じっくりと勉強しながら学力を育み、遊びも楽しみながら人間形成をしていくのであれば、「何のために勉強をするのだろうか？」「せっかくなら、勉強を楽しみながら、着実に学力を伸ばしていけるように、どんな長期学習計画を立てればよいだろうか？」「そのために家庭はどんな学習環境であるべきだろうか？」といった問いを設定し、じっくりと「対話」をすることが、A君親子には、必要なのかもしれません（図9）。

　さて、本章の冒頭で掲げた「課題とは何か」という問いに戻りましょう。ここまでの議論を踏まえて、本書では、関係者の間で「解決すべきだ」と前向きに合意された問題のことを「課題」と呼ぶことにします。

対話の必要性

図9　問題の本質は関係性にあり？（©iStock.com / mari_matayoshi）

> **「課題」の定義**
> 関係者の間で「解決すべきだ」と前向きに合意された問題のこと

　これまで見てきた通り、関係者 1 人 1 人の「問題」は、同じ状況に対峙していたとしても、それぞれの認識によって解釈が異なります。ある人にとっての問題は、別のある人にとっては解くべき問題とは限りません。多様な立場が存在することを考慮し、またそれぞれの立場の背後には暗黙の認識が存在していることを想像しながら、関係者が対峙すべき「解くべき課題」を定義し、合意を形成すること。これが、本書で扱う「課題のデザイン」に他なりません。

2.2.
課題設定の罠

　企業、学校、地域における問題解決の現状に目を向けてみると、課題の定義で失敗してしまっているパターンが少なくありません。偏った視点から問題を捉えているために、関係者の合意が得られなかったり、あるいは関係者が「解決すべきだ」と合意しているものの、視野が狭く、別の視点から課題を再定義する必要があったりするケースなど、さまざまです。

　うまくいかない課題の設定の仕方にはいくつかの共通項があります。挙げれば切りがありませんが、よくある失敗パターンを「課題設定の罠」として五つほど紹介します。

> **課題設定の罠**
> (1) 自分本位
> (2) 自己目的化
> (3) ネガティブ・他責
> (4) 優等生
> (5) 壮大

課題設定の罠（1）自分本位

　まず、課題の設定が「自分本位」の視点に偏っており、関係者全員にとって建設的な課題になっていなかったり、解決する社会的意義が欠如していたりするパターンが挙げられます。前述した、A君の例で言えば、中長期的な学業の意義や、母親の想いの部分を軽視して、目先の自分にとっての「痛み」の解消を第一に、「楽して稼げるバイトは、何かないだろうか？」と問いを立ててしまっているパターンは、これに該当します。

　先に説明した自動車メーカーのカーアクセサリー部門が当初に掲げていた「AI時代において、カーナビはどうすれば生き残れるか？」という問題の捉え方もまた、自社の既存プロダクトが既存市場において生き残ることだけに主眼が置かれていて、「社会において本当にカーナビが必要なのか？」「自分たちは社会にどんな価値を生みだしたいのか？」という視点が欠けています。

　「どうすれば売り上げが上がるか？」「どうすれば地域に人が呼び込めるか？」といった自分の利益を守るための課題設定は、外部の協力者が得られないほか、最終的にユーザーや観光客など課題解決の価値を享受するステークホルダーの視点が抜け落ちるリスクがあります。多様なステークホルダーにとって建設的であり、社会的意義のある課題に再定義する必要性があるでしょう。

課題設定の罠（2）自己目的化

　最初は何か目的があって具体的なツールやソリューションの導入を検討していたはずなのに、気づかないうちにそれが自己目的化してしまう、というケースは少なくありません。特に"流行りの手法"を導入したい場合などには起こりがちです。たとえば以下のようなケースです。

・学校のカリキュラムに「アクティブラーニング」を導入したいが、教員の意欲と技量が追いつかない。どうすれば、教員がアクティブラーニングの推進に協力的になるか？
・イノベーションのために「デザイン思考」の研修パッケージを導入したが、うまくいかない。どうすれば、デザイン思考が現場でワークするか？

アクティブラーニングにせよ、デザイン思考[*4]にせよ、いずれも正しく実践すれば、意味があり、効果が出るもののはずです。けれども、もし流行に影響されて、導入する意義や目標を吟味せぬまま「みんながやっているから、自分たちもなんとなくやる」という意思決定が下され、「どうすれば、うまく導入できるか？」という視点で問題を捉えてしまうと、うまくいきません。それをやる理由（大義）と手段をうまく結びつけるかたちで、課題を定義する必要あるでしょう。

　たとえば「アクティブラーニングの導入」であれば、筆者（安斎）に寄せられる多くの相談のなかに「アクティブラーニングの教え方を指導いただきたい」というものがあります。文字通り、アクティブラーニングはラーニングの手法であり、児童生徒のためのものです。「ティーチング手法ではないため、そもそも先生のものではありません」というお断りから始めなくてはなりません。

　多くの学校の先生は、ご自身が児童生徒として学校に通っていたとき、また大学の教職課程で指導方法を習う段階でアクティブラーニングに触れる機会がなかったため、自分自身が経験していないものを児童生徒に向けて実行する、というのがなかなか腑に落ちないものです。しかし、社会的な圧力として、「アクティブラーニングをしないといけないらしい」「学習指導要領改訂の主題がアクティブラーニングになっていて、いよいよ逃れられない」といった後ろ向きなスタートを切ってしまうと、目も当てられません。

　21世紀型スキルをはじめとする汎用的能力の育成、また専門教育としての知識の理解深化など、変化の激しい社会で通用する能力を獲得するという教育・学習目標の方向性への合意があった上で、各学校の思想やリソース、戦略などからなる「学校として育てたい人材像」の定義がなされている必要があるはずです。そうした大義にカリキュラムの全体構造を接合させるかたちで「アクティブラーニングを導入する理由」が形成されていなければ、目的と手段が噛み合うはずがありません。

　アクティブラーニングを授業に盛り込んでいく場合には、児童生徒がまさに自ら学びたいという興味関心が集まった好機を逃さないことが重要で、そのためには授業の進捗よりも児童生徒の興味関心に寄りそう柔軟な授業運営が必要になります。すると、どうしても教科間やクラス間で進捗に差が出て

しまうため、時間割などを融通するなどして柔軟にフォローできる、学年をあげての調整が必要になります。だからこそ、カリキュラム・マネジメントが重要なのであり、そうしたカリキュラムのグランドデザインが各授業のプログラムデザインに落とし込まれるという相互関係が大切になります。このサイクルがうまく回らなければアクティブラーニングの導入は絵に描いた餅で終わってしまうでしょう。

ところが、そのような言語化と接続をせずに、「手法を導入すること」だけを自己目的化してしまうと、現場レベルでは「学生を寝させないためにグループワークを導入する」「アクティブラーニングを導入した方が、保護者の満足度が上がるらしい」といったような、手段の意義に対する理解が浅いまま実践が進んでしまうことになります。こうして、「あの歴史の先生の授業はとても面白かったのに、アクティブラーニングで自習ばかりになってしまって面白くなくってしまった」などと本末転倒な結果になりかねません。

課題設定の罠（3）ネガティブ・他責

課題の設定が後ろ向きになっているパターンです。同じ問題状況であっても、それに対峙した際に状況をポジティブに解釈するのか、ネガティブに解釈するのか、人によって異なります。

たとえば前述したA君の問題状況についても、楽観的な人は「そもそもまだ高校1年生なのだから、細かいことは気にすることはない」と考えるかもしれませんし、悲観的な人は「このままいくと、受験勉強が本格化するころには取り返しがつかなくなるかもしれない。なんとかしなければ」と考えるかもしれません。

楽観的が良く、悲観的が良くないというわけではありませんが、問題解決に対する前向きさ、後ろ向きさは、設定した課題によく反映されます。たとえば「どうすれば授業中の眠気に負けずに済むか？」という問いと「学校の授業が楽しくなるために、どんな事前準備が有効か？」という問いを比べたときに、どちらの方がより解決に向かって動機づけられるでしょうか。

1章で解説した通り、問いは、問いかけられた側の思考や感情を刺激します。関係者を巻き込みながら創造的に問題を解決していくためには、関係者の多くが「前向きに取り組みたい」「解決したい」と思える課題を設定する

ことが重要です。

組織の問題解決の場面においても同様です。「潰すべき組織の問題は何か？」「我々はこのままでよいのだろうか？」と問うのと、「この状況を楽しく乗り越えるために、私たちはどのようなコラボレーションが必要か？」と問うのとでは、目の前の出来事に対する見え方は変わるはずです。

また、ネガティブパターンでよくあるのは、他責的な考え方で課題を設定してしまうパターンです。学校や人材育成などの現場で起こりがちです。つまり、問題の原因を、学び手の努力や能力不足として捉えてしまうパターンです。

たとえば企業内で「若手からアイデアの提案が活発に出てこない」という問題状況があったとします。これに対して、問題の原因としては、「そもそもアイデアを考えることに動機づけがされていない」のか、「アイデアを考えたいが、知識や技術が足りずに思いつかない」のか、あるいは「アイデアを考えているが、気軽に提案できる風土ではない」のか、もしくは、「会社として提案されたアイデアを実現させるしくみがないため、若手から見限られてしまっている」のか、さまざまな可能性が考えられます（図10）。

筆者（安斎）の経験則では、このようなケースでは、若手の「能力」に原因があるケースは稀です。けれども、人事部や上司であるマネージャーが課題を設定しようとすると、若手の能力やモチベーションに原因を求め、「若

図10　ネガティブな課題設定の背後にある認識のズレ（©iStock.com / jesadaphorn）

手がアイデアを考えられるように、発想力を高める研修が必要だ」といった課題を設定してしまうのです。A君の母親が、「家庭はどんな学習環境であるべきか？」という問いを立てずに、「どうすれば、息子が勉強してくれるだろうか？」と問いを立ててしまったケースに似ているかもしれません。

　一方的に特定の関係者に責任を押しつけずに、関係者同士でフラットに対話を深めることができる課題を設定することが重要です。「指示待ち人間ばかりで、イエスしか言わない。これでは何も新しいものが生まれてこない」と嘆きが聞こえてくるようなときは、「裏を返せば、指示がクリエイティブでありさえすれば、組織全体としてそのクリエイティビティが増幅されて素晴らしいチームになりますね」と視点を変えることもできるはずです。

課題設定の罠（4）優等生

　課題の設定が前向きであっても、解決する動機づけがされていなかったり、対話が深まらなかったりするケースもあります。それは、課題の設定の仕方が、誤解を恐れずに言えば "優等生的" になっているケースです。たとえば「持続可能な社会をつくるにはどうすればいいか？」「ポイ捨てを減らすにはどうすればいいか？」といったような課題です。

　これらについて考えることは非常に大切ですが、社会通念的に「良し」とされていることが前提となっており、そうでない側面の検討が欠けているがために、よほどワークショップやファシリテーションで工夫を凝らさなければ、創造的対話が深まらないケースが多いのです。

　こうした課題設定のままワークショップを実施すると、複数のグループから同じような結論が出てくることが多いです。"優等生" 的な問いからは、"優等生" 的な答えが導かれてしまいます。思いもよらない結論を導く創造的対話の場をつくるためには、たとえば「"持続的ではない" 社会とはどのような社会か？」「社会が持続的であるとはどういうことか？」「ポイ捨てをする人は、ゴミを捨てることで、何を得ているのか？」「致命的なポイ捨てと、そうでないポイ捨てがあるとしたら、その境界はどこにあるのか？」などと、問いの立て方に少しひねりを加え、規範的な思考に揺さぶりを与える課題を設定することが必要です。

　「入学試験でのスマートフォンの持ち込みをどうやって防ぐか？」という

優等生的な問いは、入学試験とは自分が記憶した知識だけを頼りに独力で解決するものという思い込みを前提としています。しかし、「誰でもスマートフォンを持ち込めるようにしてはどうか？」「むしろスマートフォンでどれだけ情報収集や情報発信できるかを試験で確かめられないか？」といった優等生的ではない回答に新たな学力試験の可能性が見えてくるかもしれません。実際に、入学試験にスマートフォンの持ち込みを許可する学校が出てきたことは、とても興味深いです。

課題設定の罠（5）壮大

　設定された課題が壮大すぎるパターンです。企業、学校、地域に蔓延する問題は、長い年月をかけて多様なステークホルダーを巻き込みながら複雑化しているケースが多いため、根本的な解決を試みようとすると、たとえば「100年後の人類を幸せにするプロダクトをつくる」「教育の評価システムを変革する」など、問題のサイズが大きくなりがちです。課題設定の罠（4）優等生の併発にも注意が必要です。

　課題設定が壮大すぎると、当事者にとって自分ごとになりにくく、具体的にどこから考え、何からアクションすればよいかわからないため、現実的な解決に向けて対話を進めていくことが難しくなります。

　課題が壮大すぎる場合には、もう少し当事者の目線で言い換えたり、現実的な時間スケールで捉え直してみたり、問題をいくつかに分割するなど、課題のサイズを現実的なサイズに落とし込む工夫が必要でしょう。

　ただし、目先のことばかりにとらわれて、視野狭窄に陥るくらいであれば、壮大な視野で問題を捉えること自体は、必ずしも悪いことではありません。問題の本質を捉えるために、あえて壮大なテーマを設定することが、当事者の思考を揺さぶり、対話を深める上で有効な場合もあります。無闇に課題を小さく解きやすく分割するのではなく、バランスをとることが必要です。

　以上のような失敗パターンに陥らないように注意するだけでも、問題の本質を見誤らず、課題を定義する際の建設的な指針になるでしょう。

問題を捉える思考法

　課題を定義するための具体的な手順は 3 章で解説しますが、ここでは問題状況に対してどのようなマインドセット（心構え）で対峙し、問題を捉えるか、その思考法について紹介します。

　問題の本質を捉えるために必要な考え方として、以下の五つの思考法を順に解説していきます。これは順番に活用するものではなく、必要な場面に応じてそれぞれの思考法を活用しながら、ときに総動員して問題を読み解いていくためのものです。

問題を捉える思考法

（1）素朴思考

（2）天邪鬼思考
　　　_{あまのじゃく}

（3）道具思考

（4）構造化思考

（5）哲学的思考

問題を捉える思考法（1）素朴思考

　一つ目の「素朴思考」とは、文字通り、問題状況に対して素朴に向き合い、問題を掘り下げていく考え方です。よく「素朴な疑問」と言いますが、問題状況に対峙していてふと湧き上がった何気ない疑問を投げかけながら、問題の輪郭を掘り下げていく考え方です。問題状況に置かれた当事者から語られる言葉の意味や、言葉と言葉の関係性について、率直に「わからないこと」をベースに思考を進めていきます。

　目の前に見ていること、聞こえていること、実際に起きている現象に対して「これはなんだろう？」「どうしてだろう？」と、好奇心を持ちながら、問題に対する理解を深めていくようなイメージです。

　たとえば、前述した自動車メーカーのカーアクセサリー部門の例を思い出

してみましょう。当事者であるクライアントからは「人工知能が普及したら、カーナビの市場が縮小してしまうかもしれない」「人工知能を活かした新しいカーナビを企画できないだろうか」といった問題状況の解釈が語られます。これが、本当にチームとして「解くべき課題」として適切なのかについて理解を深めるために、まずは語られている情報や、クライアントが置かれている現状に対して、素朴思考で問いを深めていきます。たとえば、以下のような具合です。

> 「人工知能が普及すると、どうしてカーナビの市場が縮小してしまうのだろうか？」
> 「カーナビはいつ誕生したんだろう。役割はずっと変わらないのかな？」
> 「今売れているカーナビって、どんなものがあるんだろう？」
> 「チームのメンバーは、カーナビのどこに魅力を感じているんだろう？」
> 「そもそも人工知能って、どんなものだっけ？」

　カーナビのプロジェクトの場合は、筆者（安斎）が自動車の運転免許を持っていない素人であったことで、この素朴思考がしやすかったという点も重要でした。しかし、素人の質問を専門家チームに投じるには、それなりの覚悟と準備が必要になります。まずは自分自身の問題の理解を深めるために、素朴に浮かび上がった問いを自問自答し、答えを出そうと考えを巡らせてみたり、必要に応じて文献やウェブで調査をしたりしながら、問題の輪郭を具体化させていきます。素朴思考によって生まれる問いは、素朴であるがゆえに本質をまっすぐ突ければ専門家チームの思考と感情に刺激を与えることができますが、的を外せば、結果は容易に想像がつきます。

　自分が問題の第三者として、問題の当事者（クライアント）に直接ヒアリングを実施できる場合は、これらの質問を直接投げかけながら、深掘りしていくとよいでしょう。クライアントの回答を聞く過程で、新たに素朴な疑問も浮かぶはずです。

　自分自身が問題の当事者である場合は、自分の認識や、周囲のメンバーとの関係性の問題に意識を向けながらも、基本的には同じことをやります。自

分が日常のなかであえて問い直してこなかったけれど、素朴に気になっていたことを疑問として可視化し、関係者で対話の機会を設けてもよいかもしれません。関係者同士の話し合いのなかで、問題が問い直され、課題が定義されていくこともあります。

　素朴な疑問が思い浮かばない場合は、一般的によく用いられる「5W2H（Why、Who、When、Where、What、How、How much）」のような質問フレームを活用してもよいですが、無理に質問を拡げようとするよりも、素朴に気になったこと、好奇心が湧いたことを中心に掘り下げていく方が、問題の理解が「自分ごと」になりやすいはずです。頼りにすべきは「目」や「耳」、自分自身の感覚です。つぶさに対象を観察しさえすれば、素朴な疑問は自然と湧いてきます。

　素朴思考において意識すべき点は、「良い問い」を考えようとしないことです。目の前で当事者たちから語られている問題を捉え直し、課題を定義しようと試みることは、勇気がいることです。またその過程で、いくつもの問いを生みだし、当事者に質問として投げかけることも、簡単なことではありません。

　私たちの多くは、学校や大学の授業などで、「質問はありますか？」という呼びかけに対して「質問ができない」という経験をしています。おそらくこうした場面を通して形成されてしまったであろう、「良い質問を考えなくてはならない」「この質問は、自分が無知がゆえの、的外れなものなのではないか」「これを質問することで、恥をかくのではないか」という暗黙の前提が、心理的なハードルとして影響し、素朴な問いの生成を抑制してしまうのです。

　1章の問いの基本性質で確認した通り、問いは、それに答えようとする過程で、別の新しい問いを生みだします。何かがわかると、別の何かがわからなくなるのが、人間の理解の本質だからです。

　問題の理解を深めるこの段階では、「良い問いかどうか」について考える必要はありません。まずは素朴に湧き上がった問いを出発点として思考を巡らせたり、思い切って問題の当事者にぶつけたりしながら、その過程で問いを育てていけばよいのです。裏を返せば、素朴な問いを相手にぶつけられるような関係性を築くことも大切で、慎重に問いを選ばなければならないというのは、問いが未熟なだけではなく、相手との関係性が未熟なのです。

問題を捉える思考法（2）天邪鬼思考

　天邪鬼思考とは、素朴思考とは裏腹に、目の前の事象を批判的に疑い、ある意味"ひねくれた視点"から物事を捉える思考法です。

　「天邪鬼」とは、民話に出てくる妖怪のことで、神や人間に対して反抗精神を持っており、意地が悪く、それでいて人の心中を探るのが上手だったとされています。そのため、現代では、合理的に正しいとされている意見を疑ったり、多数派に同調せずにあえて反対したりする性格のことを「天邪鬼な性格」として表現します。

　天邪鬼思考は、素朴思考と並んで、課題の定義に向けて問題状況を問い直すための基本的な思考モードです。この二つはバランスがとても重要です。目の前の問題状況を素直に問うていく素朴思考だけでは、好奇心に従って問題を掘り下げていくことはある程度できても、当事者たちにとっての盲点を突いたり、多角的な視点から吟味を重ねたりすることには向いておらず、"優等生"的な課題設定に陥ってしまうリスクがあるからです。

　同様に自動車メーカーのカーアクセサリー部門の例で考えてみましょう。問題の当事者による「人工知能が普及したら、カーナビの市場が縮小してしまうかもしれない」「人工知能を活かした新しいカーナビを企画できないだろうか」という認識に対して、素朴思考では「わからないことを探究する」姿勢で問いを生成しましたが、天邪鬼思考では、認識を批判的に捉え、語られていない盲点や、物事の裏側を見ることに徹します。

「本当の競合はスマートフォンなのでは？」

「カーナビが不要になるなら、無理につくらなくてもいいのでは？」

「別にカーナビに人工知能を活用する必要はないのでは？」

「時代のニーズに合った、カーナビ以外のプロダクトをつくればいいのでは？」

「ここまでカーナビに固執するのには、何か特別な事情があるのでは？」

「内心では"カーナビはもう売れない"と思っているのでは？」

　文字通り天邪鬼に立てた問いですから、直接クライアントに質問を投げかける場合には、失礼にあたらないように気をつけなければいけませんが、天邪鬼思考によって、「人工知能を活かした新しいカーナビを企画する」「カーナビの市場を縮小させない」という前提の「外側」に、本当にプロジェクトの発展可能性がないのか探索することにつながるほか、当事者が語る課題の背後にある真因を探る可能性が生まれます。

　筆者（塩瀬）はアイデアを生みだすときに、わざと創造性とは正反対の「アイデアを潰すような心ない一言」を考える「How to Kill Ideas」[*5] という天邪鬼思考のワークショップを実施しています。

　企業や学校の研修で、「わざと部下や新人のアイデアを潰すような一言を考えてください」と問いかけると、「それは前例がない」「誰が責任をとるんだ」などと心ないフレーズを次々と書きだしていきます。

　人は、少しばかり悪戯っぽい内容の方が嬉々としてアイデアが生まれるようです。しかし、途中でふと気づく瞬間があります。「いつもこんなことばかり部下に言ってしまっているのではないか」「こんなことを言われないような提案をしなくてはならない」など、天邪鬼思考は新しく面白いアイデアを本当に生みだし、育てるための条件を浮き彫りにします。天邪鬼に検討してみることで、逆に境界線が顕在化するのです。

　ただし、天邪鬼思考に傾倒しすぎてしまうと、関係者を動機づけるようなポジティブな課題設定がしにくくなってしまうデメリットがあります。繰り返しになりますが、素朴思考と天邪鬼思考のバランスをとりながら、問題の理解をさまざまな視点から立体化させていくことが重要です。素朴思考と同様に、天邪鬼思考を実現する上でも、ここから生まれる新たな問いを受けとめられる関係性をしっかりと構築しておく必要があります。

問題を捉える思考法（3）道具思考

　目の前の問題に対して素朴思考と天邪鬼思考を駆使して粘り強く考えるだけでも、課題を定義するためのヒントは多数得られるはずです。しかし、それでも新たな問いを生みだす思考が停滞してしまったときは、「道具」に頼ることも効果的です。ここでいう道具とは、ハサミとかカッターといった物理的な道具というよりも、知識や記号、ルールなど、概念的な道具のことを指します。

問題を捉える際の「道具」の重要性についてよくわかる参考書として、『ドーナツを穴だけ残して食べる方法：越境する学問−穴からのぞく大学講義』[*6] という面白い本があります。この書籍は、タイトルの通り「ドーナツを穴だけ残して食べるには？」という一風変わった問題に対して、大阪大学に所属する人文科学、自然科学、社会科学のさまざまな学問領域の研究者たちが、自身の専門分野に基づいて解決しようと試みます。さまざまな学問の教養が学べるだけでなく、エンターテインメントとしても楽しめる企画本となっています。

　たとえば工学系の研究者は、この問題を「工学技術を活用して、ドーナツをいかに切削するか？」「ドーナツの穴をコーティング膜で生成していかに保存するか？」という課題として定義し直し、解決方法を考察します。他方で数学者は、そもそも「ドーナツの穴」とは何かを数学的に定義し、数学の視点から課題を定義して、四次元空間処理を使って解を出そうと試みます。さらに美学の専門家は、「ドーナツとは家である」と言い始める…などなど、多様な専門分野から、ときに屁理屈を交えながら、「ドーナツを穴だけ残して食べるには？」という問題が、「異なる課題」へと定義されていくのです。

　本書から学べることは、同じ問題であっても、どのような専門性を通して眺めるかによって、問題の解釈の仕方は変わってくるということです。心理学者のレフ・ヴィゴツキーは、人間は、道具（言語、方略、文字、図解、記号）を媒介して対象に働きかけるということを、図 11 の三角形の図を使ってモデル化しました[*7]。

　それまで心理学では、人間の行為のプロセスや能力を「心のなかの出来事」として捉えてきました。けれどもヴィゴツキーは、主体が対象を対象として捉える心理的操作の背景には、何らかの道具としての人工物が媒介されている

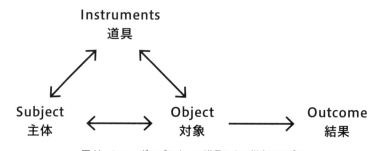

図 11　レフ・ヴィゴツキーの道具による媒介のモデル

ことを指摘したのです。たとえば旅行中に同じ景色を眺めるにしても、スマートフォンを使いこなし画像を SNS にアップロードすることを好む人と、双眼鏡を持ち歩く人では、その「景色」の見え方や意味は異なるでしょう。媒介する道具が変われば、対象の解釈や心理的な操作は異なるものになるのです。

上記の「ドーナツの穴」もしかりで、媒介する専門分野が異なれば、対象としての「ドーナツの穴」という問題はまったく異なる意味を持ち、それゆえに結果としての課題の定義や、導かれる解答も違った結論になるのです。

前述した高校生の A 君の問題についても、同様です。たとえば、心理学の先行研究において「外発的動機（お金などの賞罰によるモチベーション）が強まると、内発的動機（活動の楽しさによるモチベーション）が抑制される」という研究結果があります。つまり、乱暴にいえば「お金のために勉強をしていると、勉強がつまらなくなる」ということです。この知識を通してA 君の問題状況を眺めたときに、また違った見え方がしないでしょうか？

問題状況に対して「素朴思考」と「天邪鬼思考」を使って問いかけていくだけでなく、問題の深掘りが進まなくなったと感じたときは、関連しそうな知識を参照したり、あえて異なる専門分野の考え方の枠組みを通したり、何らかの「道具」を通して別の角度から問題を捉え直してみると、また違った問題の姿が見えてくるかもしれません。

筆者(安斎)は、企業、学校、地域の問題解決のプロジェクトを設計する際に「あの人だったら、この問題をどのように捉えるだろうか」と、さまざまな分野の専門家たちの顔を思い浮かべながら問題を捉えるようにしています。課題を定義するヒントが得られることが多いからです。具体的な人を思い浮かべ、その視点から問題を捉えようとすることもまた、道具思考の一つの方法です。

問題を捉える思考法（4）構造化思考

構造化思考とは、問題状況を構成する要素を俯瞰し、構成要素同士の関係性について分析・整理し、問題を構造的に捉える考え方のことです。複雑な問題状況に対して課題を定義しようとする際には不可欠な考え方です。

複雑な問題であればあるほど、問題を引き起こしている要因には、複数の要素が絡んできます。企業や地域など関係者が多い場合は特に、全体を把握するのが困難なほどの変数が存在する場合があります。すべての要素に目を

向けることが困難であったとしても、適切な課題を定義するためには、重要度の高い要素についてはすべて概観し、要素同士がどのような影響をお互いに与え合っているのかを確認しておかなければ、課題設定のピントがずれたものになってしまいます。

たとえば前述した高校生のA君の問題のような、身近なシンプルな問題であっても、複数の要素が絡み合って問題状況を生みだしています。A君が捉えていた問題状況を、簡易な模式図にしてみましょう。

問題状況を構成する要素はシンプルで、A君自身の「学校のテストの成績」と、それに連動した「母親の機嫌」、そしてそれに伴って脅かされる「お小遣いの減額」というリスクです（図12）。

これに対して、A君は、目先の痛みである「母親の機嫌の悪化」という現象を止めるために、成績の結果を隠す、別の方法で機嫌をとる、という解決策を検討します（図13）。

しかし、いずれも解決策としては現実的でないと判断し、「小遣いが減らされても、別の方法でお金を稼げばよい」と考え、割の良いアルバイトを見つける選択肢を選びます。けれどもこれは前述した通り、悪手である可能性があります。なぜなら、アルバイトで資金を確保することでは、「成績の低下」「母親の機嫌の悪化」というネガティブな現実は変更されないどころか、勉

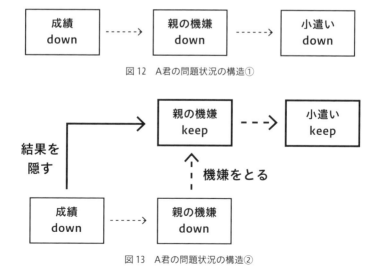

図12　A君の問題状況の構造①

図13　A君の問題状況の構造②

強時間の減少が予想されるため、「成績の低下」と「母親の機嫌の悪化」は
より進行してしまう可能性があるからです（図14）。

　このように要素間の関係性を整理しながら構造化を試みると、学校のテス
トの成績を悪くならないように維持したり、上げていこうとする選択肢や、
成績が上がることで母親の機嫌は良くなり、お小遣いが増える可能性が考慮
されていないことに気づきやすくなります。それらの潜在的な要素の可能性
も含めて整理すると、図15のような成績の結果を起点としたシンプルな問
題構造が想定されます。

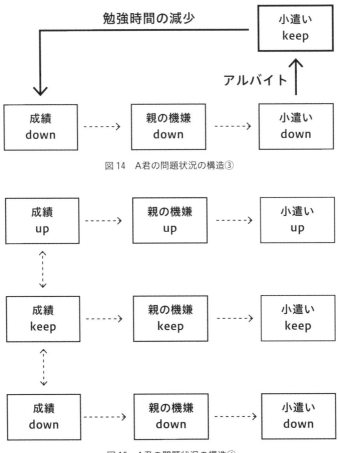

図14　A君の問題状況の構造③

図15　A君の問題状況の構造④

大事なことは、構造化することだけを目的化せずに、構造を掴みながら、同時に「素朴思考」と「天邪鬼思考」のバランスをとりながら、問いを生成し、問題を多角的に理解しようとすることです。そうすると、いくつかの問いが浮かんでくるのではないでしょうか。

・成績を上げ続ければ、お小遣いも上がり続けるのだろうか？
・親にとって、本当に成績がすべてなのだろうか？
・努力したけれど、成績が下がってしまった場合、親の機嫌は下がるのだろうか？
・A君にとって、本当にお小遣いの増減がすべてなのだろうか？
・ほどほどの成績をとり続けていれば、親は満足なのだろうか？

　「これはなぜだろう？」「これとこれはなぜつながっているのだろう？」「本当に要素はこれだけなのだろうか？」と、構造化と並行しながら問題を形づくっている要素・関係性・輪郭を問うていきます。綺麗な図を完成させることが目的ではありません。構造と問いを往復することによって、適切な課題設定の切り口を探っていくのです。

問題を捉える思考法（5）哲学的思考

　最後は、問題の本質を捉える上で忘れてはならない「哲学的思考」です。問題解決の場面において最も恐るべきことは、視野狭窄になり、中長期的な視点や深く考える思考態度を失ってしまうことです。視野を拡げ、深め、問題の本質に迫っていく上で、哲学的思考は欠かせません。

　「哲学的に考えるとは何か？」という問いの答えには、さまざまな考え方があるでしょう。哲学者の苫野一徳によれば、哲学的に考えることとは「さまざまな物事の"本質"をとらえる営み」であるといいます[*8]。本質といっても、この世に客観的に実証できる「絶対の真理」がある、と考えるわけではありません。また、辞書を調べて、その物事が指し示す意味を調べることとも違います。

　「教育とは何か？」「恋とは何か？」といったように、身の回りの物事の本質を問い、同じ問いを共有する人たちと対話し、自分たちの経験に根ざした

意味を掘り起こしながら、「それが確かに物事の本質かもしれない」という互いに納得できる共通理解に到達すること。それが「本質をとらえる」ということです。現象学では、このように本質を洞察しようとすることを「本質観取(かんしゅ)」と言います。「恋とは何か？」と考え、本質を探ることを、「"恋"の本質観取をする」というふうに表現します。

　構造構成主義を理論化したことで知られる西條剛央は、企業の問題解決の場面においても「本質観取」が重要であることを指摘し、星野リゾートなどの成功事例について考察しています[*9]。西條によれば、経営不振に陥った全国の旅館やリゾート施設をV字回復させたことで注目されている星野リゾートは、代表の星野佳路氏自身が、「観光とは何か？」「人はなぜ観光をするのか？」という観光の本質を洞察しようとする「本質観取」を行った結果、観光の本質としての「異文化体験」「非日常体験」という答えに到達し、地域に根ざしたリゾート施設の展開というアイデアにつながったといいます。

　さらに星野リゾートは現場レベルでも「本質観取」に取り組んでおり、たとえば青森のリゾート施設では、現場スタッフも含めて「青森らしさとは何か？」と問いを立て、対話を繰り返し、青森ならではの異文化体験を施設コンセプトに落とし込み、「スタッフが津軽弁で話す」「毎晩、ねぶた祭をする」「津軽三味線を引く」といった催し物を設けて、傾いた経営を見事立て直したのだそうです。

　苫野は、集団の対話を通して本質観取を進める具体的手順として、以下のステップを提案しています[*8]。

本質観取を進める手順

①体験（わたしの"確信"）に即して考える

②問題意識を出し合う

③事例を出し合う

④事例を分類し名前をつける

⑤すべての事例の共通性を考える

⑥最初の問題意識や疑問点に答える

こうした手順を踏みながら、対象の本質を言葉に表現しながらも、類似概念との違いを言い表したり、その言葉をその言葉足らしめている特徴（どんな特徴がなくなると、その言葉でなくなるのか）を言い表したりしながら、その言葉の輪郭を探っていくと、奥が深くて厚みのある本質観取ができるようになる、と言います。

　たとえば「恋とは何か？」について本質観取をするのであれば、お互いが主観的に「恋をした」と感じた事例を出し合い、分類しながら、それらに共通する「恋」の本質について、短く表現しようと試みます。並行して、「愛」や「友情」との違いや、「どんな特徴がなければ、"恋"とは言えなくなるのか」についても検討しながら、「恋」の本質の言語化を試みるということです。

　筆者らは、この「本質観取」こそが、哲学的思考の真髄であり、企業、学校、地域における問題の本質を捉え、課題を適切に定義するための思考の要だと考えています。問題の当事者から語られる情報のみから「構造化」をしていくと、問題を捉えるまなざしは、当事者の視野から見えている景色に接近していきますが、その景色からでは問題が解決されないから、当事者は困っているわけです。

　哲学対話と呼ばれる場においては、自らが知っていることを疑うことからすべてが始まります。自分が問題だと思っている問題、それを説明するために使っている言葉の一つ一つの意味、そしてその言葉で解決を図ろうとする集団のなかでその定義が共有できているとする思い込み、あらゆるものを疑うことが起点となるのです。解決可能性のある課題として定義するためにも、ふと立ち止まって、問題を構成する要素の本質を問うてみる必要があります。

　先述した高校生のA君の問題の例でいえば、問題構造の背後にある感情、事象、価値観について、本質観取をしようとすると、以下のような問いが思い浮かびます。

「勉強とは何か？」
「良い学校とは何か？」
「良い親子の関係性とは何か？」
「豊かな高校生活とは何か？」
「機嫌とは何か？」

　苫野が提案するように、こうした本質観取のための問いは、集団で対話を
するテーマにも適しています。つまり、4章で紹介する「ワークショップ」
において、そのまま参加者に投げかけ、創造的対話を促進するための「問い」
としても、威力を発揮します。問題の当事者たちで本質観取をすること自体
が、問題解決のブレイクスルーにつながることも少なくないからです。

　以上の五つの考え方は、問題の本質を捉えて、課題を定義しようとするす
べての工程において、意識したい基本的な考え方です。次章では、これらの
五つの思考法を組み合わせながら、課題を定義する具体的な手順について見
ていきましょう。

＊1　Duncker,K.（1945）On problem solving, Psychological Monographsm 58, no.270
　　　Johnson,D.M.（1972）Systemic introduction to the psychology of thinking, New York: Harper & Row
＊2　Reitman,W.R.（1965）Cognition: Theory and applications, CA: Brooks/Cole
＊3　Finke,R.A., Smith,S.M. & Ward,T.B.（1992）Creative Cognition: Theory, Research, and Applications,
　　　The MIT Press（小橋康章／訳（1999）『創造的認知：実験で探るクリエイティブな発想のメカニズム』
　　　森北出版）
　　　鈴木宏昭（2004）「創造的問題解決における多様性と評価：洞察研究からの知見」『人工知能学会論文誌』
　　　19
＊4　デザイン思考とは、デザイナーの思考過程を定式化したものである。たとえば IDEO とスタンフォード
　　　大学 d.school では、デザイン思考を「共感」「問題定義」「創造」「プロトタイプ」「テスト」という五つ
　　　のステップで定式化している。実践者や研究者によってさまざまな定義がある。
＊5　How to Kill Ideas とは、アイデアを台なしにする声掛けや創造性に乏しい制約条件だらけの環境を揶揄
　　　するクレドとして古くから知られている。このクレドを元に筆者（塩瀬）がワークショップとしてアレ
　　　ンジしたもの。
＊6　大阪大学ショセキカプロジェクト（2014）『ドーナツを穴だけ残して食べる方法：越境する学問−穴か
　　　らのぞく大学講義』大阪大学出版会
＊7　Vygotsky,L.S.（1981）The instrumental method in psychology, In J.V.Wertsch/Ed, The concept of ac-
　　　tivity in Soviet psychology, Armonk: Shape
＊8　苫野一徳（2017）『はじめての哲学的思考』筑摩書房
＊9　西條剛央「星野リゾートと無印良品に共通する本質を捉える思考法／ほんとうの「哲学」に基づく組織
　　　行動入門（第4回）」『DIAMOND ハーバード・ビジネス・レビュー』2014.10.28

3章

課題を定義する手順

目標を整理する

課題を定義する手順

「課題」とは、関係者の間で「解決すべきだ」と前向きに合意された問題のことを指します。適切な課題を定義することは、「問いのデザイン」の第一歩です。

本章では、前章で紹介した、問題を捉え直す五つの思考法である「素朴思考」「天邪鬼思考」「道具思考」「構造化思考」「哲学的思考」を駆使しながら、課題を定義するまでの具体的な手順を解説していきます。

あらゆる問題解決の指南書が示してきた通り、問題や課題とは、「目標と現状の差分」によって生み出されます。同じ現状であったとしても、設定した目標が高ければ高いほど、問題の解決は困難になります。逆にどのような現状であったとしても、その現状に関係者が皆満足していて、目標が存在し

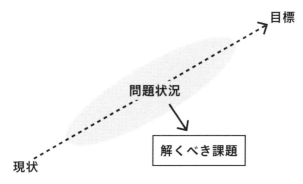

図1　適切な目標と現状の差分から課題を定める

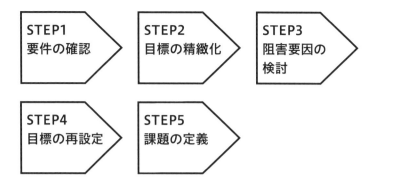

図 2　課題を定義する手順

なければ、そこに問題は生まれません。また目指していた目標が変われば、必然的に問題の認識は変わり、定義すべき課題も異なるものになるでしょう。"認識の固定化の病い" によって、偏った視点から目標を設定してしまったがために、適切な課題が定義できなくなってしまう場合もあります。

　多様な認識を持つ関係者の目線を一つにまとめ、問題状況の解決に向けた「創造的対話」を促進するためには、まず適切な目標を立て、それを達成するための適切な課題を定義することが必要です（図 1）。

　本章では、課題を定義する手順を五つの STEP で解説していきます（図 2）。

　STEP1 として、まずはじめに問題状況の「要件」を確認するとともに、問題の当事者たちが認識している「目標」を把握するところから始めます。

　後に述べる通り、問題の渦中にいる当事者が、目標を適切に設定し、かつ精緻に整理できていることはごく稀です。ゆえに STEP2 では、丁寧に「目標を精緻化」して整理する作業に時間をかけます。

　その上で、STEP3 として、目標と現状の差分に目を向け、目標の実現を阻む「阻害要因」を検討します。目標はスムーズに設定できたとしても、阻害要因に認識と関係性の固定化の病いが潜んでいて、適切な課題設定を阻んでいるケースも少なくありません。

　その上で、STEP4 として、目標に修正が必要であれば、目標そのものを「再設定」します。

　そのようにして、問題状況の本質を捉えながら、仕上げの STEP5 として、最終的に関係者が「解決すべきだ」と合意できる課題を定義し、文章に落と

し込みます。

　以上の五つの STEP について、詳細に手順を解説していきます。

STEP1：要件の確認

　第一に、問題状況の解決を望んでいる当事者（依頼主とします）が認識している問題の要件について確認します。あなた自身が問題状況の当事者で、問題解決を望んでいる場合であっても、あなた自身を「依頼主」と見立てて、客観的に要件を定義していきます。

　要件とは、依頼主の要望、理想的な目標状態、問題状況に関する制約、関係者の情報、使える資源、予算や期間などを指します。問題状況を解決するにあたって必要だと認識されている情報全般について確認し、整理します。

　この段階で必ず確認しておきたい要件は、繰り返しになりますが、問題状況の前提となっている「目標」です。前章で定義した通り、問題とは、何かしらの「目標」があり、それに対して動機づけられているにもかかわらず、そこに至るまでの方法や道筋がわからない、試みてもうまくかない状況のことを指します。したがって、問題状況を解決する適切な「課題」の設定もまた、現状と目標の差分を解消するための設定になっているべきです。要件の確認を通して、依頼主自身がどのように目標を認識しているか、それはなぜなのかについて確認しておくことが、課題定義の第一歩になります。

　ここで「認識」と強調している理由は、必ずしも「依頼主が考えている目標」が、問題の関係者にとって「本当に目指すべき目標」とイコールとは限らないからです。それでもこの STEP1 の段階では、依頼主から語られる目標を、いきなり別の目標に修正しようと焦る必要はありません。どうすれば目標を達成することができるか、と解決策を考える必要もありません。

　まずは「素朴思考」と「天邪鬼思考」のバランスをとりながら、依頼主にさまざまな角度から質問を投げかけて、依頼主が認識している問題状況の全貌について理解を深めることに努めます。問題状況の構成要素や関係者が多い場合には、「構造化思考」も活用して、構成要素同士の関係性を把握し、問題状況を構造的に捉えておくとよいでしょう。

STEP2：目標の精緻化

依頼主から問題の要件を確認できたら、次は「目標の精緻化」を行います。多くの場合、STEP1 の「要件の確認」の段階では、目標が精緻化され、要件が整理されていることはごく稀です。

なぜなら、問題の渦中にいる依頼主は、"認識の固定化の病い"を無自覚のうちに患い、ある偏った視点から問題を捉えていたり、問題状況に対する解像度が低かったりする可能性が高いからです。前章の「課題設定の罠」で示したように、自分本位で問題を認識していたり、ネガティブに問題を捉えてしまっていたり、問題を近視眼的に捉えてしまい、広い視座や長期的な展望を失っている場合が少なくありません。目標の設定が曖昧のまま課題を定義しようと横着をすると、ピントのずれた課題を設定してしまうリスクがあるため、目標を精緻化しておくことが重要です。

目標の解像度を上げるためには、主に「期間」「優先順位」「目標の性質」の観点から精緻化することが効果的です。

目標を精緻化する三つのポイント

（1）期間によって、短期目標・中期目標・長期目標にブレイクダウンする

（2）優先順位をつけて、段階的に整理したり、複雑な目標を分割する

（3）目標の性質によって、成果目標・プロセス目標・ビジョンの 3 種類に整理する

以下、それぞれのポイントについて解説していきます。

目標整理の観点（1）期間

問題解決をどのくらいの期間で考えるかによって、目標の焦点は変わります。問題によっては、数日で解決できるものもあれば、数カ月かかるもの、数年かかるもの、何十年かかっても解決できるかどうかわからないものまで、さまざまでしょう。問題が解決された理想的な状態を実現するまでに長期間を要する場合は、短期的な目標、中期的な目標にブレイクダウンしなければ、具体的な課題が設定できません（図 3）。

たとえば「お金持ちになりたい」という目標に対して、現状は「お金が足

図3　期間による目標の整理

りない」という問題認識を持っていたとします。この漠然とした目標に対して、どうすれば目標が達成できるのか、具体的な達成基準を決めなければ、場合によってはどれだけお金を手に入れても「今よりももっとお金持ちになれるかもしれない」と考えてしまい、永久に問題が解決されない「終わりがない道」になる可能性もありえます。

　また、仮に「貯金額」や「収入額」などの具体的な基準を設定したとしても、それがすぐには達成できない目標値であれば、短期的にどのような努力をすればよいのか見えにくく、具体的なアクションに結びつかないかもしれません。問題解決が数年以上の長期にわたる場合には、数カ月程度の短期目標と、1〜2年程度の中期目標を設定するなど、期間別に目標を設定し、精緻化する必要があるでしょう。

　短期目標を達成するための課題設定と、長期目標を達成するための課題設定は異なるものであるはずです。短期的な目標を設定することと、近視眼的になることは違います。長期的な目標を見据えるからこそ、期間を区切って、まずは短期的に解決できる具体的な課題を設定することが建設的です。

100年後の目標を達成するための課題設定とは？

　1920年（大正9年）に発刊された『百年後の日本』をご存じでしょうか。『日本及日本人』という雑誌の特集号で、当時のオピニオンリーダー350人余りが予想したさまざまな日本の未来絵図が記されています。「医学・衛生学の進歩で80〜90歳まで生きる」や「飛行機六百人乗」など、言い当てられた予想もあれば、「世界最大の繊維工業国」や「人口は2億5800万人で生活困難」のように今となっては社会課題と呼ばれるほど真逆の状態になっている予想もあります。「空中病院」や「富士山が地球と火星との交通の中継地」といった、まるでサイエンスフィクションのような絵空事も少なくありません。

　作家の菊池寛は、「自分が生きていそうもない百年後のことなどは、考えてみたことがありません。ただしかし、人間がこれから先、だんだん幸福になっていくかどうか、大いに疑問だろうと思います」と寄せています。他にも多くの有識者が「百年後など自分が責任をとれない先のことを言うのはいかがなものか」「百年先のような知りもしない先のことを言えば、妄言にしかならない」と、企画そのものに対する批判的な寄稿も散見されます。

　この本は、"100年後"というおよそ自分が経験したこともない長期的な目標に対して、建設的な課題を設定することの難しさを教えてくれます。しかし、どれが実現して、どれが実現していないかをただ評価することよりも、理想・予想・妄想の三つの異なる軸で100年前の言葉を整理してみることは、本質的な課題とは何かを考える上で有効です。

　たとえば「選挙権が18歳になる」「女子が代議士や大臣學長」などは、たしかに実現までに80年、90年という長い年月を要したことになりますが、裏を返せばそれだけ時間をかけてハードルを乗り越えて達成すべき本質的な課題であったということもできます。すなわち100年を経てでも達成すべき長期的で理想的な目標は確かにそこにあったのです。

　妄想や空想も、私たちの創造性を刺激し、その時代の常識を打ち破るような大きな力になることもあります。私たちは、「どのような課題を設定すべきか？」という問い自体を、まずは向き合うべき初期課題として設定し、納得のいく課題の定義にいたるまで、創造的対話を重ねる必要があるのです。

　100年後にならなければ、設定した課題が正しかったのかどうかは判定することはできませんが、この100年前に発刊された本が私たちに教えてくれることは、100年前の予想にある妄言や諦めのなかにも、本当に100年の月日をかけてでも達成されるべき本質的課題も埋もれずに存在していたという事実です。

目標整理の観点（2）優先順位

　目標を精緻化する際には、期間だけでなく、優先順位について検討することも必要です。筆者らに寄せられる企業、学校、地域の問題解決の依頼においても、単発のワークショップや、数カ月間のプロジェクトでは到底解決できない"無茶振り"が寄せられることも少なくありません。

依頼主は、自身が置かれた問題状況を1日でも早く打開し、理想的な目標状態を実現することに切実ですから、「あれも必要だ」「これもしたい」「できればこれも」と、現状に対して、現実的ではない目標を設定している場合もあります。理想を抱き、高い目標に向かって努力することは大切なことですが、目標を高く設定しすぎたために、最低限達成しなければいけないラインが達成できなくなってしまっては本末転倒です。

　2章で紹介した高校生のA君の例でいえば、仮に目標を「テストの成績で学年1位を取り、母親と良好な関係性を築きながら、さらにアルバイトで月収20万円稼ぎ、遊ぶ時間も十分に確保する」などと設定してしまったケースを思い浮かべてください。

　もしこれが実現できたら、確かにA君にとっては問題が解決された"理想的な状態"なのかもしれませんが、成績が悪かったA君が、この目標をすぐに実現できるとは思えません。無理な目標を達成しようとするあまり、睡眠を削るなどして、身体を壊してしまうかもしれません。

　あるいは、努力が及ばなければ、目標が完全には達成できず「月収20万円と遊ぶ時間の確保は達成できたが、成績は落ちてしまい、とうとう母親が口を聞いてくれなくなった」なんて結果になってしまうかもしれません。無理な目標設定は、かえって問題状況を悪化させてしまうリスクも孕んでいるのです。

　筆者（安斎）が依頼主にヒアリングを通して課題を定義する際には、目標の優先順位を「松・竹・梅」で整理するようにしています。理想的な目標を「松」レベルとした場合に、最低限達成したい「梅」レベルの目標は何か。そして、その上でできれば達成したい「竹」レベルの目標は何か。このように、緊急性や重要性によって、段階的に目標を分割して整理しておくのです（図4）。

　STEP1「要件の確認」の際に依頼主から語られる「理想の目標」に対して、

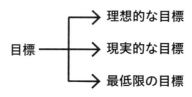

図4　優先順位による目標の整理

あえて「プロジェクトで目指すべき理想はよくわかりました。それでは、このプロジェクトは何が達成されなければ "大失敗" になりますか？」と尋ねることで、「あれも実現したいし、できればこれも実現したい」と思い描いている依頼主の認識を揺さぶり、最低限の「梅」レベルの目標を確認するようにしています。

単に "失敗" ではなく "大失敗" と尋ねるところがポイントで、プロジェクトにおける「最悪のケース」をあえて想像してもらうことによって、問題の背後にある「痛み」の中心をあぶり出すことができます。複雑な問題であればあるほど、目標の「中心」がわからないまま、複数の要素が絡まって目標が肥大化し、問題の本質がどこにあるのか見えなくなってしまうからです。

目標整理の観点（3）成果目標・プロセス目標・ビジョン

期間と優先順位を検討したら、掲げる目標の性質によって「成果目標」「プロセス目標」「ビジョン」に整理します（図5、表1）。

「成果目標」とは、設定した期間において、最終的に到達したい個人や組織の状態や、最終的に生みだしたい成果物の要件や質を規定したものです。たとえば、「2学期の期末試験で、学年20位以内に入る」「1年間で100万円貯金する」「地域住民が納得する図書館のプランをつくる」「新奇性の高いカーアクセサリー商品のコンセプトを三つ出す」といった、具体的な成果を規定するものです。

「プロセス目標」とは、成果目標に辿り着くまでに、問題状況の当事者たちにどのような気づきや学習が生まれると望ましいか、当事者たちの間にど

図5　成果目標・プロセス目標・ビジョン

テーマ例	成果目標	プロセス目標	ビジョン
試験勉強	2学期の期末試験で、学年20位以内に入る	一夜漬けはせず、毎日の勉強を習慣化する	大学に入ってからも通用する学力を身につける
貯金	1年間で100万円貯金する	短期的な浪費をしないようにする	投資感覚のあるお金持ちになる
カーアクセサリー商品の開発	新奇性の高い商品のコンセプトを三つ生みだす	従来の製品にとらわれないが、自社技術は積極的に活かす	市場の変化に対応し、自社の競争優位性を保つ
新規カテゴリーの開発	新しいカテゴリーのプロダクトの開発	外部のデザイナーなどと協業できるチームづくり	社内外の区別なく新たな資源を総動員して社会に新たな価値を提供し続けられる会社づくり
探究学習	正解が存在するかわからない探究テーマの自己決定	正解を安易に求めようとすることの自覚と回避する姿勢の獲得	正解が存在するかわからない課題に意欲的に取り組める創造的自身の獲得
地域の図書館構想	地域住民が納得する図書館のプランをつくる	若者と高齢者が意見を活発に交換し、一体感を醸成する	多世代にわたる住民が愛着を感じられる地域をつくる

表1　成果目標・プロセス目標・ビジョンの例

のようなコミュニケーションが生まれると望ましいか、どのような関係性を重視したいか、など、プロセスにおいて重視したい目標です。

　問いのデザインによって創造的対話を引き起こし、問題を解決するためには、到達点としての成果目標を定めるだけでなく、どのようなプロセスを辿るべきかについても計画しておくことが重要です。あるプロジェクトが終わったときに、「成果が出たことはもちろんのこと、チームのコミュニケーションが良くなったのもよかった」といった偶発的な副産物として評価を得ることがありますが、最初からチーム内でのコミュニケーションの改善や組織としての学習についてもプロセス目標を設定しておくと、より高い効果を得ることができます。

　「ビジョン」とは、前述した「プロセス目標」「成果目標」の達成の先に、どのような状態を目指すのかを考えることで、「プロセス目標」「成果目標」の意義や目指す方向性のコンセプトを言語化したものといえます。短期目標の先にある中期目標や長期目標が、ビジョンにあたるケースもあるでしょう。

　目先の問題を解決することが自己目的化することを防ぎ、問題の本質を見失わないようにするためにも、ビジョンが明確になっているかどうか、確認

しておくことは重要です。ビジョンが明確であれば、ビジョンを起点に問題の在り処を掴み、定義すべき課題を導きやすくなります。もしビジョンが存在しない場合、「共通のビジョンを設定すること」自体を課題として設定してもよいでしょう。

変化を想定して、暫定の目標を決めておく

以上を踏まえて、適切な期間を定めて、優先順位をつけながら、目標を「成果目標」「プロセス目標」「ビジョン」に分類して整理すれば、STEP1 の段階に比べて目標はかなり精緻化されているはずです。

ただし、問題によっては、この段階ではいくら情報収集をしても、目標を精緻化できないケースも出てくるでしょう。たとえば成果目標ははっきりしているが、ビジョンが曖昧であるケース。プロセス目標にこだわりはあるが、成果目標が話を聞くたびに二転三転するケース。仮の成果目標はあるようだが、どこか自信をもてず、確定することを避けようとするケース。関係者にヒアリングをすると、人によって異なる目標が語られるケース。

このように、目標を精緻に整理するなかで目標の一部が曖昧だったり、関係者の間で合意がとれていなかったりすることは、少なくありません。そもそも目標は、これから課題を定義して、解決に向けて取り組もうとしている現時点で決めることができるのかといえば、必ずしもそうではありません。

筆者（安斎）は、今から 15 年以上前、まだ高校生だったころに「整形外科医になりたい」という将来の目標を持っていました。当時熱中していたバスケットボールで、繰り返し膝を負傷し、手術を重ね、自分にとって身近だった「スポーツ医療」に強い関心を持っていたからです。高校 3 年生になり、部活を引退してからは、とにかくこの目標に向かって受験勉強に励んだのですが、残念ながら合格には届きませんでした。ところが浪人生活を送っているうちに、部活から遠ざかったこともあり、筆者の「スポーツ医療」に対する関心は徐々に薄れていき、たまたま読んだ書籍がきっかけで、今度は「脳科学者になりたい」と考えるようになりました。

目指していた目標が変更となったことで、合わせて志望校の変更をしなければならなくなったわけですが、筆者には「脳科学者になりたい」という強い想いとともに「けれども目標はまた変わるかもしれない」という疑念も抱

いていました。すぐに自分の選択肢を限定しすぎない方がよいと考え、大学3年次まで専門学部を選択しなくてよい、東京大学の教養学部に志望校を変更し、無事に合格することができました。

その後、予測していた通り、脳科学に対する関心の優先順位は半年も経たないうちに薄れ、"将来の目標"が二転三転していくうちに、気づけば今は「ワークショップデザイン」という、高校生のころは存在すら知らなかった領域の専門家として、研究者と経営者の二足のわらじを履いています。

昨今、学校の進路指導では就業観の醸成を視野にキャリア教育が実施される機会が増えてきました。これ自体はとても良い試みのはずですが、将来の目標が「決まること」と、無理に「決めること」が混同されてしまうことがあります。

そして、受験勉強の途中や入学後しばらくして、あるいは就職活動が始まる時期に、"将来の目標"を考えたときとは環境が変化したり、新たな情報や人、場所に出会ったりして、目標が変わることがあります。自分自身の経験は常に変化し続けるものですから、その経験のなかから"一生懸命考え抜いた目標"であることが重要で、「目標が変化する」ということはむしろ自分自身の成長ともいえます。

当事者にとって納得のいく目標は、必ずしも「最初に」決められるものではありません。また、ある時点の認識では"納得"していたはずの目標が、試行錯誤の過程で認識そのものが変容し、目標が変更されることは、学習し変化を続ける個人や組織にとって、ごく自然な現象です。「成果目標」「プロセス目標」「ビジョン」のいずれかが曖昧なままでも、仮説的に課題を定義することは可能です。問題解決における目標は、「決められる程度に決めておく」ことが鉄則です。

"共通の目標を決める"というメタ目標を活用する

また、本質的に依頼主だけで目標を決めることができず、問題の当事者たちが多様な認識を持っており、関係性も固定化している場合、関係者全員で創造的対話をしながら、共通の目標を決めることも重要です。すなわち「関係者が納得する目標が定まっている状態」を、プロジェクトのビジョン、成果目標として設定すべきケースです（図6）。

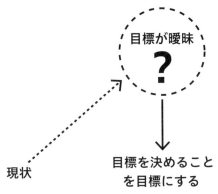

図6　目標を決めることを目標にする

　筆者（安斎）が以前にコンサルティングをしたある技術メーカーでは、エンジニアたちが定期的に商品企画のワークショップを実施していましたが、なかなか良いアイデアにつながらずに悩んでいました。「良いアイデアを生みだす」という「成果目標」がなかなか実現されない問題状況に対して、「企画会議のテーマ設定が悪いのではないか」「会議のファシリテーション技術が不足しているのではないか」という仮説を立て、筆者に相談が持ちかけられたのです。

　筆者は、「素朴思考」と「天邪鬼思考」を意識しながら、依頼主に「普段はどのような方法で企画会議をしているのか？」「これまで出されたアイデアで一番良かったものは？」「逆にこれまで出されたアイデアで惜しかったボツネタは？」「なぜそれはボツなのか？」「そのボツネタはどうすれば良いアイデアに化けると思うか？」などと質問を投げかけ、目標の精緻化を試みました。目標が定まらなければ、「良いアイデアを出すための課題設定」はできないからです。

　ところが、「良いアイデア」と「ボツネタ」の具体例は挙がるものの、その二つの間に明確な境界線はなく、判断基準が曖昧であることに筆者は違和感を持ち始めました。つまり、「良いアイデアを生みだす」という成果目標は、明確な基準として機能していないのではないか、と気づいたのです。

　そこで筆者は「哲学的思考」を駆使して、「自社における"良いアイデア"とは何か？」という、「本質観取」のための問いを設定し、改めて依頼主に質問を投げかけました。すると依頼主はこの問いかけに対して、「"良いア

イデア "に対する個人的な意見はあるが、チームメンバーそれぞれの " 良い
アイデア " の基準は違うかもしれない。むしろ、その前提がすれ違っている
から、企画会議がうまくいかなかったのかもしれない」と答えたのです。

　これはまさに、" 良いアイデア " という成果目標に対する 1 人 1 人の異な
る認識が固定化し、そのままチームの関係性が固定化してしまったがゆえに
起きていた問題状況です。

　そこで筆者は成果目標を「良いアイデアを生みだすこと」から「全員が納
得する " 良いアイデア " の指標を決めること」に変更し、取り組むべき課題
を「自社における " 良いアイデア " とは何か？」と定義しました。

　この課題をそのままテーマにしたワークショップを開催したところ、驚く
ほどメンバー間で " 良いアイデア " の定義が異なっていたことが浮き彫りに
なり、何がこれまでの企画会議を空転させていた「ズレ」だったのかが判明
しました。

　その後、対話を深めながら、チームのビジョンと戦略に従って、チームに
おける " 良いアイデア " の指針について対話を重ね、具体的な三つの基準を
作成し、合意を形成しました。チームにおける " 良いアイデア " の認識が揃っ
たところで、いつも通り企画会議をしてもらったところ、たった 1 回の会
議で、納得感の高いアイデアが複数生まれたのです。このチームの問題の本
質は、「会議のテーマ設定」や「会議のファシリテーション技術」にはなく、
目標に対する認識の齟齬にあったのです。

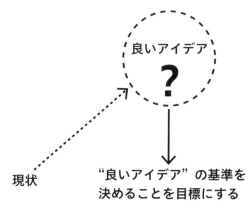

図 7　メタ目標の活用

チームが"認識と関係性の病い"にとらわれている場合には、上記のように「話し合わないと、目標が決められない」場合も少なくありません。そんなときは、"共通の目標を決める"というメタ目標を設定して、創造的対話を通して、目標を洗練させていけばよいのです（図7）。

3.2.
目標のリフレーミング

STEP3：阻害要因の検討

目標が仮にでも定まってきたら、STEP3では、目標の実現を阻害する要因について検討します。もし目標がうまく設定できていなかったことが問題解決を阻む要因の本質だった場合は、ここまでに整理した成果目標やプロセス目標が、そのまま「解くべき課題」として設定できるケースもあるでしょう。しかしそうでない場合は、何らかの理由で目標が容易には実現できないために、現状が「問題」として認識されているわけです。

阻害要因を検討する理由は二つあります。

一つには、理想的な目標と現状との間にあるハードルこそが「解くべき課題」である可能性があるためです。

たとえば、図書館の建設を控えたある地域を例に考えてみましょう。問題が解決された理想的なビジョンが「多世代にわたる住民が愛着を感じられる地域をつくる」ことで、成果目標が「地域住民が納得する図書館のプランをつくる」ことであり、そのためのプロセス目標が「若者と高齢者が意見を活発に交換し、一体感を醸成する」ことであったとしましょう。

なぜ、この目標の実現は容易ではないのか。その要因はさまざま考えられますが、同じ地域に住む住民とはいえ、20歳の大学生と80歳の後期高齢者では、ライフスタイルや生活ニーズが異なりますから、同じ目線で意見を活発に交わす場をつくること自体が、簡単なことではありません。筆者（安斎）がこれまで経験してきた行政主体の住民参加型のワークショップを振り返ってみても、若者の参加率は低く、参加者の平均年齢が高齢化しがちです。

仮に若者を呼び込めたとしても、テーマ設定を工夫しなければ、両者がフ

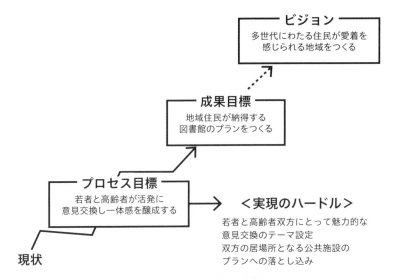

図8　目標の実現のハードルを検討する

ラットに話し合える場にはならないでしょう。またその上で、両者にとって納得のいく図書館のプランに落とし込み、合意を形成することは、骨の折れる仕事になるはずです。単に配架する書籍のラインナップに対する要望を汲みとるだけでなく、多様な住民の居場所となるプランとして合意を得なければならないからです。

　したがって、上記の目標を実現するためのハードルは、「高齢者だけでなく、若者にとっても魅力的なテーマを設定し、意見交換の場をつくること」「若者と高齢者の双方にとって居場所となる公共施設のプランに落とし込むこと」という2点が考えられます。これはすなわち、問題の当事者たちが知恵を絞って「解くべき課題」に他なりません（図8）。

　阻害要因を丁寧に検討すべきもう一つの理由は、阻害要因を検討しているうちに、目標の一部が修正されたり、より良い目標設定が見つかったりする可能性があるからです。

　たとえば「成果目標」が「人工知能を活用した新しいカーナビ製品を考える」ことだったとしたときに、目標の阻害要因が「従来の製品のアイデアにとらわれていて新奇性のあるアイデアが出ない」ことなのか、「出てくるアイデアは奇抜だが、実現可能性がない」ことなのか、あるいは「大量のアイ

デアの候補から、全員の合意がまとめられない」ことなのかによって、適切な「プロセス目標」の置き方は変わってきます。

また、阻害要因について「天邪鬼思考」や「構造化思考」を使って批判的に検討しているうちに、そもそもの「成果目標」が問い直されていく場合もあるでしょう。

特に、目標を認識している依頼主自身がなんらかの固定観念にとらわれていると感じる場合には、設定されている目標の是非を積極的に疑い、目標を捉える視点をガラリと変えて、まったく違った形式の目標に置き直してみることが必要になる場合もあります。目標を変更した結果、目標を阻むハードルだと思っていたものが、実はハードルではなかったことに気がつく場合もあるでしょう。

目標の実現を阻害する五つの要因

目標が実現されない要因はさまざま考えられますが、よくあるケースは以下の五つの要因です。問題によっては、複数の要因が複合的に絡まっている場合もあるでしょう。

目標の阻害要因
①そもそも対話の機会がない
②当事者の固定観念が強固である
③意見が分かれ合意が形成できない
④目標が自分ごとになっていない
⑤知識や創造性が不足している

---

①そもそも対話の機会がない

目標に向かって、問題の当事者同士の創造的対話が必要にもかかわらず、そのような機会が設けられていない場合です。機会をつくろうとしても、前述した地域の事例のように、すべての関係者を集めるに至らずに一部の関係者だけで対話を進めないといけないケースもあるでしょう。

企業、学校、地域には、圧倒的に対話の機会が足りていないように思いま

す。企業の商品開発会議にユーザーが参加する機会は多くありませんし、学校の授業改善会議に生徒が参加する機会に至ってはほとんど聞いたこともありません。課題を定義したら、ワークショップを開催し、当事者同士で話し合う機会を持つだけで、課題が解決され、目標に向かって前進していける場合も少なくありません。

②当事者の固定観念が強固である

当事者の間で目標は合意されているが、課題を解決しようと試行錯誤したり、対話を重ねようとしたりする過程で、もともと持っていた当事者自身の暗黙の前提が固定観念として邪魔をするケースです。

たとえば「人工知能を活用した新しいカーナビ製品を考える」ことを成果目標とした場合に、当事者たちが頭では「これまでのカーナビ製品にとらわれずに発想しよう」と考えていたとしても、無自覚のうちに、従来のカーナビ製品の固定観念である「カーナビとは運転のルートを案内するものである」「カーナビとは液晶パネルをタッチして操作するものである」といった前提にとらわれてしまい、新奇なアイデアが出にくくなってしまうことがあります（図9）。

このような場合には、阻害要因である固定観念に揺さぶりを与えることを考慮して、課題を定義したり、プロセス目標を設定したりする必要がありま

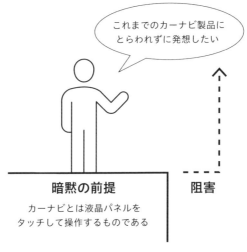

図9　強固な固定観念が目標の阻害要因になる

す。要因①の対話機会の少なさと複合する場合には、固定観念が強固で突き崩しにくい関係者に限って、対話の場に足を運んでもらえないなど、要因が複雑化していきます。

③意見が分かれ合意が形成できない

　目標に向かって話し合いの場を設けると、当事者１人１人の考え方が異なり、多様な意見が飛び交うために、合意の形成が困難であるケースです。

　「良いアイデアがたくさん出てまとめられない」という"嬉しい悲鳴"である場合もありますが、当事者同士の認識に深い断絶があるまま関係性が固定化してお互いに「わかりえない」という認識が強まってしまい、創造的対話が成立しないという場合もあるでしょう（図10）。

　鶴の一声で決まってしまうのも合意とはいえませんし、多数決も合意とはいえません。拙速に一つの正解へと絞り込むことが合意なのではなく、意見の相違を出し尽くした上でそもそもの問題の定義と照らし合わせて解くべき課題を変えていくこともまた対話の実現方法の一つです。

　合意形成の困難さが阻害要因である場合には、多様な立場の当事者を考慮して、フラットに取り組むことができる課題を定義する必要があるでしょう。

図10　合意形成できないことが阻害要因になる

場合によっては、前述した技術メーカーの良いアイデアを生みだす事例のように、目標を具体化する必要があるかもしれません。

④目標が自分ごとになっていない

目標が当事者の感覚に対してあまりにも壮大であったり、組織の権力者からトップダウンで与えられたものであったりする場合、目標が「自分ごと」にならないことが実現の阻害要因になる場合があります（図11）。

たとえば、成果目標が「会社の20年後のビジョンの実現に向けて、働き方を改革する」だった場合、頭では目標の重要性を理解できたとしても、人によっては目標が"腹落ち"せず、本音で話し合えず、自分の行動を変える動機が持てないかもしれません。「20年後」という目標は、入社して数年の新人にとっても、あと数年で定年退職を迎えるベテランにとっても自分ごと化が難しいのです。まさにその20年後に実際に組織の意思決定に重要な場面で遭遇するであろう30歳前後の社員こそ、「会社の20年後」というフレーズを自分ごとにできる適齢なわけです。

当事者1人1人が「自分にとっての目標の意味」について考えられるようにプロセス目標を設定したり、個人の目線から捉え直せるように、課題を定義したりする必要があるでしょう。

図11　目標が自分ごとにならないことが阻害要因になる

⑤知識や創造性が不足している

目標に対して前向きに取り組むモチベーションや関係性はあるものの、創造的なアイデアを生み出すことが成果目標に設定されており、目標を実現するためには専門的な知識や特定の技術が必要であったり、当事者たちが創造性を発揮したりする必要があるケースです（図12）。

たとえば、「IoTを福祉作業所に導入する施策を生みだす」という成果目標で考えてみましょう。作業効率の決して高くはない作業所において、最近話題のIoTを使えば何か改善するのではないか、そんな漠然とした期待だけで考え始めてもうまくいくはずがありません。新しいモノ好きの上司を問いただしても、IoTの初歩的な定義を教えてくれるだけで、目標の達成に役立つ情報は得られないかもしれません。

知識不足を補うためには、プロセス目標に知識の習得を含めておき、具体的なプロジェクト設計の段階で、知識を収集する活動を組み込むとよいでしょう。また、当事者のチームに当該分野のゲストメンバーを招聘して、プロジェクトチームを再編したりすることも有効です。自分1人がすべてを知っている必要はなく、より詳しい人とできるだけ柔らかな連帯で、また必要があればスピード感をもってチームの生成と霧消を検討すべきです。

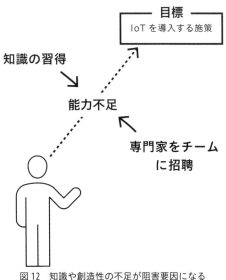

図12　知識や創造性の不足が阻害要因になる

創造性の発揮を促す場合には、プロジェクト設計や、ワークショップのデザインとファシリテーションの工夫が重要になります。課題の定義の段階では、当事者たちが心から「考えたい」と思える内発的動機を刺激する課題を設定しておくことを心がけましょう。

STEP4：目標の再設定

　STEP3で阻害要因を検討しながら、目標そのものの修正の必要性が見えてきたら、目標の再設定を検討します。

　目標を別の視点から再設定することを、認識の枠組みを転換することから「リフレーミング」と言います。この時点で、目標の設定に問題がないように見える場合でも、試しにリフレーミングを試みてみることで、より"しっくりくる"目標の設定の仕方が見つかる可能性もあります。リフレーミングの方法に鉄則はありませんが、代表的な10のアプローチについて紹介します。

　リフレーミングのアプローチとして、前章で示した五つの「課題設定の罠」に陥らないように視点を転換することは有効です。リフレーミングのテクニック①〜⑤は、課題設定の罠（1）〜（5）に対応したテクニックです。残る⑥〜⑩は、それ以外の効果的なテクニックを紹介しています。

リフレーミングのテクニック

①利他的に考える
②大義を問い直す
③前向きに捉える
④規範外にはみだす
⑤小さく分割する
⑥動詞に言い換える
⑦言葉を定義する
⑧主体を変える
⑨時間尺度を変える
⑩第三の道を探る

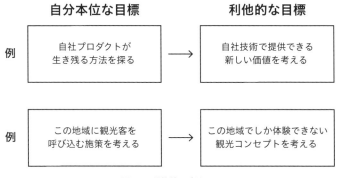

自分本位な目標		利他的な目標
例	自社プロダクトが生き残る方法を探る →	自社技術で提供できる新しい価値を考える
例	この地域に観光客を呼び込む施策を考える →	この地域でしか体験できない観光コンセプトを考える

図13　利他的に考える

リフレーミングのテクニック

①利他的に考える

「課題設定の罠(1)自分本位」に陥らないように視点を変えるパターンです。

設定された目標が依頼主の都合に偏っている場合には、極端に目標の焦点をユーザー、生徒、住民などの他者に向け、利他的な目標に設定し直してみると、視点が変わります（図13）。

②大義を問い直す

「課題設定の罠（2）自己目的化」に陥らないように視点を変えるパターンです。

具体的な手法やツールを導入することが目標として設定されている場合に、導入する大義を問い直し、ビジョンや成果目標に反映させることで、視野狭窄的な目標になることを防ぎます（図14）。

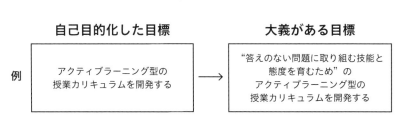

自己目的化した目標	大義がある目標
例　アクティブラーニング型の授業カリキュラムを開発する →	"答えのない問題に取り組む技能と態度を育むため"のアクティブラーニング型の授業カリキュラムを開発する

図14　大義を問い直す

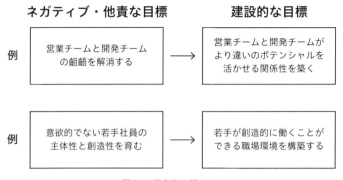

図15　前向きに捉える

③前向きに捉える

「課題設定の罠（3）ネガティブ・他責」に陥らないように視点を変えるパターンです。

問題状況をネガティブに捉えてしまったり、特定の誰かの能力不足や態度に問題の原因を帰属させるかたちで目標が設定されている場合には、環境や制度の改善に目線を向けるなど、問題を前向きに捉えて、建設的な目標に変更することが有効です（図15）。

④規範外にはみだす

「課題設定の罠（4）優等生」に陥らないように視点を変えるパターンです。

耳ざわりの良い目標が掲げられ、関係者の合意は得られているものの、参加者に目標を達成する動機が持てず、対話が深まらないことが予期される場合には、「天邪鬼思考」を遺憾なく発揮して、規範的な思考の枠の外に出てみることも必要です（図16）。ビジョンや成果目標を変えないまでも、プロセス目標にひねりを加えてみるとよいでしょう。

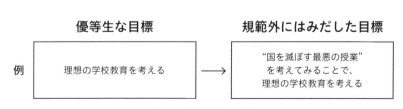

図16　規範外にはみだす

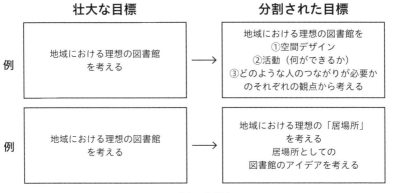

図17　小さく分割する

⑤小さく分割する

「課題設定の罠（5）壮大」に陥らないように視点を変えるパターンです。

「目標整理の観点（2）優先順位」によって目標が整理されていれば、「壮大」の罠は回避できているはずですが、問題の背後にある構成要素が複雑で、原因が絡み合っている場合には、この段階でもまだまだ目標が大きすぎたり、複数の問題を一度に扱おうとしていたりするケースがあります。改めて、目の前の状況には「解決すべき問題はいくつあるのか？」「問題を二つに分けるとしたら？」などと問い直してみると、意外と目標が複数に分割できたり、あるいは「分割できない何か」が見つかったりして、それがリフレーミングの手がかりになることがあります（図17）。

⑥動詞に言い換える

アイデアや発想が求められる問題状況において、目標に名詞型のキーワードがある場合、それを動詞型に言い換えて目標を再定義すると、視点が変わります（図18）。単純に名詞を動詞に変換するだけでなく、「哲学的思考」を活用して、動詞のあり方を探るような目標に変換すると、魅力的な目標に転換される場合があります。

⑦言葉を定義する

目標に曖昧な言葉が使われている場合、その言葉を定義すること自体を目

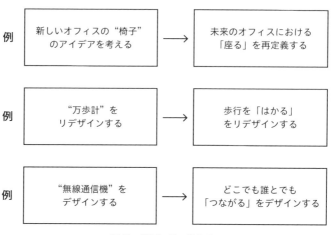

図18　動詞に言い換える

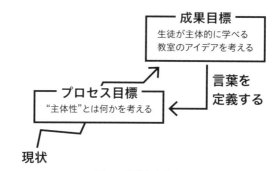

図19　言葉を定義する

標に転換してしまうパターンです。

　前述した「メタ目標」を設定する方法も、このパターンに該当します。関係者の間で合意が形成されているように見える場合であっても、「天邪鬼思考」と「哲学的思考」を駆使して、一つ一つの言葉が指し示す意味を疑ってみると、意外と言語化がされていなかったり、認識の微妙なズレが問題状況に影響している場合があります。図19のように、プロセス目標に、成果目標で使われている言葉を定義することを含んでおくことも有効です。

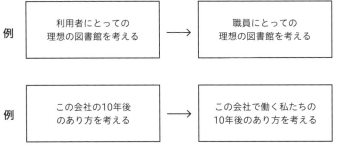

主体を変える

| 例 | 利用者にとっての理想の図書館を考える | → | 職員にとっての理想の図書館を考える |

| 例 | この会社の10年後のあり方を考える | → | この会社で働く私たちの10年後のあり方を考える |

図20　主体を変える

⑧主体を変える

目標の主体を変えてみるパターンです。

「テクニック①利他的に考える」のように、自分本位だった視点を他者の視点に向け直すこととはやや異なり、目標を眺める主体自身を変えてみる方法です。たとえば、目標の主体が、問題のステークホルダーのうち特定の誰かに偏っている場合、あえて別のステークホルダーを主体に目標を記述することで、目標の視点は変わります（図20）。他にも、目標の主体が「組織」や「社会」など大きなものになっていた場合、「チーム」や「個人」に変えてみることも有効です。

⑨時間尺度を変える

成果目標、プロセス目標、ビジョンの時間のスケールや焦点を変えてみるパターンです。

たとえば、成果目標は変えなくても、ビジョンの展望を極端に長期的な未来に飛ばしてみると、成果目標の見え方は変わってきます（図21）。他にも、未来志向のプロジェクトにおいて、過去に視点を向けさせるプロセス目標を設定することで、目標の意味合いを揺さぶることができます（図22）。

⑩第三の道を探る

問題を捉える視点が「AかBか」という二項対立に陥っている際に、あえてAとBを両立させる「第三の道」を目標に設定することで、視点を転

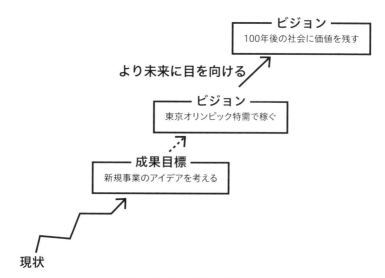

図 21　より未来のビジョンを設定する

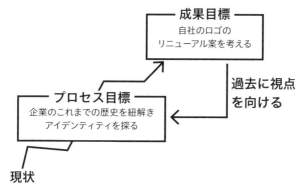

図 22　プロセス目標に過去の視点を追加する

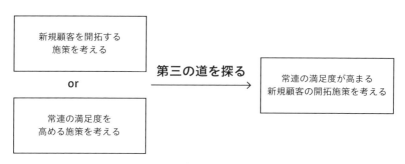

図 23　第三の道を探る

換するパターンです。

　問題の要件を確認する際に、「構造化思考」を活用して問題の変数を整理していくと、ある二項対立のジレンマのなかで問題が生まれている場合があります。こうしたケースは、ジレンマのどちらかに視点が偏った目標を設定しがちですが、あえてAとBを両立させる方法を探ってみることで、ブレイクスルーが起こせる場合があります（図23）。

3.3.
課題を定義する

STEP5：課題の定義

　「STEP3：阻害要因の検討」と「STEP4：目標の再設定」は、順番に進行するのではなく、それぞれを往復しながら課題の輪郭をあぶりだしていきます。そうして、解くべき課題が見えてきたら、成果目標をそのままシンプルに課題として表現する場合もあれば、ビジョンやプロセス目標を含めて課題として明文化する場合もあります。

　文章に落とし込むときの注意点は、課題の関係者や、その後の対話に参加するメンバーにとってわかりやすく、何に取り組むべきなのかが明快な内容にします。特に、未定義の言葉や専門用語を使うときには、人によって課題の解釈が多様になりすぎないように注意が必要です。

　課題を文章に落とし込み、関係者の合意をとる過程で、「良い課題になっているかどうか」についても最終確認します。しかしながら「良い課題とは何か？」という問い自体、非常に難しい問いで、実際に取り組んでみなければ、定義した課題が本当に良い課題だったかどうかは、本質的には評価することはできません。そこで、このタイミングでは、以下の三つの指標で課題について検討しておきます。

　良い課題の判断基準
①効果性

②社会的意義
③内発的動機

①効果性

　第一に、STEP1 で確認した問題の要件に立ち戻ったときに、定義された課題に取り組むことによって、「問題として認識されていた状況をどれくらい効果的に解決することができるか？」について、丁寧に検討します。言い換えれば、「問題の本質をきちんと突いた切り口になっているかどうか？」という指標です。

　問題を構成する変数を網羅的に概観し、変数と変数の間の関係性を深く理解した上で、問題を構造的に解決する切り口になっているかどうかを検討します。これを誤ってしまうと、問題状況に埋め込まれた「部分的な問題 A」は解決できるが、副次的に新たな「部分的な問題 B」が発生してしまい、"もぐら叩き" 的な悪循環が生まれる可能性があったり、定義した課題に対する表層的な対処にとらわれてしまい、背後にある真因にアプローチできない可能性があったり、課題設定によっては課題解決の投資対効果が得られません。

②社会的意義

　第二に、社会的意義のある課題が定義できているかについても、改めて確認しておきます。

　定義した課題を解決することが、「どれくらい社会に付加価値をもたらすか？」「良い社会の実現に貢献できるか？」という視点です。筆者らが課題をリフレーミングするときは、常に「その問いが解決された世界が見たいだろうか？」と、自問自答するようにしています。「プロジェクトに哲学を宿す」といってもいいかもしれません。

　課題設定の罠で示したような「自分本位」「自己目的化」「ネガティブ・他責」な視点から課題を設定してしまうと、外部の協力者を得にくいほか、最終的にユーザーや観光客など、課題解決の価値を享受する関係者の視点が抜け落ちるリスクがあります。多様な関係者にとって建設的な課題を設定するためにも、社会的意義の視点は重要です。

③内発的動機

　最後に、「内発的動機に基づく課題設定になっているか？」という観点です。問題の本質を突いていて、社会的意義が高い課題になっていたとしても、プロジェクトメンバーにとって「解決したい」と心から思える課題になっていなければ、プロジェクトはうまくいきません。

　以上の3点に注意しながら課題を文章化したら、課題の定義は完了です。課題の具体的な事例については、6章をご覧ください。

“衝動”を掻き立てる課題設定

　良い課題の判断基準で示した「内発的動機」は、定義した課題に基づいてワークショップ型のプロジェクトを設計し、創造的対話を通して課題の解決を試みる場合には、特に重要になるため、少し補足をしておきます。

　別の言葉でいえば、「関係者たちの「衝動（impulse）」が掻き立てられる課題設定になっているか？」ということです。

　ワークショップの理論的基盤を築き上げた偉人の1人に、哲学者のジョン・デューイが挙げられます。教育における経験の重要性を説き、その思想は「真実の教育はすべて、経験を通して生じる」「為すことによって学ぶ（Learning by doing）」などの言葉によって知られています[*1]。

　デューイの理論において特筆すべき点は、人間の行為の源泉を個人の内側から湧き上がる「衝動（impulse）」に置いていたという点です。人間にとっての経験や学びは、個人の外部（環境との相互作用）において生起するが、その原動力は、内部から衝動的に生まれる欲求に基づくものである。つまり、人間が変化することのモチベーションの出発点は、外部から与えられるものではない、とデューイは考えていました。加えて、デューイは伝統的な学校教育において「衝動」が軽視されていることを批判しています。

　デューイは「衝動」は人間の本能に近いものであり、精神的な病気で無気力になってさえいなければ、誰にでも備わっているものだと考えていました。衝動は古い生活様式を逸脱するための媒体であり、新奇な習慣を生みだすための変化のエネルギーを持ったものとして捉えていました。他方で、衝動が衝動のままではダメで、意味のある目的に変換されるためには「知性」が必

要であるとも述べています。衝動と知性が両立することで、「習性の再構築」が可能になるのです。

　筆者らが感じてきた現代社会における"認識と関係性の固定化の病い"が蔓延した状況は、言い換えれば、現場の問題解決の担い手たちの「衝動」に蓋がされてしまっている状況のようにも感じます。それが結果として、課題設定の罠である「自己目的化」や「ネガティブ・他責」などの、自分たちの外側に「正解」や「原因」を求める態度で課題を設定してしまい、問題を解決する主体が失われていくのです。

　筆者らは、創造的対話を通して企業、学校、地域における問題を解決していくためには、当事者たちの衝動を掻き立てる課題を設定すべきだと考えています。これはデューイの主張を参照した理論的主張でもありますが、筆者らが過去に携わってきたプロジェクトに基づく実践的考察でもあります。

　当事者の衝動を掻き立てる課題が設定できれば、いよいよ当事者を巻き込んで、創造的対話を展開していきます。次章では、創造的対話の場としての「ワークショップ」の定義と特徴について確認し、問いを活かしたプログラムの設計方法について解説します。

* 1　デューイの経験学習の考え方は、『学校と社会』(1899)、『民主主義と教育』(1916)、『経験と教育』(1938)などの著作に詳しい。

Part III

プロセスのデザイン

問いを投げかけ、創造的対話を促進する

4章

ワークショップのデザイン

4.1.

ワークショップデザインとは何か

現代社会とワークショップ

　前章まで、問いのデザインの出発点としての「課題のデザイン」の方法について解説してきました。本章からは、ワークショップを開催し、問題の当事者たちを巻き込みながら、創造的対話を通して、課題の解決をファシリテートしていくための「プロセスのデザイン」方法について解説していきます。

　ワークショップは、創造的対話の手法として注目され、実践の対象領域が広がっています。形式はさまざまですが、一般的には 10 〜 30 名程度の参加者が集まり、4 〜 5 名ずつのグループに分かれて議論や対話を深め、手や身体を動かしながら気づきやアイデアを生みだす方法です。

　ファシリテーターと呼ばれる進行役が、場を俯瞰しながら適切な問いを投げかけ、参加者とともに問いを深めていくプロセスに伴走する点が特徴です。企業、学校、地域が抱える「認識と関係性の固定化」を揺さぶる処方箋として、幅広い場面で重宝されています。

　ワークショップは世界中で発展してきた手法で、すでに 100 年を超える歴史がありますが[*1]、とりわけ日本ではこの 20 年で幅広く普及しました。

　ワークショップは、主催者から一方的な情報伝達をするのではなく、参加者が主体的に参加し、手や体を動かしながら学び合う場です。そこでは、参加者同士の対話を通して、新しい意味をつくりだすことで学ぶプロセスが重視されます。

　企業、学校、地域などさまざまな場面でワークショップが試行された黎明期はすでに終わり、最近では企業の事業計画や学校のシラバス作成、公共施

設の建設計画などにも最初からワークショップが取り入れられるようになりました。

　企業では、式次第に沿って予定調和にただ進行するだけの今までの会議では新しいアイデアが出てこないことに悩んでいました。そこで、オープンイノベーションという御旗の下、旧来の会議とは異なる視点をワークショップに求めました。働き方改革や社員研修など、組織風土改善を伴う人事戦略において採用されることもあります。

　学校など教育現場においては、答えが一つに定まらない場面、生徒主体の探究学習やキャリア教育の場面で取り上げられることがあります。アクティブラーニングとの親和性から、生徒のみならず教員自身も主体的な学びを得るために教員研修などにおいてもワークショップ型研修が増えてきています。

　地域でのワークショップ導入の歴史は、企業や学校のそれよりもさらに古くから知られています。

　ワークショップにおいて設定される目標は、学びに主眼を置く場合や、アイデアの創発を目指す場合など、後述する通りいくつかのパターンがありますが、いずれにしても、参加者同士の主体的なインタラクションのなかで、ワークショップの主催者が掲げる趣旨やテーマを当事者として受け入れていきます。

　ここで大切なのは、当事者の言葉よりも専門家の言葉を過度に重んじてきた知識偏重主義を払拭することです。ワークショップの参加者が場を共有しながら、問題の当事者として「何を感じ」「何を求めているのか」を一緒に言葉に変えていかなければなりません。

ワークショップの本質的特徴

　ワークショップがある種の流行として拡がりを見せている現在、表層的な形式だけが先行しているきらいがあります。普段の会議室に模造紙を広げて、カラフルな付箋に意見を出して喋る、それがすなわちワークショップであると考える人も少なくありません。

　かといって、ワークショップをその形式から正確に定義をしようとすると、なかなか難しいのも事実です。そもそもワークショップは、哲学者のルート

ヴィヒ・ウィトゲンシュタインの言葉を借りれば「家族的類似」であると考えられます。家族全員に共通した外延的な特徴はないけれど、父と子は似ていて、母と子は似ていて、兄弟も似ていて、母と父も似ている、といったように、部分的な共通性でつながった集合体になっていることを、家族的類似といいます。

　ウィトゲンシュタインは著書『哲学探究』において、「ゲーム」の定義の困難さを家族的類似によって説明しました[*2]。ワークショップもまさにそうで、アート、デザイン、演劇、まちづくり、学校教育、カウンセリングなど、それぞれの領域の間には、ワークの形式なり道具なり思想なりに部分的な共通性がありますが、すべてに共通する特徴を捉えようとすると、どこか本質を外したような定義になってしまったり、あるいは具体性のない抽象的な定義になってしまったりします。

　本書では、ワークショップの理論的系譜と思想的特徴、以上のような定義の困難さも踏まえながらも、現代において実施されるワークショップを、以下のように定義することにします。

ワークショップの定義

普段とは異なる視点から発想する、対話による学びと創造の方法

　上記の定義には、ワークショップが100年を超える歴史のなかで培って

非日常性
参加者が日常では経験しないような、普段とは異なる視点や方法で取り組むテーマや活動を設定する

協同性
専門知識や能力の高い個人に頼ろうとするのではなく、多様な集団のコラボレーションから生まれる創造性を重視する

民主性
公的な権力を排除し、課題の関係者（ステークホルダー）や、場の参加者の意見を尊重する

実験性
あらかじめ設計図や正解を用意するのではなく、場のプロセスを通して答えを探る姿勢を重視する

図1　ワークショップの四つのエッセンス

きたいくつかの本質的特徴が埋め込まれています。それは「非日常性」「民主性」「協同性」「実験性」という四つのエッセンスです（図1）。

四つのエッセンスのうち「民主性」という特徴は、ワークショップの本質を考える上で重要ですが、一般的には、単に各人の意見を付箋紙に可視化させ、場の納得感を高めるために、1人1人の意見を拾い集める形式を指していると誤解されがちです。

しかし、「民主性」の本質はもう少し深いところにあります。すべての領域のワークショップに共通している点は、従来の方法への「対抗文化」として実践されてきた点です。特に、トップダウン型で上意下達に意思決定が下され、物事が進んでいく近代的で効率的とされる方法論に対して、ボトムアップ型で話し合いを進める方法として注目されてきました[*3]。

それゆえに、ワークショップは"権力"を持つ誰かから答えを押しつけられ、それに無批判に従うことを是としません。部下よりも上司の意見の方が正しいのであれば、問題を解決するために「対話」をする必要はないからです。日常の権力関係から解放されてコミュニケーションを行い、日常では見えなかった新しい意味を見いだす。それが、ワークショップが重視する創造的対話の姿勢であり、「民主性」の意味するところなのです。

ただし、ここで民主性といっても多数決で決めるという意味ではありません。ワークショップとは、本来的に、これまでの方法論を「問い直す」ための手法なのです。

さまざまな領域で「ワークショップ」という言葉が使用されている背景について、大量に廉価な製品を生みだす「工場」的なものづくりに対して、小さな空間で手作業で製品をつくる「工房」的な態度を重視して、この言葉が使われているという考察もあります[*4]。つくるべき何かがあらかじめ規定されており、効率的かつ正確に製品を大量生産する「工場（factory）」ではなく、つくり手自身が試行錯誤しながらつくりたいものを発見していく「工房（workshop）」は、ワークショップの精神と通じるものがあります（図2）。

そう考えると、ワークショップの本質とは、グループワークや創作活動などの形式ではなく、「ボトムアップ型の考え方」にあると解釈することもできます。

これまでの企業変革、学校教育、地域活性化はいずれもトップダウン的に

factory 工場的なものづくり	workshop 工房的なものづくり
トップダウン 設計図に従ってつくる 効率重視 ミスは大罪 退屈な作業に耐える	ボトムアップ つくりながら探る 実験重視 失敗から学ぶ つくる過程を楽しむ

図 2　工場（factory）と工房（workshop）の違い

行われてきました。これらのトップダウン型のアプローチに異を唱え、ボトムアップ型の学ぶ力を呼び起こし、イノベーションを生みだしていく手法として、ワークショップは今注目されているのです。

なぜ、ブレストからアイデアが生まれないのか？

　しかし、ワークショップを導入したからといって、すぐに新しいアイデアを思いつくわけではありません。すぐに生徒が深く考えるようになるわけでもありませんし、すぐに住民全員が合意するとも限りません。「世の中にない新しいサービスを考えなさい」「自由に発想して好きなことをなんでも話し合ってください」「この町は将来どうなるべきでしょうか」と投げかけても、社員や生徒、住民の思考はそんなにすぐには深まるはずはありません。

　ワークショップの進行をリードし、参加者を核心に迫る議論へ導くのが、ファシリテーターという役割です。ワークショップの活用ニーズが急速に増えているペースに比べると、まだまだ力量のあるファシリテーターの人数は足りていません。その結果、主催者あるいは参加者のうちの 1 人が、見よう見まねでファシリテーター役を買って出るのですが、なかなか思考や対話が深まらず、ストレスを抱えてしまっているようです。

　ファシリテーターの役割は段取りから進行までさまざまにあります。参加者の緊張をほぐして打ち解けた雰囲気をつくることに献身しつつも、時間の流れに注意して予定されたスケジュールで確実に進行することが求められます。地域のまちづくりワークショップなど、お互いに顔を合わせたことのない人が集まる場合には、なおさらファシリテーターの場づくりが重要となるでしょう。

アイスブレイクと呼ばれる小さなアクティビティでまずはリラックスしてもらい、一堂に会した参加者同士をいち早く打ち解けさせなければなりません。お互いの連携を強められるか否かが、ワークショップの成否を左右するからです。

ワークショップにおいては、参加者個々人では得られないアイデアに辿り着くため、さまざまなアクティビティが準備されます。よく知られているものの一つに、アレックス・F・オズボーンのブレインストーミングがあります。正式名称よりブレストという略語の方がよく知られていますが、もともとそれが誰によって発案され、それを成立させる基本的な原則があることはあまり知られていません。

経験の浅いファシリテーターに限って、「ではこのテーマについてブレストを 10 分してみましょう、さぁどうぞ」と投げるだけで参加者にすべてを委ねてしまうことがあります。しかし、お互いに否定しあわないという基本原則の共有が不十分な場合には、「それはコストがかかりすぎる」「いや、もっと慎重に考えるべきだ」などと、参加者が予め持っていた知識や先入観に縛られてしまい、挙句の果てには単なる放談会と化してしまいます。そして、「もうブレストでは大して新しいアイデアは生まれない。古い手法だ」と、当該手法の限界に責任をなすりつけるようになってしまうのです。

しかし、それはブレインストーミングに入るときの最初のファシリテーターの「問いかけ」や「問いかけ方」に十分な配慮がなされていなかっただけかもしれません（図 3）。

自由なブレインストーミングを促す問い

> 自由にブレインストーミングをしましょう
> 世の中にない新しいサービスを考えてください
> アイデアをなんでもよいので話し合ってください

参加者は戸惑い、思考や対話は深まらない

図 3　ブレストがうまくいかない原因は、配慮のない問いかけにある

「世の中にない新しいサービスを自由に考えてください」「商店街を活性化するアイデアをなんでも話し合ってください」。こうした「自由」「なんでも」といった耳ざわりの良さそうな問いかけに、むしろ参加者同士は目を見合わせ、何を話してよいのかがわからずに戸惑ってしまうことがあります。次々に参加者がアイデアを付箋紙に書きだし、それを順次ホワイトボードに貼り出してからまとめに入るという、ファシリテーターの準備したシナリオは脆くも崩れ去ってしまいます。

　一体、何が問題だったのでしょうか。参加者同士が個人的な体験を披露しあうだけの迷走した議論となってしまうのは、意図が見えない曖昧な「問い」が投げかけられたからではないでしょうか。

　「さぁ先生は答えを言いませんよ。皆さんが自分で考えれば答えに辿り着けるはずです」。こうした問いかけに生徒がモチベーションを落としたまま膠着した議論が続くのは、隠された落としどころへ誘導しようという意図が透けて見える「問い」が投げかけられたからではないでしょうか。

ワークショップデザインにおける問いの重要性

　ワークショップのデザインには、プログラムを事前に準備するのみならず、人工物、空間への配慮といった学習環境デザインを行うことも含まれています。アクティビティそのものだけでなく、どのような手順でアクティビティを実施するのか、またそれぞれのアクティビティに対応した空間を用意できるかが重要だとされています。

　しかし、本書で注目するのは、ワークショップデザインの方法論のなかでも、アクティビティや空間などと同様に重要な要素として取り上げられている「テーマ」、すなわち参加者への最初の「問いかけ」についてです。熟達したファシリテーターともなれば、ワークショップの序盤から終盤にかけて、アクティビティの進行に合わせて、参加者の議論の膠着状態や迷走状態をにらみながら、多様な「問いかけ」を巧みに使い分けているのです。

　創造的対話の場を生みだすには、参加者らの暗黙の前提を自覚させ、これを揺り動かして払拭させるような強力な「問い」を投げかけることが必要です。

　たとえば、課題を解決するための制約条件に思考がとらわれてしまった参

加者には「この制約条件がなければ、私たちに何ができますか？」「そもそも何をしてはいけないかよりも、何ができるかを考えるべきではないですか？」といった問いかけが、ブレイクスルーを生みだすかもしれません。

ふだんは目が背けられ曖昧にされている事実に対して、「これは誰の問題ですか？」「私たちは全員それに合意しているでしょうか？」とあえて投げかけることで、参加者全員を一瞬にして当事者に引き戻すことができるかもしれません。

立場も経験も価値観も異なる参加者同士の緊張感を一瞬にして氷塊させ、まるで何年もそのことについて悩み続けてきたかのような深い洞察へと誘う、そのような会心の「問い」に達することはワークショップのファシリテーターとしての熟達の極みといえるかもしれません。

スタンフォード大学デザインスクールのティナ・シーリグは、創造性と起業家精神を養う授業で、「封筒に入ったシードマネーを使って稼ぐ方法を考えてください」という興味深い問いを学生たちに投げかけました[*5]。

計画に４〜５日かけてもよいのですが、封筒を開けると２時間以内にその元手でできるだけ多くの金額を稼がなければなりません。しかし、その封筒に入っているのはたったの５ドルなのです。５万ドルのように充分な額ではなく、あえて５ドル、さらに２時間以内という極端な制約条件を課してさまざまなビジネスモデルを立案させるところに、この問いかけの秀逸さがあります。

当然のことながら、５ドルだけで２時間以内にできることを考えていては、アイデアはまったく広がりません。そのことに気づいた学生たちは、そもそもキャッシュを原資として考えるのを改め、学生の自分たちだからこそできる身近な「資源」に注目することに視点を変えたそうです。

５ドルすら使わずに人海戦術で人気レストランの予約代行権を販売したり、２時間に注目せずに最終発表の３分間の授業プレゼンタイムそのものを企業に販売したりするなど、わずかな資源を逆に制約条件と捉え直すことで、次々にイノベーティブな企画を打ち立てていきます。

元手がかからなくても身近にある資源に光をあてて自分たちが提供できる価値そのものを見直すことの大切さを教えること、それがこの問いかけの背後にあったのです。この問いかけは、問題こそがチャンスの源泉であるとい

うティナの信念の下、制約条件を異なる視点から見直して、そもそもの制約条件を解消してしまうことがイノベーションの第一歩であることを体験的に理解させる問いかけです。

　また、「何を問うか」だけでなく、「いかに問うか」という問いかけの過程や段取りにも配慮しなければなりません。水平思考で著名なポール・スローンは、ブレインストーミングが失敗に終わるのは、「判断や結論の排除」「自由奔放な意見」「質より量」「アイデア同士の結合と改善」といった4原則と呼ばれる基本の型が守られていないからだと指摘しています[*6]。参加者全員が投げかけられた問いについて「考えを深められる関係」を自覚できてさえいれば、ブレインストーミングは今でも十分に通用するイノベーション思考法の強力なツールであるとしています。

　ブレインストーミングの発案者と言われるオズボーンの著書『創造力を生かす』においては、実はチームや組織など集団としての創造性については全38章のうち数章しか割かれていないことはあまり知られていません。オズボーンは、自由なアイデアの広がりを制限してしまうような判断や結論を急がず、奇抜な考え方やユニークなアイデアを奨励するなど、むしろ個人のなかで創造性を育む方法に多くの頁を割いています。

　質の良いアイデアは大量のアイデアに支えられるという仮定の下、さまざまな角度からたくさんのアイデアを出し、二つ三つのアイデアを組み合わせて新奇なアイデアを増やしていくことが求められるのです。それは、言うならば、個人のなかで「問いを育む」といえるような基本の形があって、そこで育まれた問いがようやく集団に広げられるのです。

　応用／代理、拡大／縮小、変更／再利用、逆転／転用／結合など、ワークショップの現場において原典を知らずとも無自覚に利用されているアイデアを広げるためのチェックリストも、そういった個人アイデア探索のための技法が拡張されたと考えるべきです[*7]。

　「問いかけ」の一言だけに注目するのではなく、そもそも思考がどのように深まり、いくつかのアイデア同士が合わさって新たな創造性に結びついていくのか、その過程に対する十分な配慮があってこそ、はじめて「問い」が個人のなかでも集団のなかでも力を発揮するのです。

ワークショップとは経験のプロセスをデザインすること

　それでは、ワークショップにおける問いのデザインは、どのように進めていけばよいでしょうか。そもそもワークショップをデザインするとは、何をデザインすることなのでしょうか。

　拙著『ワークショップデザイン論』では、事前の「企画」、当日の「運営」、事後の「評価」の3段階にフェーズを切り分け、評価の結果を次の企画に返すところまで含めて、そのサイクルをワークショップデザインとして位置づけています[*8]（図4）。

　他方で、このサイクルモデルだけでは、ワークショップデザインとはいったい何をデザインしているのか、他のデザイン領域とは異なる「ワークショップ」に固有のデザインの対象と性質が見えてきません。

　たとえば「ロゴデザイン」であれば、企業のアイデンティティを視覚的に表現することで、社内外にブランドイメージを形成し、コミュニケーションの媒介になることが、ロゴに固有のデザインの対象と性質として説明が可能です。

　ワークショップデザインの場合はどうでしょうか。一言で言えば、その特徴は「経験のプロセス」をデザインしている、と捉えることが可能です。ここでいう経験とは、人が何かに気づいたり、集団が変化したり、新たなアイデアが創発するような変化のプロセスを指します。集団が日常の経験から離

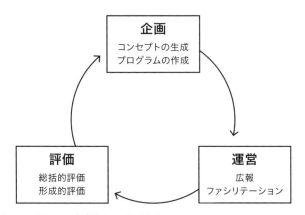

図4　ワークショップデザインのサイクル（出典：安斎勇樹ほか『ワークショップデザイン論』）

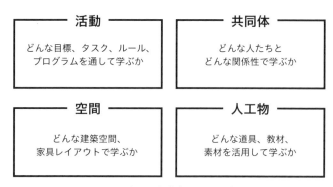

図5 学習環境デザインの4要素

れて、普段とは異なる視点から定義した課題に思考をめぐらせ、当事者同士で対話をしながら新たなアイデアを生みだしていく。その過程で、集団がとらわれていた認識と関係性が編み直されていきます。そのような経験のプロセスを導くのが、ワークショップデザインの本質です。

　人間の経験を第三者が直接的に操作することはできませんから、経験のプロセスを促進するためには、経験を支える「環境」をデザインすることが必要です。この考え方を「学習環境デザイン」といいます。学習環境デザインとは、一方的に知識伝達をするのではなく、学習者を「能動的に学ぶ存在」として捉えながら、学習環境を「活動」「空間」「共同体」「人工物」という四つの要素に分解し、それぞれを結びつけながらデザインしていく考え方です（図5）。

　ワークショップデザインに言い換えれば、どんな参加者が（共同体）、どこで（空間）、何を使って（人工物）、何をどんな順序で（活動）、経験するのか、をデザインするということになります。ワークショップの学習環境をデザインする上で検討しなければいけない項目は、挙げれば切りがありません。参加者の対象や人数、会場選定、家具のレイアウト、道具や素材、スタッフの配置など、環境を総合的にデザインする必要があるからです。

プログラムの基本構造

　学習環境デザインの4要素のうち、最も経験の質に影響を与える変数は「活動」（何をどんな順序でやるのか）のデザイン、すなわち「プログラム」の

デザインです。ワークショップデザインでいうところのプログラムとは、複数の活動を順序立てて計画したタイムテーブルのことです。

　拙著『ワークショップデザイン論』では、ワークショップの理論的源流であるジョン・デューイの経験学習の理論と、それを定式化したデービッド・コルブの経験学習モデル[*9]を参考に、ワークショップのプログラムの基本構造を「導入」「知る活動」「創る活動」「まとめ」の4段階で定義しています。

ワークショップ・プログラムの基本構造

①導入

ファシリテーターからワークショップの趣旨と概要について説明し、活動の文脈を設定する。アイスブレイクと呼ばれる参加者同士の自己紹介の活動を通して、緊張を緩和したり、関係を構築したりする。また、テーマに基づいて、過去の経験や意見、多様な事例を共有し合う。

②知る活動

講義や資料の調査などを通して、新しい情報を収集し、話し合いを通して知識化する。その知識を使って過去の経験を振り返ったり、後の「創る活動」のための準備をする。

③創る活動

4～5名のグループによる対話を通して、新しい意味をつくりだす。手や体を動かして、何かを制作する場合も多い。ワークショップにおけるメイン活動にあたる。

④まとめ

つくりだした成果物について発表し共有する。また、ワークショップの活動を振り返り、経験に意味づけを行い、次に向けたアクションについて検討する。

　ワークショップの中心的な活動は新しい意味をつくりだすことですが、い

図6　ワークショップ・プログラムの基本構造

きなりグループで「創る活動」に取り組むわけではありません。

　前段となる「導入」と「知る活動」は、いわばつくりだすための「仕込み」にあたる活動です。日常を生きていた参加者たちが、「導入」によってワークショップの非日常の世界へと誘われ、「知る活動」を通して新しい意味をつくりだすための新たな視点や知識を手に入れる。そうした種をまくような仕込みの段階があるからこそ、「創る活動」において日常では生まれない新たな意味が発芽するのです。

　良い料理をつくるために下ごしらえが必要なのと同様に、ワークショップにおける経験は、新たな知識や視点の仕込みとしての「導入」「知る活動」と、新たな意味を生みだし日常に活かすための「創る活動」「まとめ」によって成り立つのです（図6）。

　ワークショップの基本的な流れについてイメージを具体化するために、前述したレゴブロックで未来のカフェをデザインする「Ba Design Workshop」を例に説明します。

　まず「導入」においては、ファシリテーターから「今日のワークショップでは、場のデザインについて考えを深めていきます」「そもそも場のデザインとは、いったい何をデザインすることなのでしょうか？」「良い場とは、どのような場のことでしょうか？」「チームに分かれて未来のカフェをつくってみることで、手を動かしながら考えていきましょう」などと、参加者の興味を惹くようなイントロダクションから始まり、当日の具体的なタイムテーブルについて説明をします（図7）。

　その上で、アイスブレイクとして、参加者同士で輪になり、自分の名前や所属などに加えて「お気に入りの場」について共有し、自己紹介を行います（図8）。

　「知る活動」では、前述した「学習環境デザイン」のフレームワークや、

図7　導入：イントロダクション

図8　導入：アイスブレイク

図9　知る活動：話題提供

図 10　知る活動：身近な事例の分析

図 11　創る活動：カフェ作品の制作

図 12　まとめ：完成したカフェ作品の発表

18世紀から続くパリのカフェの歴史や運営の実態について解説した上で（図9）、身近な場がどのようにデザインされているかについて分析を行います（図10）。

「創る活動」では、知る活動で得た知識を活かしながらも、未来にどのようなカフェがあったら面白いかを考え、グループで企画を構想し、レゴブロックなどの素材を使って実際にカフェのミニチュア作品の制作に取り組みます（図11）。

「まとめ」では、できあがった作品を全体で発表し合い、感想を述べ合います（図12）。その後、本題であった「場のデザインとは何か？」「良い場とは何か？」といったテーマを意識しながら、経験を振り返り、日常に活かせる視点を言語化し、ワークショップを終了します。

このプログラムの基本構造は「ワークショップ」に限らず、会議やイベント、授業など、ワークショップの要素を活用したいその他の活動のデザインにも援用可能です。1時間の会議であっても、2時間のトークイベントであっても、50分間の授業であっても、漫然と時間を使うのではなく、限られた時間が参加者にとって少しでも豊かな経験になるように、プログラムを計画すること。それがプロセスデザインの基本です。

4.2.
ワークショップの問いをデザインする

ワークショップの問いをデザインする手順

ここまで、ワークショップデザインの本質は参加者の「経験のプロセス」を促進することであり、そのために「プログラム」をデザインすることが重要であることを確認してきました。

プログラムのデザインの仕方はさまざまですが、本章では、本書の主題である「問いのデザイン」の観点から、ワークショップのプログラムデザインの本質について考えていきます。

ワークショップにおける問いのデザインとは、プログラムの各フェーズにおいて、参加者に投げかける適切な問いを設定することです。同じ「未来に

どんなカフェがあったら面白いだろうか？」という大きな問いをテーマにしたワークショップであったとしても、「創る活動」において、参加者に「居心地が良いカフェとは？」と問いかけるのと、「危険だけど居心地が良いカフェとは？」と問いかけるのでは、参加者の対話のプロセスに大きな違いを生みだします。

　また、問いのデザインが重要なのは、「創る活動」のテーマ設定だけではありません。ワークショップの冒頭の「導入」において、参加者にどんな問いを投げかけるかによって、参加者のモチベーションは上がりも下がりもします。興味を惹きつけ、課題を自分ごととして考えてもらうための問いかけが必要です。

　アイスブレイクも、単なる自己紹介だと油断はできません。あえて「自由に自己紹介をしてください」と放任するのも一つの手でしょうが、問いの力を使えば、さまざまな工夫が可能です。

　「この課題に対するあなたの怒りは？」と問えば、課題が自分ごとになるかもしれません。逆に、緊張感がより高まってしまうかもしれません。また「あなたの得意技は？」と問いかけるのと「あなたの意外な弱点は？」と問いかけるのでは、その日のワークショップにおけるお互いの印象や関係性に違いが生じる可能性があるでしょう。その後の展開でどのようなコミュニケーションを期待するのかによって、アイスブレイクの適切な問いかけは変わります。

　また、問いたいことが決まっていたとしても、問いの投げかけ方や表現の仕方によっても、参加者の思考やコミュニケーションは変容します。たとえば「あなたの職場の課題は？」と問いたいところを、「あなたの職場の課題を病気や怪我に喩えると？」と、少しひねりをきかせて問うてみると、どうでしょうか。問いに対して語られるストーリーが少し豊かなものになるかもしれません。

　ワークショップの終わり方においてもまた、問いかけは重要です。「今日のワークショップはどうでしたか？」と漠然と問いかけ終わるのではなく、「今日のワークショップを通して発見したことと、それによってわからなくなったことは何ですか？」「明日から実行できるアクションは何ですか？」と焦点の定まった問いを投げかければ、ワークショップの学びが、日常によ

り活かされるかもしれません。

　このように、ワークショップの最初から最後に至るまで、問いのデザインを積み重ねることが、参加者の思考と対話の質に大きく影響します。問題の本質を突いた課題がデザインできていたとしても、ワークショップの問いの設定を疎かにしてしまっては、課題解決のための創造的対話は深まらないのです。

　さて、ワークショップの問いのデザインは、どのような手順で進めればよいでしょうか。開始時の問いかけ、アイスブレイクのお題など、プログラムの頭から順に、問いかけを考えていけばよいでしょうか。

　実はそれでは、ワークショップのデザインはうまくいきません。まずやるべきことは、定義した課題を出発点にしながら、課題を解決するためにどのような「参加者の経験」が必要なのかをあぶりだし、「課題」を「経験」に翻訳することです。そして、それらの経験を促進するトリガーとして、どんな問いかけが必要なのか、複数の問いに変換し、プログラムを構成していきます。

　具体的には、以下の3段階の手順で、問いのデザインを進めていくとよいでしょう。

ワークショップの問いのデザインの手順

手順（1）課題解決に必要な経験のプロセスを検討する
手順（2）経験に対応した問いのセットを作成する
手順（3）足場の問いを組み合わせてプログラムを構成する

手順（1）課題解決に必要な経験のプロセスを検討する

課題を「創りだす経験」のブロックに分割する

　まず、「課題のデザイン」において定義した課題を解決するために、参加者にとってどのような経験が必要かを検討するところから始めます。

　たとえば、1章で紹介した自動車メーカーのカーアクセサリー部門を例に考えてみましょう。取り組むべき課題を「自動運転社会における"移動の時

間 ” を支援するための自社技術を活用した新しいカーアクセサリー商品を生みだす」と定義したとします。この課題をそのままワークショップの問いとして設定して「自動運転社会における “ 移動の時間 ” を支援するための自社技術を活用した新しいカーアクセサリー商品とは？」と、参加者に投げかけるのはあまりに乱暴です。それで普段と異なる発想や創造的対話が導かれるのであれば、ファシリテーターは苦労しません。

　課題解決のプロセスをワークショップのプログラムに落とし込むためには、課題を解決するためには参加者にどのような「経験」が必要か、参加者の目線で言い換える必要があります。ワークショップにおける経験の中心は、対話を通して新たな意味を創りだす経験です。課題を解決するために「何をつくりだす必要があるのか」を検討し、課題を「創りだす経験」のブロックに分割します。多くの場合、一つの課題を解決するためには、複数の「創りだす経験」が必要になるでしょう。

　たとえば、「自動運転社会における “ 移動の時間 ” を支援する」ことについて考えるためには、前提として「自動運転技術が実現すると、どのような社会が訪れるのか」について、ある程度は想像を働かせておき、イメージを形成しておく必要があるでしょう。そうでなければ、支援の方法以前に、生活者にとっての移動の時間がどのように変化しうるのか、考えることができないからです。その上で、チームとしてどんな “ 移動の時間 ” を実現したいのか、アイデアや要望、こだわりを共有し、ビジョンを構想しておくことも必要かもしれません。

　そうした前段があって初めて、自社技術を活用した新しいカーアクセサリー商品のアイデアを発想する準備が整います。そのようなことを考えながら、「自動運転社会における “ 移動の時間 ” を支援するための自社技術を活用した新しいカーアクセサリー商品を生みだす」という課題を解決するために、参加者にとって必要な経験を、図 13 のように三つの「創りだす経験」のブロックとして分割します。

　基本的には一つの「創りだす経験」に対して、一つの「ワークショップのプログラム」をデザインします。上記の課題であれば、3 回のワークショップからなるプロジェクトを設計するとよいでしょう（図 14）。このように課題を複数の「創りだす経験」に変換し、順序立ててみるだけでも、課題解決

---定義した課題---

自動運転社会における "移動の時間" を支援するための自社技術を活用した新しいカーアクセサリー商品を生みだす

創りだす経験のブロックに分割

①自動運転技術が実現するとどのような社会が訪れるか、イメージを形成する

②イメージした自動運転社会において、チームとしてどんな "移動の時間" を実現したいのか、ビジョンを構想する

③自社技術を活用した新しいカーアクセサリー商品のアイデアを発想する

図13　課題を経験のブロックに分割する

自動運転社会における "移動の時間" を支援するための
自社技術を活用した新しいカーアクセサリー商品を
生みだすプロジェクト

ワークショップ①		ワークショップ②		ワークショップ③
自動運転技術が実現した社会のイメージ形成	→	自動運転社会における "移動の時間" の支援ビジョン構想	→	自社技術を活用したカーアクセサリー商品のアイデア発想

図14　複数のワークショップによるプロジェクト設計

のためのプロジェクトの大まかな流れが少し具体的に見えてきたのではないでしょうか。

　課題を定義する際に明確にした、成果目標、プロセス目標、ビジョンがきちんと実現される経験の連なりになっているか、改めて確認しておくとよいでしょう。

経験をさらに細分化し、プロセスの骨子をつくる

　次に、それぞれの「創りだす経験」のブロックを、さらに具体的な経験に細分化し、1回のワークショップを構成する経験のプロセスの骨子をつくっ

ていきます。いきなりプログラムの基本構造である「導入」「知る活動」「創る活動」「まとめ」に分割するのではなく、まずは大まかに「どんな知識や視点の仕込みが必要か」と「新しい意味をつくりだすために、何について考える必要があるか」を検討し、経験を細分化します。

たとえば、前述の「①自動運転技術が実現するとどのような社会が訪れるか、イメージを形成する」という「創りだす経験」について検討してみましょう（図15）。

そもそも参加者の前提知識が乏しければ、「自動運転技術の実現」について想像することが難しいかもしれません。その場合は「自動運転技術に関する前提知識を知る」という知識の仕込みが必要です。

また、自動運転技術に関する知識を十分に持っていたとしても、つくりだす対象である「社会」という言葉の表現が抽象的で、具体的に何についてイメージを形成することなのか、わかりにくいかもしれません。「社会」を網羅的かつ具体的に細分化することは簡単ではありませんが、たとえば自動運転が関わりそうな項目にあたりをつけて、「個人の価値観の変化」「コミュニ

━━━ 創りだす経験 ━━━

①自動運転技術が実現するとどのような社会が訪れるか、イメージを形成する

経験の細分化

自動運転技術に関する前提知識を知る

自動運転技術が実現すると、どのような生活者の価値観の変化が起こるかを思い浮かべる

自動運転技術が実現すると、どのようなコミュニティの変化が起こるかを思い浮かべる

自動運転技術が実現すると、どのような政治や経済の変化が起こるかを思い浮かべる

自動運転技術が実現すると、どのようなインフラの変化が起こるかを思い浮かべる

図15 「創りだす経験」を複数の経験に細分化する（1）

ティの変化」「政治や経済の変化」「インフラの変化」などに分割して表現すると、具体性が増すはずです。

このように、この段階のうちになるべく経験を具体的に表現しておくことが有効です。ポイントは、参加者の経験を頭のなかに思い浮かべた場合に、具体的な映像が浮かぶかどうか、参加者にとって実現可能な経験になっているかどうかを丁寧にチェックすることです。

言葉の意味はわかるけれど、どんな経験を指しているのか思い浮かばない場合や、非現実的な経験になっている場合には、まだ表現が抽象的すぎる可能性があります。その場合は、経験をさらに具体化したり細かく分割しておく必要があるでしょう。

同じ要領で「②イメージした自動運転社会において、チームとしてどんな"移動の時間"を実現したいのか、ビジョンを構想する」という「創りだす経験」も、細分化が可能です（図16）。

対話を通してチームとしての"移動の時間"のビジョンについて構想するためには、チームメンバーの1人1人が、自動運転社会における"移動の時間"について、個人としてのアイデアや要望、こだわりなどの「ビジョンの種」を頭のなかに思い描けている必要があるでしょう。

そしてそれらの「個人の種」を共有しながら、お互いの意見の共通点や相

── 創りだす経験 ──

**②イメージした自動運転社会において、チームとしてどんな"移動の
時間"を実現したいのか、ビジョンを構想する**

↓

経験の細分化

↓

現在の"移動の時間"にどのような不満やストレスがあるか、お互いの経験を述べ
合う

自動運転社会において、生活者の"移動の時間"がどのような体験になっていてほし
いか、個人のビジョンを想像し、お互いの想いを語り合う

チームとして実現したいと思える自動運転社会における"移動の時間"のビジョンの合
意を形成する

図16 「創りだす経験」を複数の経験に細分化する(2)

違点に気づき、対話を通して新たに意味を生成しながら、チームとして納得できるビジョンをあぶりだし、合意形成するステップが必要です。

　個人としてのアイデアの種を生みだすステップに懸念があれば、「現在」の自動車や交通機関を用いた移動に関する不満や問題について共有しておく経験も、個人の意見を生成する上での助けになるかもしれません。

　以上のように、課題を解決するために必要な経験を、なるべく具体的に列挙しておきます。その上で、書きだした経験群を、参加者がどのような順序で経験すべきか、時系列に整理し、ワークショップで実現すべき経験のプロセスの骨子をつくっておきます（図17）。

　ワークショップの経験として成立させるためには、細分化した経験に「導入」として、どんな趣旨説明やアイスブレイクが必要か。「まとめ」として、つくりだした意味をどのように参加者同士で共有し、次のアクションにつなげていくか。最初と最後に必要なフォローの経験を付け足しておきます。これが、ワークショップにおける問いのデザインで最初にやるべきことです。

　このように、定義した課題を「創りだす経験」のブロックに変換し、それを具体的な経験のプロセスに細分化し、ワークショップの流れを掴んでおきます。上記の例のように、課題を解決するために複数の「創りだす経験」が

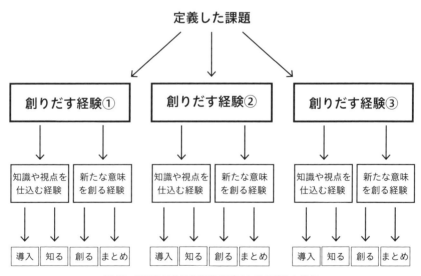

図17　課題を具体的な経験のプロセスに落とし込む

必要な場合には、複数回のワークショップを組み合わせたプロジェクトとしてプロセスをデザインしなければなりません。プロジェクトとして実施する場合には、場合によってはワークショップとワークショップの間にその他の手法（研修、フィールドワークなどのリサーチ）を組み合わせることも有効です。いずれにしても、活動の流れを設計するために、必要な経験を網羅的に洗いだしておきましょう。

手順（2）経験に対応した問いのセットを作成する

　定義した課題を、参加者の具体的経験に言い換えたら、いよいよワークショップの問いを作成していきます。手順（1）で書きだした参加者の経験を促進するために、どのようなきっかけや働きかけが必要かを検討しながら、具体的な問いかけを検討します。細分化して並べた経験に、基本的には一対一対応で問いを作成していきますが、一つの問いかけで、複数の経験を促進できる場合もあるでしょう。

　問いを作成する際には、具体的には「探索の対象」「制約」「表現」の三つを検討していきます。

問いを作成するポイント
1 探索の対象を決める
2 制約を設定する
3 表現を検討する

問いの作成 1 探索の対象を決める

　ワークショップの問いを作成する基本的な作業は、問いによって促したい探索の対象を決めることです。

　1章で確認した通り、問いは、投げかけられた参加者の思考や感情を刺激し、集団の議論や対話など、何らかのコミュニケーションを誘発します。問いの設定によって促進される思考やコミュニケーションの質が変わるため、結果として導かれる答えも変わりうる、という基本性質を確認してきました。

これは言い換えれば、問いを投げかけることによって、参加者に何らかの探索活動を促しているということです。

たとえば「これまでの移動にまつわるイライラとは？」と問われたら、あなたはどのような探索を始めるでしょうか。おそらくこれまでの自動車や電車などの交通手段による移動の経験を振り返り、そのなかで特にストレスの溜まったエピソードを思い起こそうとするでしょう。つまり問いによって、「過去の経験」が探索されるはずです。

別の例を考えてみましょう。「東京駅から札幌駅までの最安の移動手段は？」と問われたら、いかがでしょうか。おそらく過去の経験から具体的なエピソードを探索するのではなく、飛行機や新幹線の移動に関する自分自身の知識を参照したり、あるいはインターネットで考えられる選択肢を検索し、最適な解答を探索するはずです。したがって、これは「知識や情報」の探索を促す問いということになります。

グループワークのお題として「"良い移動"の条件を三つ考えてください」と問われたら、いかがでしょうか。参加者の1人1人にとって、"良い移動"に関する条件は異なるはずです。それぞれの「過去の経験」を振り返りながらも、経験の良し悪しに関わる「価値観」を探索する必要があるでしょう。その上で、グループで「三つの条件」という結論を出すためには、話し合いを通してグループの「合意点」を探索する必要があるでしょう。

ワークショップで参加者に投げかけられる問いは、参加者にとっての何らかの探索を促す点で共通していますが、その探索の対象はさまざまです。過去の経験なのか、知識や情報なのか、価値観なのか、方法なのか、集団の合意点なのか、探索の対象を明確にしておきましょう。

俯瞰的な視座を促すのか、個人的な視座を促すのか

探索の対象を決める上で、課題を解決するために、参加者のどのような視座を促すべきかを検討することは有効です。

たとえば"良い移動"について考えてもらいたい場合であっても、「日本の社会おける最適な移動のあり方とは？」と問うのと、「あなたにとっての"豊かな移動"とは？」と問うのとでは、同じ"良い移動"に関する問いであっても、参加者の頭の使い方やコミュニケーションのレベル感がまったく

変わってきます。

　前者は「社会」を主語に問いかけており、マクロな視座から俯瞰的に思考することを重視した問いです。「これは問題だ」「こうあるべきだ」といった客観的な思考が誘発されることが想像できます。他方で、後者は「あなた」を主語に問いかけており、個人の視点で場に臨むことを重視した問いです。「私はこうしたい」「こうしたくない」という感情や欲求を起点とした主観的な思考が期待できるでしょう。

　課題解決に必要な経験を促進するために、社会や組織などのマクロな視座を重視したいのか、個人の視座を重視したいのかによって、問いの探索の対象は変わってくるのです。この二つのどちらを重視すべきかは、課題の性質やプロセスの設計に関わってきます。問いが「社会・組織レベル」に偏ると、話し合いが「自分ごと」にならなくなっていきますし、他方で、問いが「個人レベル」に偏りすぎると、今度は社会にとっての新奇なアイデアや、組織にとっての課題解決につながりにくくなる場合があります（図18）。

　興味深いことに、ワークショップで扱われる問いの傾向には、ファシリテーターの志向性がよく現れます。あるファシリテーターは「社会・組織レベル」の問いを使うのが得意だが、別のあるファシリテーターは「個人レベル」の

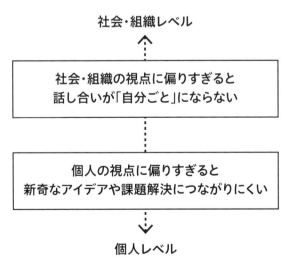

図18　問いの視座のレベルの違い

問いばかりを使いがち、といったように、傾向が分かれることがあります。自分の趣味や志向性を尊重しながらも、課題解決に有効な問いの視座を戦略的に検討することも忘れてはいけません。

過去に目を向けるのか、未来に目を向けるのか

また、場の視座を過去に向けたいのか、未来に向けたいのか、によっても、問いの探索の対象は異なるものになります。「個人⇔社会」という軸だけで問いを生成していくと、どうしても「現在」に視点が集約されてしまうことがあるため、時間軸の広がりを持たせることも重要です。横軸に「過去⇔未来」を挿入することで、問いの視座を図19のようにマトリクスで捉えてみます。

個人レベルで過去に視点を向けることは、参加者の「過去の経験」を問うことに他なりません。設定したテーマについて自分ごと化しながら、過去の経験からヒントを探ったり、価値観を共有したりする際には、この視点での問いは欠かせません。

社会や組織のレベルで過去に視点を向けることは、大げさにいえば「歴史」に目を向けることです。社会課題の解決のアイデアを考えるにせよ、組織の未来を考えるにせよ、その社会や組織が歩んできた歴史に目を向けることは有益です。商品開発や組織開発のワークショップで抜けがちな視点です。

社会や組織のレベルで未来に視点を向けることは、「ビジョン」を構想し、描こうとする態度です。自分ごと化を促す問いや、過去に目を向ける問いを大切にしながらも、商品開発や組織開発のプロジェクトでは、最終的にはこ

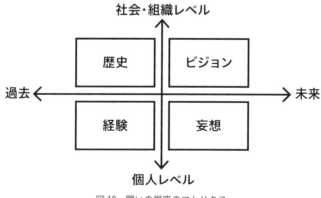

図19 問いの視座のマトリクス

個人の「経験」を問い、自分ごと化する
↓
個人の「妄想」を問い、視点を未来に向ける
↓
組織の「ビジョン」を問い、合意を形成する

図20　複数の視座を組み合わせる例

のタイプに落とさなければなりません。

　個人レベルで未来を考えることも、個人のビジョンといえますが、社会や組織とは切り離された「私はこうしたい」「こうなったらいいな」という素朴な感覚も含めるという意味で、あえて「妄想」としてみました。

　ワークショップのプログラムを設計するときは、一つのタイプの問いだけで構成することはありません。最終的に「ビジョン」を考える場合においても、たとえば、自分ごと化するために、個人の「経験」を問い、個人の「妄想」を促して視点を未来に向けた上で、組織としての「ビジョン」を練りあげて合意を形成していくというように、複数の視座を組み合わせて、経験のプロセスを支援していきます（図20）。

　手順（1）で検討した経験のプロセスの骨子と往復しながら、適切な問いの探索の対象や組み合わせ方について検討しておきましょう。

問いの作成 [2] 制約を設定する

　問いの探索の対象を決める過程で、問いの制約についても合わせて検討します。制約とは、探索の範囲を定めて、参加者の思考と対話を方向づけるためのものです。

　これまでも繰り返し述べてきた通り、「なんでもよいから、自由に考えよう」という制約のない問いからは、認識や関係性を揺さぶることができず、創造的な思考や対話につながりません。たとえば「"移動"について、どう思いますか？自由闊達に話し合ってください」などと問われた場面を想像してみてください。限られた時間のなかで、実りのある対話ができそうでしょうか？

　問いに制約がないということは、参加者に求める思考の範囲に制限がか

かっていないということです。制限がないということは、参加者の思考や対話にとっては良いことのようにも思われますが、参加者からすると「とっかかり」がなく、どこから考えればよいかがわからなかったり、あるいは1人1人の視座があまりに多様にばらけてしまったりすることで、思考や対話が散漫になりがちです。

　ですから、以下のようなテクニックを使いながら、問いに適切な制約を設定していきます。

問いの制約を設定するテクニック

①価値基準を示す形容詞をつける
②ポジティブとネガティブを示す
③時期や期間を指定する
④想定外の制約をつける
⑤アウトプットの形式に制約をつける

---

①価値基準を示す形容詞をつける

　探索の対象に価値基準を示す形容詞を付与することは、思考や対話に方向づけをする基本的なテクニックです。

　たとえば "良い移動の時間" について、個人の経験や価値観を探索する問いを検討していたとします。"良い移動" といっても、良さに関する価値基準は多様です。そこで、具体的な価値基準を示す「快適」という形容詞を付与して「あなたにとって "快適な移動の時間" とは?」などと、思考を方向づけるのです。

　熟練したファシリテーターは、この制約の表現に徹底してこだわります。なぜならば、同じ "良い移動" を尋ねる場合であっても、「快適な移動の時間とは?」「便利な移動の時間とは?」「豊かな移動の時間とは?」など、微妙に異なる価値基準を示す形容詞をつけてみると、問われた側に思い浮かぶ思考や感情は異なるものになるからです。少しひねりを加えて「意外と快適な移動の時間とは?」などと表現してみると、どうでしょうか。問いのニュアンスが少し変わり、制約の意味合いが変わってくるでしょう。

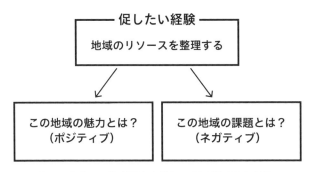

図 21　ポジティブな価値とネガティブな価値をはかる問い

②ポジティブとネガティブを示す

　上記の価値基準を示すテクニックの応用版として、ポジティブな価値基準を示す形容詞と、ネガティブな価値基準を示す形容詞をそれぞれ付与した問いを用意するテクニックです。

　たとえば「最高の移動手段とは？」と「最悪の移動手段とは？」と二つの真逆の問いを用意し、それぞれについて考えてもらうことによって、参加者の思考の幅を広げることができます。

　まちづくりのワークショップにおいて「地域のリソースを整理する」という経験を促す問いとして「この地域の魅力とは？」「この地域の課題とは？」という二つの問いを用意し、別の色の付箋に書き出してもらうワークを採用するテクニックがよく使われます（図 21）。

③時期や期間を指定する

　制約がないと探索の範囲が広がりすぎてしまう場合に、時期や期間などの時間的な制約を設定するテクニックも有効です。

　たとえば「自動運転技術が実現すると、どのような個人の価値観の変化が起こるか？」という問いについて考えてみましょう。これは社会レベルの未来について探索させる「ビジョン型」の問いです。

　しかし、時間的な指定をしていないために、ある人は自動運転技術が完全に普及した数十年後の社会を思い浮かべるかもしれませんし、別のある人はここ数年の変化を思い浮かべるかもしれません。同じビジョン型の問いであっても、数十年後を想像する人と、数年後を想像する人とでは、前提を擦

り合わせない限り、対話は噛み合わないでしょう。

　「自動運転技術が浸透した 2030 年において、個人の価値観はどのように変化しているか？」などと、時間的な制約を加えることで、このような齟齬を防ぐことができます。

④想定外の制約をつける

　問いの制約は上手に活用することで、制約がなかったら想起されなかった思いもよらない発想を刺激することができます。

　引き続き、「自動運転」に関する問いのサンプルで考えてみましょう。まず仮に「快適な移動の時間とは？」と問うた場合、どのような話し合いが展開されるかを想像してみます。テーマは自動運転ですから、大きな変化が想定される「自動車（バスやタクシーを含む）による移動」の話題に終始する可能性が少なくないでしょう。

　しかし、この話題の展開では、創造的対話を期待するファシリテーターにとっては、やや物足りないかもしれません。なぜなら、自動運転技術は社会のライフスタイルやインフラに大きな変化をもたらす可能性があるため、自動車に乗らない歩行者や自転車利用者にとっても影響をもたらす可能性があるからです。

　そこで、あえて問いの制約に「自動運転社会における、歩行者／自転車利用者にとっての快適な移動の時間とは？」と、参加者が想定していないであろう探索の範囲を指定してみると、いかがでしょうか。自動車に視点がいきがちな話題のスコープに揺さぶりがかかり、思いもよらなかった発想が刺激されるかもしれません。

　前述した「危険だけど居心地が良いカフェとは？」という問いは、まさにこのアプローチです。ターゲットとなる経験が「今までにない新しいカフェを考案する」だった場合に、素直に「今までにない新しいカフェとは？」と問いかけるのも一つの手ですが、それで新奇なアイデアを誘発することができるか疑問です。一般的なカフェの価値基準である「居心地の良さ」に対して、あえて相反する価値基準である「危険」という制約を加えたことで、参加者の想定外の発想を刺激したのです。

⑤アウトプットの形式に制約をつける

問いかけの結果、参加者の思考が発散しそうで、意見の収束や合意形成を促したいときには、問いに対するアウトプットの形式に制約をつけておくことが有効です。

たとえば「"移動の時間"を快適にするための三つの条件とは？」といったように結論の数に制約をつけたり、「自動運転技術によるライフスタイルの変化の段階を、起・承・転・結で表現すると？」といったようにアウトプットの仕方に構造をつくることで、発散させた意見を収束させるための試行錯誤を促進することができます。

前述した「危険だけど居心地が良いカフェとは？」という問いも、アウトプットの形式に制約を設定し、実際のワークショップでは「危険だけど居心地が良いカフェのミニチュアをレゴブロックで制作する」という課題として展開しました。言葉による話し合いを進めるだけでなく、手を動かして何かをつくりながら考える制作課題の形式になっていることで、思考が可視化されて対話を深めるきっかけとなったり、新しいアイデアを刺激したりすることができます。

以上のようなテクニックを駆使しながら、探索を深めるための制約を設定します。

問いに対するアウトプットの形式にこだわる

前項で紹介した問いのアウトプットの形式の制約は、工夫の余地が多いため、補足をしておきます。具体的には、以下のようなパターンがよく活用されます。

> **よく活用されるアウトプット形式の例**
> ①問いに対する答えを紙にまとめる
> ②問いに対する答えを作品として表現する
> ③問いに対する答えを身体で表現する

①問いに対する答えを紙にまとめる

問いについて対話した結果を紙に書き記すことを制約とするパターンです。

グループで合意された結論へと収束させたい場合には、ワークシートを用意する方法が一般的です。たとえば図22のように複数の記入欄を設定することで、課題に対して複数項目の検討を求めることができます。ただし、「創る活動」がやや作業的になってしまうというデメリットがあります。

他方で、図23のようにシンプルなワークシート[*10]であっても、何も書いていない白い紙に結論を書いてもらうよりかは、参加者を動機づけることができるはずです。

「ポスターを制作する」「チラシを制作する」など作品性のある課題を設定するのも有効です。

問いに対する答えを無理に収束させたくない場合には、大きな模造紙をテーブルに広げておき、メモをしながら自由に対話を展開してもらい、後の「まとめ」のフェーズで「どんな話題が出たか」を発表してもらうというやり方もあります。

②問いに対する答えを作品として表現する

何らかの作品を制作することを課題とするパターンです。レゴブロック、粘土、画用紙などの素材を用いた立体的な作品、雑誌や画用紙の切り貼りによるコラージュ作品、パソコンやスマートフォンで撮影した素材を用いた映像作品、写真作品、その他アート作品など、さまざまなバリエーションが考えられます。

作品の制作課題の使いどころとして、問いに対してまずグループで対話を深め、そこから立ち現れた意味を作品に落とし込むパターン、問いに対する個人の感情や意見を作品に表現して、それをグループで共有することで対話を深めることに利用するパターンの、二つの場合があります（図24）。

前者のパターンは「居心地が良いカフェをレゴブロックで制作する」などの例が該当しますが、グループで生みだしたコンセプトを具現化しようとすることで、手を動かしながら意味をかたちづくることができるので、対話が抽象的になりすぎることを防ぐことができます。

後者のパターンは、口数が少ない参加者や、テーマについてすぐには言語

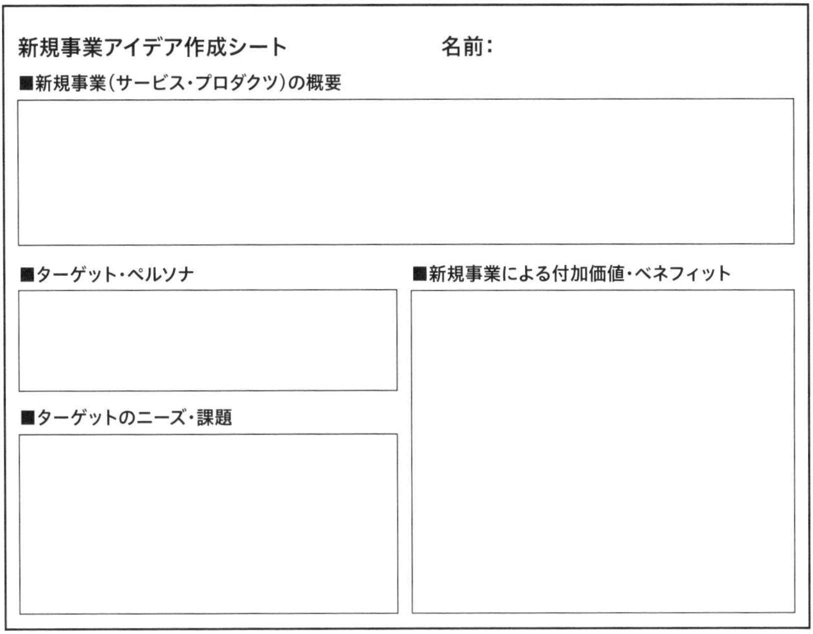

新規事業アイデア作成シート　　　　名前：

■新規事業（サービス・プロダクツ）の概要

■ターゲット・ペルソナ

■新規事業による付加価値・ベネフィット

■ターゲットのニーズ・課題

図 22　複数欄を設けたワークシートの例

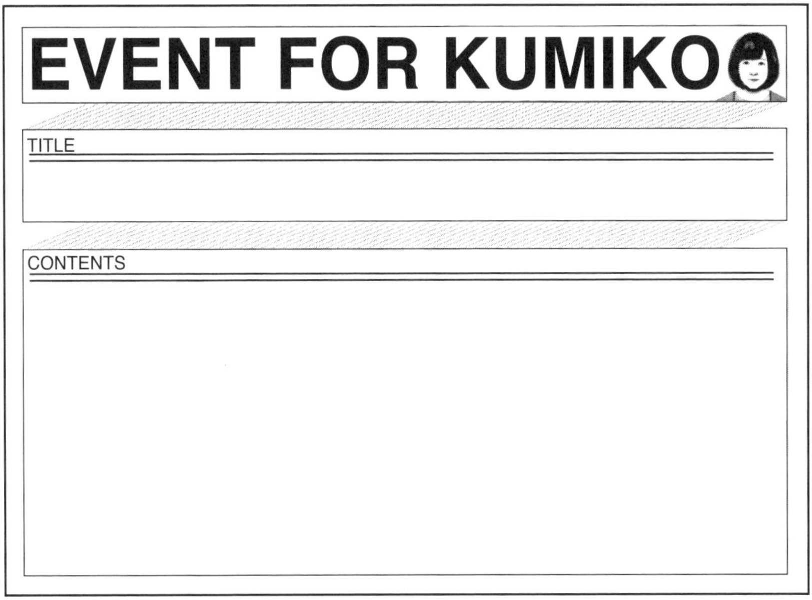

EVENT FOR KUMIKO

TITLE

CONTENTS

図 23　シンプルなワークシートの例

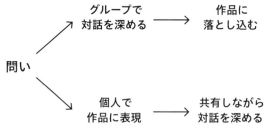

図24　制作課題の使いどころ

化ができない参加者がいた場合に、まず先に個人の考えを可視化することによってメタ認知と言語化を促すことができます。たとえば「私にとってのこのチームの価値とは？」を粘土で表現した上で、それをグループで共有しながら「このチームの価値とは？」について対話するようなイメージです。

③問いに対する答えを身体で表現する

　作品を制作するのではなく、身体で表現することを課題にするパターンです。抽象的な感情や状況を身体のジェスチャーで表現してもらったり、サービスやプロダクトのアイデアの利用シーンを寸劇で演じてもらったり、さまざまなバリエーションが考えられます。

問いの作成 ③ 表現を検討する

　探索の対象が定まり、適切な制約が設定できたら、ワークショップのプログラムの主なパーツとなる問いの作成はほぼ完了です。最後に、問いの表現が適切かどうか、もっと良い表現方法がないかどうか、検討をしておきましょう。

　問いの意図が明確に伝わる表現になっているか。技巧を凝らすあまりに、長すぎるものになっていないか。逆に、短すぎはしないだろうか。この問いかけ方で、参加者の考えてみたくなる気持ちや、日常では生まれない発想が十分に刺激できるだろうか。問いのポテンシャルを最大限に活かすための表現になっているかどうかを丁寧に検討し、納得のいく表現に落とし込みます。

　参加者の視点に立って、作成した問いを投げかけられたときに、どんな思考や感情が生起するかをよく考え、問いの表現を最後まで調整することが大切です。

手順（3）足場の問いを組み合わせてプログラムを構成する

足場の問いの重要性

　手順（1）で時系列に配置した経験に対して、手順（2）で経験に対応する問いのセットが完成できていれば、あとはそれぞれの問いに必要な時間配分を検討してタイムテーブル(時間割)を作成すれば、プログラムは完成です。

　ただし、問いのセットに「足場の問い」を追加した方が、経験のプロセスがより滑らかに接続し、効果的なものになる場合があります。足場の問いとは、課題解決の経験に直結するわけではないけれど、手順（2）で作成した問いを効果的にワークさせることに貢献する「問いを活かすための問い」のようなものです。

　筆者（安斎）が以前に実施した、経営者向けのワークショップの事例を題材に、足場の問いの有用性について解説します。複数の企業の経営者たちが集まり、自社の次なるビジョンを構想するためのプロジェクトにおける、ある一場面のことです。

　このとき参加者に必要だった経験は、社会における自社の価値について、理念を内省することでした。そこから素直に導きだされた問いかけは、「自社が社会に生みだすべき価値とは？」というシンプルな問いでした。参加者は企業の経営者ですから、この問いは「社会・組織レベル」のマクロな視座であり、同時に自分ごととして考えなくてはならない「個人レベル」の視座も包含しているため、うまく機能すれば、対話を深める問いとしてポテンシャルを持っているように思えます。

　しかし、「社会における価値」というのはあまりに壮大です。1章で述べた通り、具体的な事例を挙げずに抽象的な意味の解釈ばかり話し合っていても、対話は深まりません。この問いをそのまま乱暴に投げかけると、参加者の思考の解像度が低いまま、抽象的な対話が進んでしまう懸念がありました。問いのポテンシャルを殺さないために、どのような「足場の問い」が必要でしょうか。

　筆者は、試行錯誤した結果、アイスブレイクの段階で、一風変わったワークを挿入しました。誰もが知っている実在する具体的な企業名や活動名を複数提示し、「これらの取り組みは、社会にどれくらい価値を生みだしていると思いますか？ 100点満点で採点してみてください」と、問うたのです。

他社の取り組みを採点するこのワークは、ある意味で「社会における価値」というテーマについて、"他人事の視点" を促しかねない問いです。けれども、いきなり「あなたの会社の価値は？」と突きつける前に、まずは誰でも答えられる「他社の価値」を問い、本来の問いにつなげるための、いわば "ジャブ" を打ったのです。

　このとき提示した企業には、Google のような世界的な企業もあれば、技術力の高い日本の老舗メーカー、若者に人気のスマホゲームメーカー、有名な募金活動、たばこメーカーなどです。

　参加者たちは「採点するだけなら簡単だ」と、すらすらとそれぞれの取り組みに点数をつけていきます。ところが、いざ同じテーブルのメンバーと採点結果の共有を促すと、あちこちのグループからざわめきが起こりました。なぜなら、この採点結果は、個人によって驚くほど異なっていたからです。

「こんなに便利なサービスを無料で提供している Google が、なぜ 100
　点ではないのですか !?」
「確かにかつての Google には目を見張りましたが、現在の Google は
　今後の進化の期待も込めて、この点数にしました」
「正直、スマホゲームがなくなっても、私の人生には影響がほとんどな
　いので、0 点にしてしまいました」
「意外とスマホゲームは私の生活に彩りを与えてくれています」
「この募金活動は良いことをしているイメージはありますが、取り組み
　の実態がわからないので、60 点としました」
「このメーカーは具体的な製品は思い浮かばないけど、なんとなく安心
　感があるから、70 点かなぁ」
「たばこは健康を害するので、マイナスでは？」
「たばこがなくなったら、生産性が落ちてしまう！」

　このように好き勝手に採点した「他社の価値」の共有から、激論が巻き起こったのです。筆者はしめしめと思いながらも、次の「足場の問い」を投げかけました。

「なぜ、同じ会社に対する点数がこんなにもズレてしまうのでしょうか？」「背後にはどんな評価基準があるのでしょう？」「点数を左右する要因を、思いつく限り付箋に書きだしてみましょう」。

参加者は頭を切り替え、採点結果の違いを興味深く考察しながら、「幸福を生みだす」「痛みを解消する」「記憶に残る」「安く利用できる」「広く普及する」「インフラになる」など、思いつく限りの「価値」の評価基準を書きだしていったのです。

あっという間に、テーブルはカラフルな付箋で埋め尽くされました。筆者は頃合いを見計らって、課題解決のために作成した問いをアレンジした「あなたの会社は、どんな価値を社会に生みだしたいですか？」という問いを、参加者に投げかけました（図25）。

この問いに至るまで、参加者は「社会における価値」について、多様な題材、多角的な価値基準から検討してきているため、思考の解像度が高まっている状態です。結果として、非常に具体性のある発言が交わされ、想像以上に対話が深まりました。

ワークショップにおけるプロセスデザインの基本は、複数の問いを組み合わせて、思考と対話の連なりをつくることです。手順（2）において作成し

足場の問い①

これらの取り組みは、社会にどれくらい価値を生みだしていると思いますか？
100 点満点で採点してみてください。

↓

足場の問い②

なぜ、同じ会社に対する点数がこんなにもズレてしまうのでしょうか？
背後にはどんな評価基準があるのでしょう？
点数を左右する要因を、思いつく限り付箋に書きだしてみましょう。

↓

課題解決のための問い

あなたの会社は、どんな価値を社会に生みだしたいですか？

図 25　足場の問いを活かした問いの組み合わせの例

た問いのセットだけでなく、それらの問いを活かすための「足場の問い」も作成し、効果的に活用しましょう。

この「足場の問い」を場に投じられるのは、実はファシリテーターという立ち位置だからこそです。

普段参加者がチームで議論に熱中すればするほど、問いの解像度が低いまま議論が散漫になることや、抽象度が高すぎて議論が深まらないことを自覚することは極めて難しくなります。課題に対する問いを参加者が自分ごとにすることに成功すればするほど夢中になってしまうので、場が視野狭窄に陥っていることに気づかなくなることがあります。これはワークショップの対話が抱える矛盾そのものかもしれません。

そんなときにファシリテーターの存在が重要になるのです。多くの場合、チームごとに椅子に座ってグループワークをしている間を歩き回って進行しているファシリテーターは、グループワークを文字通り「俯瞰すること」ができます。全体を見渡すことで議論の行き詰まりや閉塞状態に気づいた瞬間こそが、この「足場の問い」を投じる絶好の機会なのです。

プロセスデザインにおける「足場かけ」の考え方

「足場の問い」という言葉は、「足場かけ（scaffolding）」という考え方を元にしています。足場かけとは、建物をつくる際に足場を用意するように、学習者が課題を解決するため支援者が介助する行為を指します。ワークショップの背景理論に大きな影響を与えたレフ・ヴィゴツキーの理論を基盤に、心理学者のジェローム・ブルーナーが提唱した概念です[*11]。

ワークショップやファシリテーションがうまくいかないと悩む初心者がデザインしたプログラムを見てみると、「足場かけが甘い」と感じることが非常に多く、ファシリテーターとして熟達する上での課題の一つと言えそうです。

足場かけのつまずきのパターンはいくつかありますが、最も多いパターンの一つが、参加者の思考の「抽象」と「具体」の変換プロセスの支援の不足です。1章で述べた通り、対話は「具体的なモノやコト」と「抽象的な意味の解釈」の往復によって深まります。

たとえば、地域の図書館の設計プランを住民参加で検討するワークショップのプログラムを例に考えてみましょう。行政に対する課題のヒアリング

の結果、住民が「居心地の良い」と感じられる図書館を設計したいと考えていて、そのためのヒントや譲れない要件を住民から聞きだすことがワークショップで起こしたい経験だったとします。

　ストレートに「どんな図書館がほしいですか？」と尋ねるのでは、何の工夫もありません。こうした問いを投げかけても、参加者からは「絵本を増やしてほしい」「飲食できるスペースがほしい」「営業時間を延ばしてほしい」「駐車場を無料にしてほしい」など、具体的な図書館の仕様に関する要望が寄せられるばかりでしょう。これらは重要な意見ではありますが、こうした意見を募りたいだけであれば、アンケートを配布すれば済むので、わざわざワークショップを開催する意味はありません。

　これまでの話を踏まえて、参加者の経験を促進するための中心的な問いを「居心地の良い図書館を考えて、レゴブロックでミニチュアをつくってください」という制作課題として設定したとしましょう。

〈問いのサンプル〉
居心地の良い図書館を考えて、
レゴブロックでミニチュアをつくってください

　これは活動としては楽しく、盛りあがることが予想されますが、いきなりこの問いを投げかけるのは、やや乱暴です。図書館の設計に関する具体的なヒントはあまり期待できません。

　商品にせよ、サービスにせよ、図書館のような建築物にせよ、あらゆるアイデアは「目に見える具体的な仕様」とそれによって生みだされる利用者や生活者にとっての「意味」の結びつきによって成立しています。この問いが「乱暴」である理由は、「居心地が良い図書館」の「意味」と「仕様」をいっぺんに尋ねているためです。つまり、抽象度の異なる問いが、一つの問いのなかに二つ内包されているわけです（図26）。

　このまま問うてしまうと、参加者によっては「私にとっては適度なノイズの中で１人になれることが重要だ」といったような「意味」のレイヤーの思考が誘発されるかもしれないし、参加者によっては「本棚はなるべくたくさ

149

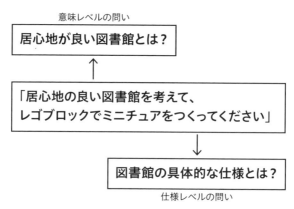

意味レベルの問い

居心地が良い図書館とは？

「居心地の良い図書館を考えて、
レゴブロックでミニチュアをつくってください」

図書館の具体的な仕様とは？

仕様レベルの問い

図 26　一つの問いに抽象度の異なる二つの問いが含まれている

んほしい」といったような「仕様」のレイヤーで考えたくなるかもしれず、どの程度意味が深められるか、どの程度仕様が具体的に詰められるかは、「参加者次第」「グループ任せ」ということになってしまいます。

　そこで、図 27 のように問いを分割して 2 段階に分けて尋ねてみるのはいかがでしょうか。

　居心地が良い図書館に必要な「意味」についてじっくり深めた上で、具体的な仕様を考えることができるため、考えやすくなるのではないでしょうか。少なくとも「意味について深めていたら時間切れになった」とか「意味を考えずに仕様の細部を詰めていた」といったグループの思考の偏りは防ぎ、異なる抽象度の思考を着実に辿ってもらうことが期待できます。

　このように、問いの抽象度を段階的に分けることによって、参加者の思考

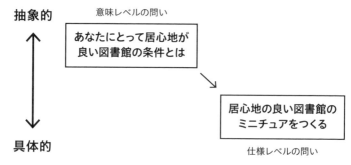

抽象的

意味レベルの問い

あなたにとって居心地が
良い図書館の条件とは

居心地の良い図書館の
ミニチュアをつくる

具体的

仕様レベルの問い

図 27　問いを 2 段階に分割する

を「足場かけ」できるのです。

さらにこの問いの足場かけのアプローチを吟味していくと、居心地が良い図書館の要件について考えてもらう前提として、図書館に限らない「自分にとって居心地の良い場」について考えてもらうことも、有効な足場かけかもしれない、と気づきます。

場における「居心地の良さ」は公共空間の永遠のテーマで、図書館の枠から拡げて抽象度を上げてみることで、かえって本質に迫ることができるかもしれないからです。とはいえ、いきなり抽象的な問いを投げかけても答えにくいですから、たとえば、以下のような問いの2段階のコンビネーションはいかがでしょうか。

〈問いのサンプル〉
1：あなたがこれまで経験した、居心地が良かった場は？
2：居心地の良い図書館のミニチュアをつくる

どんな人でも、一度くらいは「居心地が良かった場」を経験したことはあるでしょうから、前段として「過去の経験」を探索させる問いを足場かけとして投げかけることによって、「高校時代の部室は居心地が良かったな」「いつも行くカフェのあの席は抜群に居心地が良いんですよね」「△△にある足湯スポットは最高にリラックスできた」などと、過去の具体的な記憶を場で共有することから本題に迫ることが期待できます（図28）。

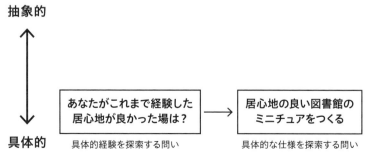

図28　経験を抽象化させない問いの組み合わせ

図 29　具体的な経験を具体的な仕様に転用するリスク

　しかしながら、丁寧にシミュレーションを重ねると、これはこれで失敗リスクが高いことに気づきます。なぜなら、答えやすさを優先するあまり「具体的な経験」を探索させた後に、すぐさま「具体的な仕様」を考える構成にしているため、経験を抽象化することなく、短絡的に仕様に転用されるリスクがあるからです。つまり「観光地の足湯が良かった」ので「図書館に足湯をつくろう」という安直な発想をミスリードしてしまうのです（図 29）。

　もちろん「足湯をつくる」というアイデアが出てくること自体は悪いわけではありませんが、あくまでこのワークショップの狙いは、住民にとっての「居心地が良い図書館」のヒントや要件を抽出することで、実際の具体的な仕様の設計は、プロの建築家によって現実的な制約のもとで行われます。

　本当にほしいのは「住民は"顔見知り"になるきっかけを求めている」とか「駅近の開発が進むなかで、自然を感じられる場がほしい」といったような「意味のレベル」のヒントのはずで、「足湯の居心地が良かったので、足湯をつくりたい」という思考プロセスからは、そこに込められた意図や意味を学ぶことができません。

　そこで、図 30 のように抽象的な問いを挟むことによって、具体的経験から抽象的要素を抽出し、また具体的な仕様に落とし込むプロセスをファシリ

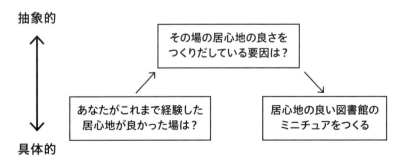

図 30　具体と抽象の往復を支援する問いのプロセス

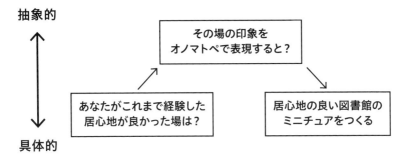

抽象的

具体的

その場の印象を
オノマトペで表現すると？

あなたがこれまで経験した
居心地が良かった場は？

居心地の良い図書館の
ミニチュアをつくる

図 31　抽象的な発想を刺激する工夫

テートすることが可能になります。

　抽象化するための足場かけ（足場の問い）は上記のようにストレートな問いかけでなくても、図 31 のように比喩を活用したり、ひねりを加えたりして、抽象的な発想を刺激する工夫をしても面白いかもしれません。

　課題解決に必要な経験のプロセスに従って、ワークショップにおいて辿るべき思考の抽象度をシミュレーションし、抽象的すぎず、具体的すぎず、またそれぞれをうまく往復しながら転換できるようなプロセスを設計し、問いの力を使って足場かけすることが、シンプルなようでとても重要です。

足場の問いのテクニック

　足場の問いの設定方法には、いくつかのテクニックがあります。これまで紹介したテクニックも含めて、いくつかのパターンを紹介しておきます。

足場の問いのテクニック
①点数化
②グラフ化
③ものさしづくり
④架空設定
⑤そもそも
⑥喩える

---

①点数化

具体的なモノやコトに対して、参加者の主観から具体的に点数をつけてもらう方法です。

前述した他社の価値に100点満点で採点してもらうワークは、このパターンに該当します。価値観が曖昧なものについて話し合う際に、対話が抽象化しすぎないように、解像度を高めることができます。

ポイントは、点数をつけてもらった後に「採点の理由」についても共有を促すことです。具体的なモノやコトに対する点数は、それに対する個人の意味づけについてストーリーテリングするためのきっかけとなりえるからです。

たとえば、「あなたの現在の仕事の満足度は何点ですか？」と問うた後に、「100点の状態とはどのような状態ですか？」と問う。あるいは「あなたの業務のスキルは何点ですか？」と問うた後に、「＋5点するには何が必要ですか？」と問う。そのようにして、個人の点数の意味づけや、さらに点数が高い状態について想像を促すことによって、参加者が自分自身の経験や価値観を内省する場合もあります。

②グラフ化

点数化の応用で、具体的なモノやコトに対する意味の変化を、時系列でグラフに表現してもらう方法です。

最もオーソドックスな例は、「入社してから現在に至るまでの、あなたの仕事の充実度をグラフにすると？」といったワークです（図32）。具体的事実に対する意味づけを、時間的に捉えることを促すことで、「なぜこのときに

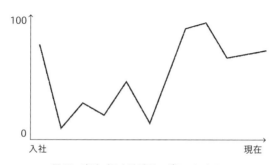

図32　意味づけを時系列でグラフにする

充実度が下がっているのか？」「ここで充実度が突然上がっている理由は？」
などと、具体的に意味づけを掘り下げやすくなるほか、参加者自身の経験や
価値観の「法則」のようなものを発見することを促せる場合もあります。

③ものさしづくり

　話し合いの前提となる「価値の評価基準」についてすり合わせるための足
場の問いです。

　参加者によって、具体的なモノやコトに対して「正しい」「良い」「美しい」
と感じる基準は異なります。このような「真善美」に関わるような価値基準
の違いは、概して集団の関係性におけるズレや溝につながります。

　「あなたの仕事の満足度は？」と問われて、同じ点数を答えたからといって、
その理由は人によって異なるはずです。背後には、「仕事の満足度は、何によっ
て決まるのか？」という多様な価値基準が存在するためです。「ものさしづ
くり」の問いかけは、この価値基準の言語化を迫ります。

　前述した例で、他社の価値について点数化してもらった後に、「なぜ点数
がこんなにもズレてしまうのでしょうか？背後にある評価基準を付箋に書き
だしてみましょう」と問いかけたのは、まさに「ものさしづくり」の足場か
けです。点数化やグラフ化と組み合わせることで、効果を発揮するテクニッ
クです。

④架空設定

　「もし○○だったら…？」と、架空の設定で想像を促す問いのテクニック
です。

　課題解決のためのワークショップのテーマは、現実的なテーマ設定になり
がちです。しかし課題を解決するには、常識や固定観念にとらわれない創造
的な発想が必要な場合が大半です。そこで、具体的なアイデアを話し合う前
に、架空の設定で発想を促すことで、とらわれていた固定観念に気づいたり、
普段とは違う視点で物事が考えられるきっかけとなったりします（図33）。

⑤そもそも

　設定した課題や、ワークショップのテーマの背後に「当たり前」になって

> 「もし社長だったら、この課題をどう解決する？」
>
> 「もし学校の授業を 1 科目減らすとしたら、どれを減らす？」
>
> 「もしこの地域に自由に使える 100 億円の資金があったら、何に使う？」
>
> 「もし業務のスキルが 100 点だったら、何に挑戦する？」

図 33　架空設定の問いの例

いる大前提の存在意義について、あえて考えてもらうテクニックです。

　たとえば「地域の図書館の設計プランを住民参加で検討する」ためのワークショップにおいて、「そもそも図書館とは何か？」「そもそも地域に図書館はなぜ必要なのか？」などと問いかけるのです。

　これらの問いは、「課題のデザイン」のフェーズで、課題設定の罠である「手段の自己目的化」を避ける段階で、一通り検討されている問いのはずです。けれども、課題を定義したファシリテーターと依頼主の間では検討済みでも、ワークショップの参加者との間でその思考プロセスが共有できているとは限りません。あえてワークショップの足場かけとして「そもそも」と問うておくことによって、対話における手段の自己目的化を防ぎ、「図書館とはこういうものである」「地域には当然図書館があった方がよい」という暗黙の前提が揺さぶられ、課題が目指すビジョンを意識することができたり、固定観念にとらわれない発想をすることができたりします。

⑥喩える

　参加者に考えてほしいこと、つまり「探索の対象」について、ストレートに尋ねるのではなく、別のものに喩えて考えてもらうテクニックです。「あなたの職場の課題は？」という問いを「あなたの職場の課題を、病気や怪我に喩えると？」とアレンジするのは、これに該当します。

　問いの難易度は少し上がりますが、答えにくい問いや、つい日常のモードで論理的に答えたくなってしまう問いの印象を変え、遊び心のある発想や豊かなストーリーテリングを促すことが期待できます。

　筆者（安斎）は、ある企業の社内ワークショップにおいて、緊張感のある空気を刷新するために「この職場の課題を、病気や怪我に喩えると？」とい

う問いを、アイスブレイクで投げかけてみたことがあります。

すると、あえて治療が難しい重い病気を挙げる人もいれば、「左足の捻挫ですね。ただし、長い間ずっと癖になっている感じです」といった意見も挙がり、ユニークな回答の数々に場は笑いで包まれました。そのときは「御社の“捻挫”を治すために必要な“松葉杖”とはどんなものでしょうね？」と、参加者の喩えを活用した問いかけを重ねてみたところ、遊び心がありながらも本質的な対話が展開されました。

これらの足場の問いはいずれも、参加者が日常で形成した古い視点に揺さぶりをかけ、新しい視点をつくるための「仕込み」になるため、「導入」や「知る活動」のパートに設定しておくことが有効です。

プログラムのタイムテーブルの調整

課題解決に必要な経験を促進するために問いの連なりを作成し、さらに足場の問いを追加したら、それらを組み合わせることで、具体的なプログラム、すなわちタイムテーブルに落とし込んでいきます。

プログラムを2時間で実施しなければいけないのか、終日かけられるのかによって、ワークショップでできることはだいぶ変わってきます。プログラムの各パートに使える目安は、使える時間を100％としたら、「導入」に約10〜20％、「知る活動」に約20〜30％、「創る活動」に約30〜40％、「まとめ」に約10〜20％を目安に配分すると良いでしょう（図34）。

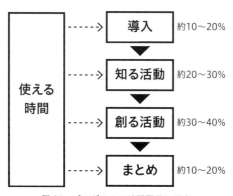

図34　プログラムの時間配分の目安

作成した問いに個人で答えを出したり、グループで対話をしたりするのに
どれくらい時間がかかるかを見積もり、一つ一つの問いに適切な時間設定を
しながら、タイムテーブルを組んでいきます。時間の制約によって、作成し
たすべての問いが収まらない場合もあるはずです。そのような場合には、以
下のような対処で解決できないかを検討します。

プログラムのタイムテーブルの調整方法

①個人／グループワークの調整

②グループサイズの調整

③共有方法の工夫

④問いの分担

⑤問いの省略

⑥ワークショップの回数の調整

---

①個人／グループワークの調整

同じ問いであっても、グループで話し合いながら合意された答えを出すよ
りも、個人の答えをまとめる方が、時間は短くて済みます。時間が足りない
場合には、足場の問いの一部をグループワークではなく個人ワークに替える
などして、時間の調整が可能です。ただし個人ワークを増やしすぎると、対
話の機会がその分減ってしまうので、注意が必要です。

②グループサイズの調整

問いについてグループで話し合う場合、合意された答えを出すまでにかか
る時間は、グループサイズ(グループの構成人数)に依存します。ワークショッ
プのグループワークは、3〜5人程度で実施するのが一般的です。6人を超
えると1人あたりの発言できる機会が減り、1人1人が納得できる答えに辿
り着くまでに、長い時間を要します。

時間を短縮したい場合には、5人組の予定を3人組に変更するなど、予定
していたより少ない人数でグループを構成することで、調整が可能です。あ
るいは、4人グループで対話をする場合でも、前半は2人ずつに分かれてペ

アで話し合い、後半から4人で話し合うなど、グループを分割して段階をつくることも有効です。

　ただし、グループの人数を減らしすぎると、多様な視点から意見が出ず、対話が深まらないリスクもあるので、注意が必要です。

③共有方法の工夫

　問いに対する考えやアウトプットの共有方法の工夫でも、タイムテーブルの調整は可能です。

　たとえば、個人ワークを想定した問いがいくつか連続する場面を思い浮かべてみてください。個人だけで考え続けていると、視点が偏ったり、煮詰まったりしてしまうので、問いが終わるたびにグループで個人の考えを共有する時間をとった方が、学びや対話を深める観点からは理想的です。けれども時間短縮の観点からは、個人ワークのたびに丁寧なグループ共有をとらずとも、複数の個人ワークに対する回答を、個人で付箋やワークシートに書き溜めておいてもらい、まとめてグループで共有する時間をとるという手もあります。

　また、「創る活動」のアウトプットを「まとめ」で共有する場面においても、工夫の余地があります。6グループが5分ずつアウトプットについて発表した場合、それだけで30分が必要ですが、アウトプットに簡単な説明書きを添えておいてもらい、全員で巡回しながらアウトプットを鑑賞する形式にすれば、半分の時間で済むかもしれません。

　共有の方法を簡素にして時間を短縮することは、他の参加者の意見を楽しんだり、咀嚼する余裕がなくなったり、演出の面において盛り上がりにかけたりするなどデメリットもありますが、時間が足りない場合には効果的なテクニックです。

④問いの分担

　問いの作成段階で、問いの項目をいくつかの観点に基づいて細分化した結果、問いの数が増えすぎてしまっている場合には、異なる問いをグループごとに分担するという方法もあります。

　たとえば、前述した以下の問いについて順番に検討していくと、たとえ個

人ワークだったとしてもそれなりの時間がかかります。

- ・自動運転技術が実現すると、どのような生活者の価値観の変化が起こるか？
- ・自動運転技術が実現すると、どのようなコミュニティの変化が起こるか？
- ・自動運転技術が実現すると、どのような政治や経済の変化が起こるか？
- ・自動運転技術が実現すると、どのようなインフラの変化が起こるか？

　これらは自動運転技術が普及した社会を想像するために、いずれも必要な観点ではありますが、すべての参加者が、すべての観点について網羅的に検討する必要はありません。そこで、グループごとに「担当」を割り当て、一つ目のグループは「生活者の価値観の変化」について、二つ目のグループは「コミュニティの変化」についてといった具合に問いを分担するのです。

　その後、それぞれの問いを担当したグループの検討結果を寄せ集め再構成すれば、すべての観点を参照しながら「自動運転技術が実現した社会」について、多角的に話し合うことができ、短い時間で対話を深めることができるでしょう。

　このように、テーマや資料をジグソーパズルのように分割して担当し、深めた後で再び持ち寄って結びつけるプログラムデザインの方法を「ジグソーメソッド」といいます。アクティブラーニングを推進する学校現場などで活用されています。

⑤問いの省略

　以上のような時間短縮のテクニックだけでは必要な問いがプログラムに収まらない場合には、問いそのものを減らす手もあります。

　特に「足場の問い」は、省略したからといって、ワークショップが破綻するわけではないはずですから、時間が足りなければ、思い切って省略することも検討します。

　しかし、足場を取り除くということは、参加者にとっての問いの難易度を

上げ、負担が増すことに他なりません。たとえば5グループのうち3グループはうまくいくかもしれませんが、2グループは途中で意見がまとまらず、対話が停滞してしまうかもしれません。そのような当日の「つまずき」をよく観察して、ファシリテーションでフォローをする必要があります。

プログラムを丁寧につくり込めばつくり込むほど、当日のファシリテーションの負担は軽くなり、プログラムを粗く組めば組むほど、当日のファシリテーションのサポートの重要性が増します。プログラムに割ける時間と、自身のファシテーションの力量とを相談しながら、バランスを調整しましょう。

⑥ワークショップの回数の調整

時間短縮のテクニックや問いの省略程度ではプログラムが収まらない場合、根本的に1回あたりのワークショップに設定している時間が短すぎるか、設定している「創りだす経験」のブロックが大きすぎます。1回あたりのワークショップの時間を延ばせないのであれば、「創りだす経験」のブロックをさらに細分化して、2回のワークショップに分割するしかありません。課題を解決するには、一定の時間の投資が必要です。どれだけの時間をかける必要があるのか、現実的に算出し、適切なワークショップの回数を設定しましょう。

以上のような工夫を重ねながら、ワークショップのタイムテーブルを調整したら、プログラムは完成です。

4.3.
問いの評価方法

ワークショップにおける良い問いとは何か

ワークショップの問いをデザインする上で、問いを評価する視点は欠かせません。ワークショップそのものが成功だったかどうかは、実施すればわかりますが、本番は一度きり。作成したプログラムが本当に効果的なプロセスのデザインになっているか。ワークショップにおいて「良い問い」とはどの

ような問いなのか。それらを評価する眼を持っておく必要があるでしょう。

「課題のデザイン」では、良い課題の判断基準を①効果性、②社会的意義、③内発的動機、の3点から解説しました（3章参照）。

ワークショップにおける問いの評価基準を考える上で、この課題の基準は参考になりますが、ワークショップで投げかける多数の問いが、このすべてに当てはまる必要はありません。たとえばアイスブレイクの自己紹介のお題に「社会的意義」はなくてもよいのです。課題解決のプロセスにおいて、ワークショップの参加者に投げかける問いの評価は、課題の評価基準とはまた違った観点からの評価が必要です。

ワークショップの問いは、参加者が定義した課題に接触する、ある種のインターフェースになります。商品のコンセプトには惹かれても、使いにくく生活に馴染まなかったプロダクトやサービスに出会った経験は誰しもがあるでしょう。

問いも同様に、「良い課題」が設定されていたとしても、「良いワークショップの問い」がデザインされていなければ、課題解決のプロセスが参加者に馴染まず、意図した対話のプロセスが実現できません。

それでは、ワークショップにおける「良い問い」とは、どのような問いでしょうか？

そのような素朴な疑問から、これまで筆者（安斎）が主催する株式会社MIMIGURI（ミミグリ）の公開講座に参加してくださった300名以上のファシリテーター（初心者から熟達者まで）を対象に、それぞれが考える「ワークショップにおける良い問いの条件」について尋ねてきました（図35）。

ワークショップらしく、それぞれが思い浮かべる条件を一つずつ付箋紙に書きだしてもらうと、実にさまざまな意見が飛び交います（図36）。

合わせて「悪い問いの条件」についても尋ねてみると、こちらも同様に多様な答えがかえってきます（図37）。

さすがに現場の実体験から浮かび上がってきた条件だけあって、どれもが納得のいくものです。けれども、面白いのは、付箋に書きだされたこれらの条件を見比べながら、吟味を深めていくと、ファシリテーター同士で意見が割れ、討論に発展するケースがしばしば出てくるのです。

図35 「ワークショップにおける良い問いとは何か？」を考えるワークの様子

・わかりやすくシンプルな問い

・正解が一つに定まらない問い

・考えていて楽しくなるポジティブな問い

・五感を刺激する問い

・それまでに考えたことのなかった問い

・専門知識がなくても考えられる問い

・参加者の問題意識に合致した問い

など

図36 良い問いの条件（参加者の回答例）

・わかりにくく複雑な問い

・YES ／ NO で答えられる問い

・相手が不快に感じるネガティブな問い

・答えが用意されている誘導的な問い

・専門知識がなければ考えられない問い

・参加者が自分ごとに感じられない問い

など

図37 悪い問いの条件（参加者の回答例）

悪い問いの効用：" 今日の朝ご飯 " は良い問いか？

　たとえばワークショップのアイスブレイクの際によく用いられる問いに、「今日の朝ご飯は何を食べましたか？」という問いがあります。この問いは、「良い問い」でしょうか？「悪い問い」でしょうか？

　ワークショップのテーマが「食」なのであればともかく、本編となんら関係のない文脈で「朝ご飯」について尋ねることに、筆者（安斎）はやや批判的です。アイスブレイクの内容は、その後のメインテーマの伏線となっていることが鉄則ですから、この観点からいえば、この問いは「悪い問い」といえるでしょう。

　ところが、実際に参加者に投げかけてみると、この問いの効果は意外に強力で、誰でもすぐに答えることができる上に、初対面でもそれなりに話題が続き、それぞれの価値観やライフスタイルも垣間みえる場合もあります。仮に朝は食事をとらない主義の人がいたとしても、それはそれで「なぜ食べないのか？」と次の話題が続くので、初対面の参加者同士が打ち解けるきっかけとしては十分な機能を持っています。アイスブレイクの問いとして広く活用されているだけあって、一定の「良さ」も認められるわけです。

　MIMIGURI の公開講座におけるファシリテーターの討論でも、「悪い問いの条件」として挙げられていた要因に対して、「こういう側面から見ると、意外に良い問いなのではないか」という意見がきっかけとなって、討論に発展しているケースが大半でした（図38）。

　挙句の果てには「ファシリテーターが " 的外れな問い " を投げかけてしまったために、参加者が腹を立てて自発的に本質的な議論をしはじめた！」といったエピソードまで披露され、いったい何が「良い問い」で、何が「悪い問い」なのか、ますますわからなくなってきます。

　この議論からわかることは、「良い課題の条件」とは違い、ワークショップの場合は「良い問い」の評価基準が非常に複雑で、一律の基準を設定し、作成した問いを評価できるわけではなさそうであるということです。

　その理由は明らかで、ワークショップで投げかけられる一つ一つの問いは、それぞれ異なる場面で用いられ、異なる目的のために存在しているからです。

　作成した問いの大半は、課題解決のために細分化された経験を促進するために設定したものですから、「意図した経験を促進できるかどうか」で評価

・わかりにくく複雑な問い

→ 多少の誤解を生む方が、かえって
　　いろいろな発想が生まれるのではないか？

・YES ／ NO で答えられる問い

→ 導入で参加者の興味を引くために、
　　こうした軽めの問いは使いやすいのではないか？

・相手が不快に感じるネガティブな問い

→ 不快なのは本質を突いているからであり、
　　そういう問いの方が参加者に深い思考を促すのではないか？

・専門知識がなければ考えられない問い

→ 知識がなくても考えられる問いは、
　　あまり深い問いではないのではないか？

図38　"悪い問い"は、本当に悪い問いなのか？

がなされるべきです。また後に追加した「足場の問い」は、足場をかけた「次の問いのポテンシャル」を十分に引きだせるかどうかで評価されるべきでしょう。一つ一つの問いの目的と、狙った効果を思い浮かべながら、問いによって参加者のどのような思考と対話を促すことができそうか、シミュレーションを丁寧に重ねるしか、ワークショップの問いを評価する方法はないのです。

問いの「深さ」を設定する

　作成したワークショップの問いがうまく機能するかどうか、シミュレーションするための方法をいくつか紹介します。

　作成した「問い」について評価するための重要な観点として、「問いの深さ」があります。これは、プログラムのタイムテーブルの調整段階において、時

間配分を決めるときにも役立つ観点です。

　問いに「深さ」があることを確認する上で、以下のような問いの例を考えるとわかりやすいかもしれません。以下は、筆者（安斎）が"良い問い"の事例を収集していたときに見つけた、具体的な「問い」の事例です。

> 問い１：「１日に２回あるのに、１年に１回しかないものとは何か？」

　この問いは、なんということはない、いわゆる「なぞなぞ」です。この問いに頭をひねってほしいわけではないので正解を書いてしまうと、この問いの答えは「ち」だそうです。「いちにち」と「いちねん」と、平仮名で表記すると、わかりやすいですね。

　この問いは、答える側に特定の知識を必要とせず、大人でも子どもでも答えることができます。すぐには正解がわからないかもしれませんが、ある程度頭をひねれば、誰でも答えに到達することができる。つまり、これも一つの「良い問い」とされています。

　それでは、以下の問いはどうでしょうか。

> 問い２：「光の速度に追いつくことはできるだろうか？」

　ご存じの通り、これはアインシュタインが立てた問いで、学術的な貢献を考えるとこれも明らかに「良い問い」であることは間違いありませんが、この問いを解決し、相対性理論を導くまでに、アインシュタインは相当な歳月をこの問いに捧げています。

　上記の問い１のように、ほんの少し頭をひねったくらいでは、解ける問いではありません。逆にいえば、解けたからこの問いは「良い問いだった」と判定できているわけで、問いが未解決の段階では、周囲には問いのポテンシャルが理解されなかった可能性もあります。

　いずれにしても、問いによって、答えに到達するまでに必要な視点や時間は異なります。これが「問いの深さ」の違いです。具体的には、以下のよう

な変数によって、「問いの深さ」は変わってきます。

問いの深さを決める変数

・問うためにどれだけの視点が関わるか

・人によって出す答えがどれだけ多様になるか

・仮の答えを出すためにどれだけ時間が必要か

　たとえば、自己紹介でよく活用される「今日の朝ご飯は？」という問いは、過去の経験を探索の対象とした問いです。問われた側は、自分のその日の朝の経験を探索すれば、数秒間で解に辿り着くことができる、問いの深さとしては比較的「浅い」タイプの問いといえるでしょう。

　それに対して「健康に良い朝食の条件とは？」と問われたら、健康の定義や要件、朝食の影響などを幅広く検討しながら、話し合うメンバーのそれぞれの価値観のすり合わせなどもしながら答えを出さなければいけないので、上記の「今日の朝ご飯は？」よりは、少し深さが増します。4〜5人で話し合うとしたら、少なくとも 10 分くらいはかかるでしょう。きちんと話し合うとしたら、30 分くらいかけてもよさそうです。

　さらに「持続的な社会・生態系のための食のあり方とは？」といったテーマを設定したとしたら、いかがでしょう。さらに複数の視座と時間が必要となり、価値観も人によって多様になり、歯ごたえのある問いになってきました。この問いに 30 分やそこらで納得のいく答えを出すのは困難です。

　このように、同じ「食」をテーマにするとしても、問いの設定の仕方によって、「深さ」は変わります。そして大事なことは、問いは深ければ良いというものではない、ということです。たとえば自己紹介やアイスブレイクの段階からあまりに「深い問い」を放ってしまうと、答えに窮してしまい、時間がかかりすぎてしまいます。

　意外にワークショップのデザインでは、問いの「深さ」を見誤ったがゆえの失敗例が結構あります（図 39）。

・導入や自己紹介の問いが重すぎて答えに窮してしまう

・1 時間で設定したメインワークに 15 分で答えが出てしまう

・逆に、メインワークの冒頭で気軽な意見が全然出てこない

・全グループが似たような意見、結論に終始してしまう

図 39　問いの深さを読み誤ったための失敗例

問いの「深さ」をシミュレーションする

　このような問いの深さの「読み誤り」を避けるためには、問いを参加者に投げかけた瞬間に、どのような思考や感情が喚起され、どのような対話や議論のプロセスが起こりそうか、事前にシミュレーションをしておくことが重要です。水面に小石を投げこんだときに、どんな波紋が生まれ、どんな軌道を描いて、どこまで沈んでいくのか、と想像するような感覚です。

　もちろんワークショップは、創造的対話を奨励するため、事前に当日の出来事を予測しておくことは不可能です。むしろファシリテーターが予期していなかった対話が展開された方が、創造的であるともいえます。けれども、「どのような「可能性」がありうるのか？」「本当に対話が深まるポテンシャルが十分にある問いなのか？」「言葉の耳ざわりは良いが、思いのほか、思考が浅いところで停滞してしまうリスクがあるのではないか？」などと批判的に検討しておくことは、初心者のうちは特に重要です。

　たとえば、仮にファシリテーターを対象とした、経験を内省するためのワークショップを題材に考えてみましょう。本書を読んでいるあなた自身もファシリテーションの世界に足を踏み入れているはずですから、「もし自分がこの問いを投げかけられたら？」と想像しながら、問いの深さを目算してみてください。

ファシリテーター向けワークショップの問いの構成のサンプル
①現在のあなたのファシリテーションスキルは何点？
↓

②そもそも、あなたはなぜファシリテーションをするのか？

↓

③あなたのファシリテーションスキルを＋10点上げるには、どんな努
力が必要か？

　足場の問いのテクニックとして紹介した「点数化」や「そもそも」のパター
ンを組み合わせて、問いを構成してみました。まずアイスブレイクとして「①
現在のあなたのファシリテーションスキルは何点？」と問いかけ、現状のメ
タ認知を促した上で、「②そもそも、あなたはなぜファシリテーションをす
るのか？」というテーマで対話し、その後「③あなたのファシリテーション
スキルを＋10点上げるには、どんな努力が必要か？」と、未来へのアクショ
ンを問いかけていく構成です。

　自分自身の経験を内省することが目的ですから、組織や社会などの「俯瞰
的な視座」の問いは入れず、「個人的な視座」だけで問いを構成しています。
その上で、まず「現在」に目を向け、その後「過去」の振り返りを促し、「未
来」のアクションを促すように、視座の軌道を描いています。

　この問いのセットがうまくいくかどうかは、問い①から問い②の流れで、
うまく内省や対話が深まるかどうかにかかっています。そこで、問い①と問
い②の「深さ」を測ってみることで、問いの妥当性を検討してみましょう。

問い①の深さを測る
「現在のあなたのファシリテーションスキルは何点？」

　まず、問いを投げかけた瞬間の参加者の思考や感情を、想像力を働かせな
がら思い浮かべてみましょう。参加者によっては反射的に直感で「70点！」
などと即答する人がいるかもしれません。あるいは、時間的に余裕があれば、
自分の最近のワークショップのことを思い浮かべ、そのときの手応えや満足
度、反省点などを振り返った上で、点数を決める人もいるでしょう。せいぜ
い2〜3分程度もあれば、とりあえず「点数を答える」ところまでは辿り

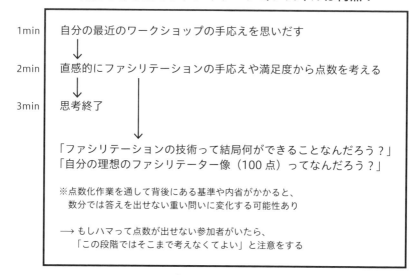

現在のあなたのファシリテーションスキルは何点？

1min　自分の最近のワークショップの手応えを思いだす

2min　直感的にファシリテーションの手応えや満足度から点数を考える

3min　思考終了

「ファシリテーションの技術って結局何ができることなんだろう？」
「自分の理想のファシリテーター像（100点）ってなんだろう？」

※点数化作業を通して背後にある基準や内省がかかると、
　数分では答えを出せない重い問いに変化する可能性あり

⟶ もしハマって点数が出せない参加者がいたら、
　「この段階ではそこまで考えなくてよい」と注意をする

図40　問い①の深さのシミュレーション

着けそうです（図40）。

　もしかすると、点数をつける作業を通して、「そもそもファシリテーションの評価は、何によって決まるんだろうか？」と深い内省のスイッチが入ると、この問いは「すぐには答えが出せない難問」へと変わります。もしプログラムの都合上、そちらの方が望ましければ、ファシリテーションの伝え方を工夫するなどして、「点数の理由」もセットで検討してもらうことによって、問いの潜在的な深さを引きだしていくのもよいでしょう。

　他方で、ひとまずこの問いはあくまで"ジャブ"で、点数をつけてもらった上で、次の問いでじっくり対話してもらいたいのであれば、この問いは3分程度で終了した方が望ましい。その場合は、深く考え込みすぎてしまった参加者に対しては「この段階では直感で決めていいですよ」などと、深みにはまりすぎないような促しが必要になるかもしれません。

　このように、問いの思考と対話のポテンシャルを確認し、ファシリテーションのガイドラインを事前に用意することが可能になることも、問いの深さを測っておくことの利点の一つです。

　続けて、問い②についても深さを測ってみましょう。

そもそも、あなたはなぜファシリテーションをするのか？

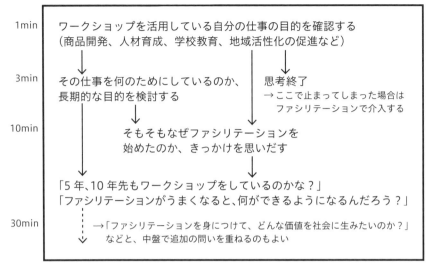

図41　問い②の深さのシミュレーション

問い②の深さを測る

「そもそも、あなたはなぜファシリテーションをするのか？」

　詳細の説明は割愛しますが、図41で示したように、問い①よりも多様な分岐の可能性を秘めていることが見えてきます。

　問いが浅瀬で座礁するリスクとして、たとえば「商品開発のためです」という回答で思考が終了してしまう懸念はありますが、うまく深まる軌道に乗れれば、30分でも1時間でも話していられそうな、対話のテーマとしてのポテンシャルがあることがわかります。

　後半で「ファシリテーションを身につけることで、あなたはどんな価値を社会に生みだしたいですか？」などと、追加の問いを重ねることを準備しておくことができます。このあたりは、使える時間やワークショップの目的に合わせて、深め方の調整が必要です。

　以上のように、慣れないうちは一つ一つの問いの深さを丁寧にシミュレーションすることで、作成した問いが、意図した経験を促進する問いになって

いるかどうか、可能性の分岐を紙に書きだしながら検討する習慣をつけるとよいでしょう。経験を重ねて熟達していくと、いちいち紙に書きださなくても、問いを見ればすぐに頭の中で参加者の対話の様子が思い浮かび、即座に深さを測れるようになっていくはずです。

問いを因数分解する

問いを探索の対象と制約に分解する

　作成した問いがうまくいくかどうかを評価する眼をさらに磨く上で、「問いを因数分解する」という考え方が役に立ちます。半分「お遊び」のようなエクササイズなのですが、巷のワークショップで扱われている「問い」を分解して構造を探ることによって、問いの効果をシミュレーションし、自身の作成した問いを吟味する眼を養う上でも有効です。

　再び、一般的にアイスブレイクでよく活用される「朝ご飯に何を食べましたか？」という問いを題材に、因数分解をしてみましょう。

問いＡ：朝ご飯に何を食べましたか？

　ワークショップの問いの作成プロセスにおいて解説した通り、問いには「探索の対象」と「制約」が設定されているはずです。この問いＡが、参加者に対してどのような探索をどのような制約において促しているのか、精緻に分解してみます。

　まず日本語の文章として丁寧に見ると、「今日」という時間の指定と「あなたは」という主語が省略されていることに気づきます。これらを復元すると、「（今日、あなたは）朝ご飯に何を食べましたか？」ということなります。

問いＡ'：（今日、あなたは）朝ご飯に何を食べましたか？

　この問いを問われた側の思考をシミュレーションすると、おそらくその日の朝、起きて最初に口にした食事を振り返り、そのメニューを回答するはず

です。起きた時間が遅ければ、「これは"朝食"といえるだろうか、それとも"ブランチ"だろうか？」と悩むこともあるかもしれません。なんらかの事情で朝ご飯が食べられなかったか、もともと朝ご飯を食べない主義であれば、「食べていません」と回答するかもしれません。いずれにしても、この問いは個人に対して「過去の経験」を探索させるタイプの問いであることは明白です。そして探索の制約として、「今日」という時間的な範囲が設定されています（図42）。

（今日、あなたは）朝ご飯に何を食べましたか？

制約　　　　　　　　　過去の経験を探索させる問い

図42　問いAの因数分解

続いて、別の問いを例に考えてみます。同じく朝ご飯シリーズで「今月食べた最も美味しかった朝ご飯は何ですか？」という問いはどうでしょうか。

問いB：今月食べた最も美味しかった朝ご飯は何ですか？

この問いは、探索の期間が「今月」に拡がり、「最も美味しかった」という評価基準が追加されています。メニューの内容だけではなく、食べたときの印象も含めて経験を振り返る必要があるため、答えを出すまでには少々の時間を要するかもしれません。それでも、先ほどと同様に、「過去の経験を探索させる問い」をベースに、二つの「制約」がかかっている問いとして捉えることができます（図43）。

制約②

今月食べた最も美味しかった朝ご飯は何ですか？

制約①　　　　　　　　過去の経験を探索させる問い

図43　問いBの因数分解

複数の問いが含まれると複雑になる

少し問いの性質を変えて、「今月食べた最も豊かな朝ご飯は何ですか？」という問いはどうでしょうか。

問いＣ：今月食べた最も豊かな朝ご飯は何ですか？

一見すると、先ほどの問いＢと同じ構造をしているように見えますが、答える難易度は少し上がった印象を受けます。その原因は、「最も豊かな」という抽象度の高い制約に、「"豊かな朝食"とは何か？」という別の問いが内包されているからではないでしょうか。

これは「個人の価値観」を探索させるタイプの問いで、単に具体的な「過去の経験」を探索するだけでは、解を特定することができません。問われた側は、「今月」という探索の範囲内で、朝ご飯に関する「経験」を探索し、同時に豊かな朝食に関する「価値観」に対しても探索をかけ、それらを往復しながら納得のいく解を見つけださなければなりません（図44）。

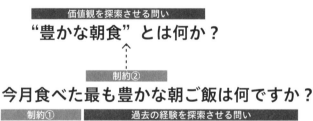

図44　問いＣの因数分解

このように、見た目は「一つの問い」に見えていても、制約のかけ方によっては問いの中にいくつかの小問が包含されている場合があります。これは問いを意図せず複雑なものにしてしまう要因の一つでしょう。

複雑な問いを分解し、足場の問いを補う

さて、これまではアイスブレイクで扱うような「個人」を対象とした問いを見てきましたが、ワークショップのグループワークのお題になりそうな問

いも考えてみることにしましょう。

問い D：豊かな朝食の三つの条件とは？

　たとえば、「豊かな朝食の三つの条件とは？」という問いはどうでしょうか。ベースは問い C と同様ですが、グループワークという文脈から、「（グループで考える）」という制約が省略されています。

　問われたメンバーは、「誰と一緒に食べるかが大事じゃないか」「時間をかけて食べることも大切だ」「やはり味と値段も条件からは外せない」「自分は季節の食材を楽しみたい」「朝は胃を休ませたい」などと、各々の意見を出し合いがら、話し合いを進めることになるでしょう。全員がとことん納得するまで話し合いを続けるか、いくつかの候補に投票して多数決で決めるか、答えの決め方はいくつか考えられますが、いずれにせよ「集団の合意点」を探りあてない限り、話し合いは収束しません（図45）。

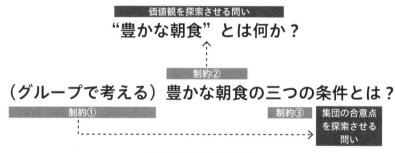

価値観を探索させる問い
“豊かな朝食”とは何か？

制約②
（グループで考える）豊かな朝食の三つの条件とは？

制約①　　　　　　　　　　　　　　制約③　　集団の合意点
を探索させる
問い

図45　問い D の因数分解

　問い D は「個人の過去の経験」「個人の価値観」「集団の合意点」を一度に探索させているため、シンプルなようで、グループワークの課題としてはやや負荷が高いかもしれません。

　負担を下げるならば、問いを分割して、まず問い C「今月食べた最も豊かな朝ご飯は何ですか？」を「足場の問い」として個人に尋ね、その後でグループに問い D に取り組んでもらうなど、プログラムの構成において段階を踏むことで、複雑さが解消される場合があります。このように、問いの構成を

175

整理する上でも、因数分解は役立ちます。

問いの背後に隠れた、暗黙の制約を見抜く

　次に、「美容のためには、朝食に何を食べるべきか？」という問いを考えてみましょう。想定する対象は、個人でもグループでも構いません。このサンプルは、問いのデザインの難しさについて、いくつかの示唆を与えてくれます。

　問い E：美容のためには、朝食に何を食べるべきか？

　まず、あなた自身がこの問いを問われた場合に、どのような思考のプロセスを辿ることになるか、想像してみてください。

　もしあなたが過去に美容について情報を集め、食生活の中で工夫をこらした経験があれば、その「知識」や「経験」を探索することで、この問いに対する解が得られるかもしれません。ところが、もしあなたが美容に関してまったく予備知識や経験を持ち合わせていなければ、おそらく、なんらかの方法で情報を収集するほかないでしょう。ウェブサイトや書籍に書かれている「外部の情報」を探索することになります（図46）。

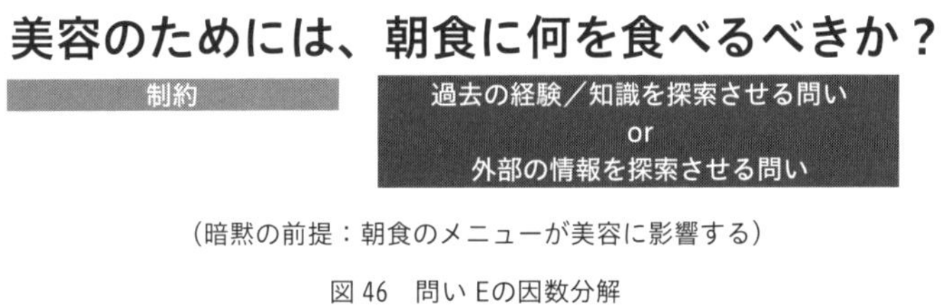

美容のためには、朝食に何を食べるべきか？

制約	過去の経験／知識を探索させる問い or 外部の情報を探索させる問い

（暗黙の前提：朝食のメニューが美容に影響する）

図 46　問い Eの因数分解

　この現象は、2章で紹介した「道具思考」によって説明が可能です。同じ問いであっても、問われた側が保持している知識や経験の程度によって、問いの解釈の仕方は変わり、結果として「探索先」はまったく異なるものになるのです。

　そしてさらに、もしあなたが「疑り深い性格」であれば、こう考えるかも

しれません。

「そもそも、朝食のメニューは、どれほど美容に影響するのだろうか？」

「昼食と夕食について検討する必要はないのだろうか？」

「食事以外にすべきことはないのだろうか？」

いずれも、もっともな指摘です。ここから考えられることは、しばしば問いには、明文化されていない「暗黙の前提」が存在するということです。そして厄介なことに、問いを立てたファシリテーター自身も、この前提を自覚していない場合が多いのです。

問いを作成する上でも、評価をする上でも、ファシリテーターが理解しておかなければいけない問いの性質は、問いの背後にある暗黙の前提は、場合によっては「制約」として働く場合があるということです。そして、問いを投げかけられた参加者は、必ずしもその前提に従うとは限らない、ということです。ファシリテーターが投げかけた問いの前提を、参加者が問い直し、そこから新たな問いが生成されるという展開は、創造的対話の場面ではしばしば目にする光景です。

対話の阻害要因をあらかじめ発見する

続いて、以下のような課題解決のアイデアを期待するタイプの問いについても考えてみましょう。

問いF：高齢者のための朝食のメニューとは？

文脈はなんでもよいのですが、たとえばレストラン事業を手がけるある企業の、高齢化社会を見据えた新商品開発のワークショップなどを想定してもらえればよいかもしれません。

自己紹介の問いとは異なり、ここで「朝食」は、高齢者に対して何らかの価値を提供するための手段として位置づいています。つまり、このサンプルは「解決策を探索させるタイプの問い」がベースになっているといえるでしょう（図47）。

高齢者のための朝食のメニューとは？

図 47　問い F の因数分解

　ワークショップの参加者自身が高齢者であったり、高齢者の介護職に就いていたり、問いに関する手がかりとなる知識や経験を保持している場合を除いて、問われた側は「自分の経験」や「自分の価値観」を探索する必要はありません。

　しかし、高齢者の抱えている悩みや欲求について明らかにしないことには、何を解決すればよいのか、問いの中身が空欄のままです。解決策について考えるためには、朝食の工夫によって解決しうる、高齢者が抱える問題の実態について検討しなければなりません。

　課題のデザインの段階において、ファシリテーターとクライアントの間で「解くべき課題」が合意されていたとしても、実際にワークショップにおいて参加者が「解決策」を考えるには、課題設定がまだまだ抽象的である、ということは起こりえます。

　問いの文言のなかにはこれ以上の手がかりはないため、問いを投げかけられた参加者は「高齢者は朝食に何を求めているのだろうか？」「一般的な高齢者は、朝食に何を食べているのだろうか？」「高齢者が朝食にかけられる金額はいくらだろう？」などと思考をめぐらせるかもしれません。

　そこから「朝食」によってアプローチできる具体的な課題として「健康」に着目しようということになれば、「高齢者が抱えている健康の悩みとは何か？」という新たな問いが浮かんできます。このように、問いの探索先に対して制約がうまく働いていない場合には、参加者は自ら新たな「問い」を生成せざるをえません。言い換えれば、このサンプルにおける「高齢者のための」という制約は、「関連する問いを探索させる」機能を有していると解釈することもできます。

　仮に、問い F から「関連する問い」を探索し、問いを「高齢者の健康を支える朝食のメニューとは？」と再設定したことにして、話を進めましょう。これを問い F' とします。

問い F'：高齢者の健康を支える朝食のメニューとは？

　問い F よりは何を検討すべきかが明確になりましたが、これでもまだ参加者目線での課題設定は曖昧です。解くべき課題の輪郭を明確にするためには、高齢者が抱える健康の諸問題とその原因に関する「外部の情報」を探索し、問題とその解決策の手がかりを収集しなければなりません。そうして、ワークショップにおいて取り組むべき課題を浮き彫りにしながら、ワークショップでこの問いを問われた側は「解決策の候補」をいくつか出していき、グループやチームが納得する「解決策」としての「集団の合意点」を探索する、というのがこの問いの構造です。

　この問いを扱う上で一つ懸念されるのは、"高齢者"という言葉が指すターゲット層は幅が広すぎるため、課題が限定しにくい可能性がある点です。人口調査では 65 歳以上を高齢者として区分していますが、65 歳と 85 歳では抱える問題の様相は異なるでしょうし、また、介護を必要とする寝たきりの高齢者なのか、健康を維持したいアクティブな高齢者なのか、どちらを想定するかによっても課題の意味合いが変わってきます。この認識を揃えないまま対話を進めてしまうと、解決策の探索は困難を極めます。

　したがって、この問いの制約には、「ここでいう"高齢者"とはどのような層を指すか？」という「言葉の定義を探索させる問い」が内包されていたということになります。さらにいえば、設定した"高齢者"の定義と、収集

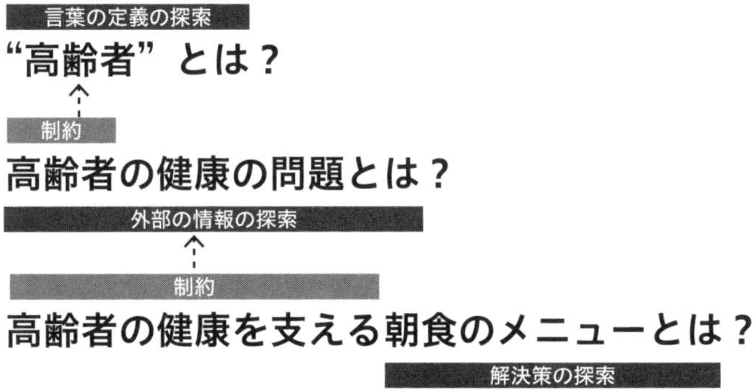

言葉の定義の探索
"高齢者"とは？
↑
制約
高齢者の健康の問題とは？
外部の情報の探索
↑
制約
高齢者の健康を支える朝食のメニューとは？
解決策の探索

図 48　問い F'の因数分解

した手がかりの内容よっては、"健康"の定義についても検討が必要となる可能性もあります（図48）。

　実際の対話のなかでは、こうした「言葉の定義を探索させるタイプの問い」の存在には、気づかない場合も少なくありません。疑問を感じた参加者が「そもそも"高齢者"って何だろう？」と言いださない限り、ファシリテーターが積極的に言葉の定義を意識づけないと、すれ違いの対話を繰り返すことになってしまうので注意が必要です。

　これまでも述べてきた通り、言葉の定義のすれ違いは、対話のズレの原因になります。このように、複雑な問いを因数分解することで、対話を阻害する要因を発見し、プログラムを改善したり、ファシリテーションの対策を練ることができるのです。

　以上の要領で、一つの問いに内在していた要素をつぶさに分解してみることによって、作成した問いを評価する視点を養うことができるはずです。

アイスブレイクこそ問いが肝心

　さて、これまでアイスブレイクでよく活用される「朝ご飯に何を食べましたか？」という問いを題材に、問いの評価方法について解説してきました。アイスブレイクの問いは、多くの場合、自己紹介にアレンジが加わっているケースが多く、「朝ご飯」の問いのように話しやすいテーマのもとで、その日の活動を共にする参加者が、お互いのことを知り合う活動として行われます。

　筆者（安斎）自身は、ワークショップのアイスブレイクにおいて「朝ご飯に何を食べましたか？」と尋ねることは、まずしません。アイスブレイクの問いはオマケのように扱われることもあり、単なる「緊張ほぐし」のように思われがちですが、ワークショップの非日常性と、課題解決のための経験のプロセスを促進するために、アイスブレイクの問いは非常に重要だからです。

　参加者にとっては、プログラムにおける「導入」は、最初に対峙する問いでもあります。ワークショップのデザインについて解説してきた本章の最後に、アイスブレイクの問いの評価方法について、補足をしておきます。筆者は、「良いアイスブレイクの問い」の条件として、以下の四つのポイントが重要だと考えています。

> **良いアイスブレイクの問いのポイント**
> ①固定観念を揺さぶる
> ②集団の関係性を揺さぶる
> ③警戒と緊張をほぐす
> ④テーマと接続させる

①固定観念を揺さぶる

　ワークショップは、普段とは異なる視点から発想することで、日常を「異化」する方法です。「異化」とは、慣れ親しんだ当たり前のものを、そうでないものとして相対化することを指します。それによって、日常のさまざまな経験を通して固定化してしまった認識（暗黙の前提、信念、価値観、専門知識、習慣、ルール、常識など）が揺さぶられ、普段のモードでは考えつかないような洞察やアイデアを得られるところが、ワークショップの醍醐味です。

　アイスブレイクの役割は、参加者が日常から離れて、思考と身体を非日常のモードに誘うことです。したがって、いつもとちょっと違うモードで自分の経験を振り返ったり、あるいは自分が「当たり前」だと思っている暗黙の前提が場に可視化されたりするような問いを、自己紹介のお題に含めておくとよいでしょう。

②集団の関係性を揺さぶる

　ワークショップは、日常で形成されてしまった集団の関係性を揺さぶり、新たな関係性を構築したり、関係性の質を向上させるところにも、意義があります。繰り返し述べてきた通り、企業、学校、地域にはびこっている問題の多くは、集団の関係性の固定化から生じています。議論の皮切りをする人、条件を整理する人、意見をまとめる人などなど、それぞれの得意不得意によって自然に決まってくる人間関係が企業や学校のように特定の集団では特に固定化しやすくなり、議論の方向性もマンネリ化しやすくなります。

　したがって、参加者が日常の関係性をワークショップに持ち込んでしまっている場合には、アイスブレイクに普段の役割を背負った関係性では見えなかった意外な一面がわかる問いを入れるなどして、関係性に揺さぶりをかけ

たり、わざと立場を入れ替えるなど新たな関係性を編み直せるようなチームビルディング的な要素を入れる必要があるでしょう。

③警戒と緊張をほぐす

最低限の要件として「緊張をほぐす」ことも重要です。日常から離れて、非日常の世界に誘うワークショップには、一定の不安や警戒、緊張感を持って参加する人も少なくありません。参加の心理的安全性を担保できなければ、深い対話や、創造的なアイデアの創出は期待できません。そして心理的安全性が担保できなければ、保守的なお行儀の良い意見ばかりが並んでしまい、実は薄々気づいている違和感などには蓋をしてしまったりすることがあります。

言語的な活動だけでなく身体を動かす活動を導入したり、笑いが起きやすい失敗談などをお題にしたり、お互いの自己紹介に拍手をするなど承認しあう空気を醸成したりすることで、緊張状態を緩和させるとともに、「場にどんな人がいるのか」を全体に可視化し、心理的安全を担保するとよいでしょう。

④テーマと接続させる

大切なことは、日常で形成された「固定観念」「関係性」「警戒と緊張」という三つの"アイス"に揺さぶりをかけながらも、アイスブレイク自体が自己目的化せず、きちんとプログラムデザインのなかで自然な流れになっていることです。

本章の冒頭で述べた通り、テーマと関連しないレクリエーションが独立して設定されてしまうと、参加者からすると「なぜこのワークをやらされなければいけないのか」「今、自分たちはアイスブレイクをされているのだな」と感じ、アイスブレイクどころか活動に対する違和感とメタ認知が促進されてしまい、アイスブレイクは失敗してしまいます。ワークショップの全体の時間も限られていますので、必ずテーマとの接続をにらみつつ、アイスブレイクの要件を満たすようにデザインする必要があります。

アイスブレイクの具体的なテクニックやコツを挙げれば切りがありませんが、本質的に「なんのためにアイスブレイクをするのか」を考えながら、問いをデザインすることが重要です。

以上、4章ではワークショップのプログラムデザインの方法について解説してきました。次章では、プログラムデザインを活かすためのファシリテーションの技術について解説していきます。

＊ 1　1905年にジョージ・P・ベーカーがハーバード大学で実施した実験的な演劇教育の場「47Workshop」がワークショップと呼ばれる最初の実践だとされている。

＊ 2　ルートヴィヒ・ウィトゲンシュタイン、藤本隆志／訳（1976）『ウィトゲンシュタイン全集 第8巻 哲学探究』大修館書店

＊ 3　真壁宏幹（2008）「古典的近代の組み替えとしてのワークショップ：あるいは「教育の零度」」、慶應義塾大学アート・センター編『ワークショップのいま：近代性の組み替えにむけて』慶應義塾大学アート・センター

＊ 4　高田研（1996）「ワークショップの課題と展望：合意形成と身体解放の視点から」兵庫教育大学修士論文

＊ 5　ティナ・シーリグ、高遠裕子／訳（2012）『未来を発明するためにいまできること：スタンフォード大学 集中講義 II』CCC メディアハウス

＊ 6　ポール・スローン、黒輪篤嗣／訳（2011）『ポール・スローンの思考力を鍛える30の習慣』二見書房

＊ 7　アレックス・F・オスボーン、豊田晃／訳（2008）『創造力を生かす：アイディアを得る38の方法』創元社

＊ 8　山内祐平、森玲奈、安斎勇樹（2013）『ワークショップデザイン論：創ることで学ぶ』慶応義塾大学出版会

＊ 9　Kolb,D.A.（1984）Experiential learning: Experience as the source of learning and development, Prentice-Hall, Inc.

＊ 10　このワークシートは、「Part IV　問いのデザインの事例」で紹介している「ケース3　三浦半島の観光コンセプトの再定義：京浜急行電鉄」のワークショプで実際に使用したもの。

＊ 11　Wood,D., Bruner,J.S. & Ross,G.（1976）The role of tutoring in problem solving, Child Psychology & Psychiatry & Allied Disciplines, 17（2）

5章

ファシリテーションの技法

5.1.
ファシリテーションの定義と実態

ファシリテーションとは何か

ワークショップのプログラムをデザインしたら、実際に参加者を集め、ワークショップを実施します。事前準備として、プログラムに適した会場を選定し、テーブルや椅子など家具の配置などを決めるなど、効果を発揮しやすい環境を整えます。当日の運営は、プログラムの裏方のサポートや、記録や広報など多岐にわたりますが、参加者の前に立って、計画した問いを投げかけながら、プログラムを進行する「ファシリテーター」と呼ばれる役割が、特に重要です。

ファシリテーターとは、ファシリテーションをする人、もしくは役割のことを指します。「ファシリテーション（facilitation）」という言葉は、英語で「促進する」「容易にする」といった意味で、本書の文脈でいえば、企業、学校、地域における課題解決のプロセスを促進したり、容易にしたりする行為を指します。

広く捉えれば、問題の当事者にヒアリングを重ねながら、問題の本質を捉え直し、解くべき課題を定義し、ワークショップをデザインし、課題解決のプロセスに伴走する。そのすべての営みが、ファシリテーションの全体像と捉えることもできます。

そのように広義にファシリテーションを捉えれば、本章でファシリテーションの技術について独立して語るまでもなく、本書全体が、課題解決と創造的対話のファシリテーションの全体像を示していると言えます。

本書は、問いのデザインプロセスのすべてを「ファシリテーターの仕事」

```
┌─── 広義のファシリテーション ───┐
│                                        │
│   問題の本質を捉え直し、解くべき課題を定義し、   │
│       課題解決のプロセスに伴走すること        │
│  ┌── 狭義のファシリテーション ──┐  │
│  │                                │  │
│  │  ワークショップの司会者として前に立ち、  │  │
│  │    参加者に問いを投げかけながら、     │  │
│  │    創造的対話のプロセスを支援する行為   │  │
│  └────────────────────┘  │
└──────────────────────────┘
```

図1　ファシリテーションのスコープ

として捉えながらも、本章では技術としての「ファシリテーション」をもう少し狭義に捉えます。課題解決のプロセスの中でも、企画したワークショップの司会者として前に立ち、参加者に問いを投げかけながら、参加者同士の創造的対話のプロセスを支援する行為を、ファシリテーションと捉えることにします（図1）。

　事前に企画したプログラムに従って、活動を円滑に進めるだけでなく、場をよく観察し、グループや参加者ごとの進捗のばらつきや不測の事態に柔軟に対応しながら、ときにプログラムに修正や時間延長などの調整を加えたり、情報伝達の仕方を工夫したり、参加者の関係性に揺さぶりをかけたりすることで、課題解決のための創造的対話を促進していきます。

　ワークショップの参加者は、デザインされた問いの数々に、ファシリテーターの言葉を介して出会うことになります。問いのインターフェースであるファシリテーターは、問いのポテンシャルを活かす重要な役割を担っています。

　デザインされた問いがよく練られたものであっても、ファシリテーターがその意図を十分に伝えずに、ぶっきらぼうに問いかけるだけであれば、参加者の活動や対話の熱量は上がらないでしょう。メインの問いを活かすための「足場の問い」であったはずなのに、問いと問いのつながりをファシリテーターが補足しなければ、参加者にとって足場は単なる「余計な段差」としか感じないかもしれません。

　また、どんなに入念に「問いの深さ」を測っていても、当日の創造的対話

の深まりは、本質的には予測不可能です。何が起こるのか。意図通りにいくのか。意図から大きく外れてしまうのか。意図していなかったけれど、思わぬ角度から課題に切り込むことができるのか。「このままではまずいぞ」と判断し、舵を切り直すためには、航海士さながら、空や波の微妙な違和感から、気象や潮流の変化を読みとらなくてはなりません。

　問いを活かすも殺すも、当日のファシリテーターの振る舞いが鍵を握っています。本章では、問いを投げかけるファシリテーターに必要とされる心構えや技術について考えていきましょう。

ファシリテーションはなぜ難しいのか？

　筆者らはさまざまなところで「もっとファシリテーションがうまくなりたい」と相談を受けます。「うまいファシリテーションとは何か？」「なぜあなたのファシリテーションがうまくいかないのか？」と問いを立てながら相談の背景を紐解いてみると、実にさまざまな要因が絡まって「ファシリテーションがうまくいかない」という現象が起きていることに気づかされます。

　どうやら現場には「ファシリテーションは難しい」という根強い共通認識があるようです。たしかにそれもそのはずで、ファシリテーターという役割は実に曖昧かつ多義的で、「これをやれば、OK」とシンプルに行動を定義できません。

　たとえば、いきなり主題となる問いを投げかけたり、ただ単に時間進行を気にしたりするだけのタイムキーパーではありません。参加者の意見を引きだしたり、意見をまとめたりするだけでもありません。参加者に対して知識を教える「インストラクター」的な役割が求められる側面もあれば、地域社会などと連携して協働する「コーディネーター」的な役割が求められる側面もあります。多様な役割を背負いながら立ち回らなければいけないファシリテーションの技術は現場の暗黙知に委ねられていて、言語化しにくいことなどが指摘されています[*1]。これが、ワークショップを長らく専門としてきた筆者らが「百面相」といわれる所以かもしれません。

　ファシリテーションは、なぜ「難しい」とされるのでしょうか？

　そもそもファシリテーションは、本当に「難しい」ものなのでしょうか？

　筆者（安斎）は、得意の「素朴思考」と「天邪鬼思考」を発揮して、ファ

シリテーションの「難しさ」に関する、ある基礎的な調査を行いました[*2]。

この調査は、現場におけるファシリテーションの「客観的な課題」を調べたものではありません。あくまで現場のファシリテーターが「ファシリテーションの何を難しいと考えているのか?」「なぜそう考えているのか?」という「主観的な認識」を調べたものです。

ファシリテーションにおいて難しいと感じられているのは、ワークショップ・プログラムの「導入」なのか、「知る活動」なのか、「創る活動」なのか、あるいは「まとめ」なのか。それとも、難しさは、プログラムの外側にあるのか。企業の商品開発のためのワークショップと、地域のまちづくりのワークショップでは、感じられる難しさは同じなのか。同じ学びを志向したワークショップでも、学校の授業と、企業の研修では、感じられる難しさは同じなのか。そうした「素朴な疑問」も念頭に置きながら、現場の実態調査を行いました。

調査は、2017年の6〜11月にかけて、アンケート調査とインタビュー調査を組み合わせて実施しました。アンケート調査は、ワークショップの領域や経験年数を問わず、ファシリテーション経験のある実践者を対象に、インターネット上で行いました。ワークショップの実践領域や経験年数などの基本情報のほか、当日のファシリテーション場面において、ワークショップのプログラムの各フェーズにおいて、どの程度の難しさを感じているかを5段階で尋ねました。

ワークショップのプログラムの名称は、対象者にわかりやすいように「導入」を「イントロダクション」と「アイスブレイク」に分割し、「知る活動」「創る活動」をそれぞれ「サブ活動」「メイン活動」と言い換え、「まとめ」を「発表」と「振り返り」に分割し、また「開始前」と「終了後」というフェーズを追加しました。

また、5段階の最大値である「とても困難である」と答えたフェーズについては、その理由を自由記述形式で回答してもらいました。

SNSやファシリテーターのメーリングリストなどを用いて送付したところ、152名の回答が得られました。経験年数については、熟達に関する先行研究[*3]を参考に、1〜3年目までを初心者(52名)とし、4〜10年目までを中堅(78名)、11年目以上を熟達者(22名)として整理しました。実践

	企業内 人材育成	教育 （学校・大学）	商品開発	まちづくり	アート	その他	計
初心者 （1-3 年目）	12	10	13	6	1	10	**52**
中堅 （4-10年目）	24	8	15	8	4	19	**78**
熟達者 （11年目-）	8	3	2	1	4	4	**22**
計	44	21	30	15	9	33	**152**

表1　アンケート調査の回答者の内訳

		経験 年数	実践領域	年齢		職業
初心者	A	3	人材育成	49	女性	会社員
	B	3	教育	31	男性	団体職員
	C	3	商品開発	33	女性	会社員（メーカーのデザイン部門）
	D	3	商品開発	32	女性	コンサルタント
	E	3	商品開発	35	男性	サービスデザイナー
	F	3	商品開発	33	男性	インターネット広告
	G	1	まちづくり	28	女性	一般社団法人職員
中堅	H	4	人材育成	53	男性	個人事業主
	I	8	教育	36	男性	医師
	J	9	商品開発	45	男性	会社員（研究者）
	K	10	商品開発	44	男性	研修ファシリテーター
	L	9	まちづくり	32	女性	会社員
熟達者	M	27	人材育成	54	女性	会社員（人材開発）
	N	11	教育	41	男性	会社員、大学職員
	O	12	教育	29	男性	ワークショップデザイナー
	P	26	アート	57	女性	大学教員、舞台芸術コーディネーター

表2　インタビュー調査の協力者

領域も多様で、企業内人材育成（44 名）、学校教育（21 名）、商品開発（30 名）、まちづくり（15 名）、アート（9 名）のそれぞれで整理を行い、それ以外の領域はその他としました（表 1）。

アンケート調査後、16 名のファシリテーターには、さらにインタビュー調査を行いました。アンケート調査で得られた各フェーズの困難さの数値の結果と自由記述の回答をもとに、困難さの背景や要因、対処法などについてインタビューしました（表 2）。

ファシリテーションを妨げる六つの要因

152 名のファシリテーターのアンケートの回答を集計したところ、プログラムの各フェーズにおけるファシリテーションの難しさは、図 2 のようなフタコブラクダのような形状となりました。

グラフを見てみると、ファシリテーターに最も難しいと認識されているのは「メイン活動」すなわち「創る活動」で、その次が「まとめ」における「振り返り」の活動でした。他方で、難しさの認識が低かったのは、「開始前」と「導入」の「イントロダクション」でした。

なぜ、このような結果になったのでしょうか？結果の背後にある難しさの質について確かめるべく、インタビュー調査でその要因を深掘りすることに

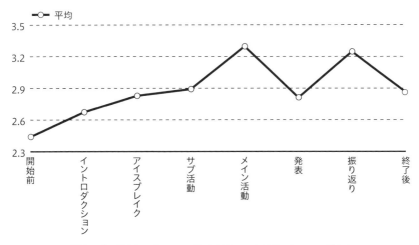

図 2　プログラムの各フェーズにおけるファシリテーションの難しさ

グループ	難しく感じること	場面例
動機づけ・場の空気づくり（6）	雰囲気づくり、動機づけ、参加者の恐怖を緩めること、参加者との信頼関係	開始前、イントロ、サブ活動、発表、全般
適切な説明（4）	伝えたいことが伝わらない、ワークとワークの接続の説明ができない	全般、イントロ、サブ活動
コミュニケーションの支援（9）	参加者同士の人間関係づくり、議論への適切な介入、参加者の関係をフラットにできない	全般、メイン活動
参加者の状態把握（2）	議論の様子を把握できない、参加者が学んだかどうかを把握できない	メイン活動、振り返り
不測の事態への対応（5）	ラップアップ（まとめ）、発表に対するコメント、想定外の事態／参加者への対応	サブ活動、発表、振り返り、全般
プログラムの調整（4）	時間的制約のなかでの発表、時間調整が難しいプログラムのリデザイン	発表、振り返り、全般
その他（4）	参加者の学びの言語化を促す、ワークショップの効果・成果の持続、自身の心理的な課題、何が困難なのかわからない	振り返り、終了後、全般

表3　ファシリテーションの難しさの整理

しました。

　すると、認識されている難しさには実に「34種類」もの異なる難しさが存在することが見えてきました。それらを大きくまとめると、「動機づけ・場の空気づくり」「適切な説明」「コミュニケーションの支援」「参加者の状態把握」「不測の事態への対応」「プログラムの調整」「その他」の七つのカテゴリーに分類することができました（表3）。

ファシリテーションで感じる難しさ

【動機づけ・場の空気づくり】

参加者の動機づけ・場の空気づくりなど、場を活性化するための働きかけに関する難しさです。イントロダクションの雰囲気づくり、「知る活動」の話題提供を聞く動機づけ、活動全体においての空気づくり、参加者との関係づくり、まとめの発表時の雰囲気づくりなど、プログラム全般にわたって難しいと感じられていました。

【適切な説明】

プログラムの進行において、適切な説明がうまくできないことによる難しさです。イントロダクションにおける趣旨説明、問いの背景の説明、問いと問いのつながりの説明などの難しさが挙げられました。

【コミュニケーションの支援】

主に「創る活動」のグループワークにおいて、対話の合意形成の難しさや、対話から新しいアイデアが生まれない、多様な参加者の意見を制御できないなど、多様な難しさが挙げられました。またグループワークの介入については、「介入しすぎてしまう」と考えている人もいれば、「十分に介入できない」と考えている人もおり、どれくらい介入すればよいか、ジレンマを感じている様子もうかがえました。

【参加者の状態把握】

観察や介入によって、参加者の状態をリアルタイムで把握することの難しさです。参加者の人数が多いとそれぞれの活動の様子が詳細には把握しきれないことや、参加者が考えていることや学んでいることなど、内的な状態について把握できないことなどが難しさとして認識されていました。上記の「適切な説明」「コミュニケーションの支援」の難しさの原因ともなっている難しさといえるでしょう。

【不測の事態への対応】

プログラムデザインの段階では予測していなかった参加者の振る舞いや、トラブルへの対応に関する難しさです。ワークショップの創造的対話のプロセスは、事前にすべてを予測することは当然できません。創る活動で生みだされるアイデアに対するフィードバックやコメント、また機材トラブルや参加者の妨害行動などにどう対処するかなど、複数の難しさが言及されていました。

【プログラムの調整】
事前にデザインしたプログラムを、当日の様子や進捗に応じて調整することの難しさです。予定よりも時間が押してしまった場合のタイムテーブルの調整や、問いがうまく機能していない場合のプログラムの変更など、いくつかの難しさがあるようです。

　以上の6種類の性質の異なる「難しさ」を踏まえると、ファシリテーションの難しさがフタコブラクダ状であった理由が見えてきます（図3）。

　現場のファシリテーターが最も難しいと感じていた「メイン活動」の背後には、参加者同士のグループワークの「コミュニケーションの支援」の難しさや、グループワーク中の「参加者の状態把握」の難しさが中心にあり、そこに「動機づけ・空気づくり」「プログラム調整」なども言及されており、複数の異なる難しさが絡み合って、「メイン活動のファシリテーションは難しい」と認識されていたことがわかります。

　次に難しいと感じられていた「まとめ」の「振り返り」のパートについても、この時点で参加者が内面で何を感じているのかがわからない「参加者の

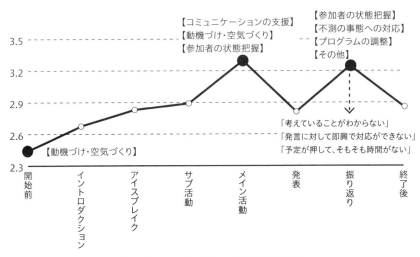

図3　各フェーズの難しさの背後にある要因

状態把握」の難しさと、参加者が発言した内容に対してどのようにフィードバックを返していいかわからない「不測の事態への対応」に加えて、ここに至るまでに予定よりも時間が押してしまい「プログラムの調整」にも頭を使わなければいけない困難さが絡み合っていました。

他方で、最も難しさが低く認識されていた「開始前」や「イントロダクション」では、主に「動機づけ・空気づくり」のみが認識されており、「メイン活動」や「振り返り」に比べると、比較的難しさがシンプルであったことが読みとれます。

プログラムデザインとファシリテーションの補完関係

さて、この調査が興味深いのは、ここからです。上記のアンケートの調査結果を、ファシリテーションの経験年数別に整理してみると、図4のような結果になります。

初心者のグラフを見てみると、「メイン活動」と「振り返り」で難しさのピークを迎える"フタコブラクダ"の形状で、全体の平均のグラフの形状とよく似ています。中堅は、初心者のグラフ形状の特徴を保ったまま、全体的に難しさの認識が低減されていることがわかります。数年の実践経験を経

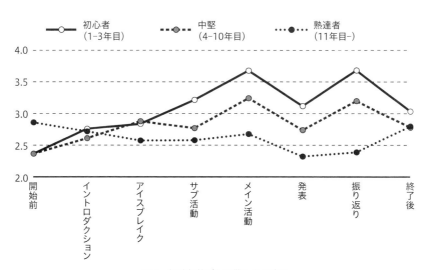

図4　経験年数ごとの難しさの違い

て、ファシリテーション・スキルが熟達し、初心者ほど難しさは感じなく
なっているようですが、難しさの傾向は変わりません。

　ところが、熟達者のグラフを見てみると、初心者や中堅とは大きく異なっ
ています。全体として、初心者や中堅に比べて困難さは低いものの、興味深
いことに「開始前」と「終了後」が難しさのピークを示しており、初心者や
中堅が困難に感じていた「メイン活動」や「振り返り」は、それほど難しく
感じていないようでした。

　また、初心者に比べて中堅では低減されていた「イントロダクション」の
難しさは、熟達者ではさらに低減されるものかと思いきや、比較的高い数値
を示していました。「イントロダクション」の難しさについて、熟達者のイ
ンタビュー協力者Pさん（アート領域、ファシリテーション歴26年目）は
以下のように述べています。

　　プログラムをつくるときは相手が見えませんから、参加者がどういう
　考えを持って参加するか見えないので、そこを仮定できません。（中略）
　参加者の動機は参加者によって変わるので、事前に何パターンか考えた
　りもしますが、当日参加者に会った瞬間に「イントロダクション」を変
　えようと思うこともあります。（中略）たとえば参加者が腕組みをして
　いたら、すごくブロックされていると感じます。そういう人たちがたく
　さんいるときは、身体から和らげる場合もありますし、警戒感を解くよ
　うな言葉を投げかけるときもあります。

　Pさんは、プログラムデザインの段階では特定のイントロダクションのや
り方を決めずにおき、複数の選択肢をプランとして用意しておき、当日の参
加者の様子を観察することでやり方を決定していることがわかります。適切
なイントロダクションの仕方は参加者によって異なり、その適切な判断が、
参加者の動機づけのために重要だと考えていることが読みとれます。

　インタビュー調査の結果では、初心者と中堅は、「イントロダクション」
の際に、主に「動機づけ・空気づくり」に気を配っていたのに対して、熟達
者はそれだけでなく、用意していたプログラムが事前に“測量”していた通
りに機能するかどうか、1人1人の様子を観察しながら推し量っていました。

初心者や中堅とは違った試行錯誤を、頭のなかでフル回転させていたのです。

　熟達者と初心者の違いは、それだけではありません。初心者や中堅が難しさを強く感じていた「メイン活動」や「振り返り」において、熟達者は特に高い難しさを感じる様子がなく、ある意味で冷静にファシリテーションを進行できていることが読みとれました。これは、ファシリテーションのスキルの高低以前に、プログラムデザインが戦略的に設計されているために、「当日慌てる必要がない」ことが原因ではないかと推察されます。

　たとえば、中堅のインタビュー協力者Ｌさん（まちづくり領域、ファシリテーション歴9年目）は、ファシリテーションの難しさの要因について、以下のように解釈しています。

　　　そもそもファシリテーションとは何かがわからなくなってしまいました。（中略）よくファシリテーションが上手い、下手と言いますが、それはプログラムが悪いんだという話を聞いて納得しました。

　つまり、ファシリテーターが「ファシリテーションがうまくいかない」と感じているとき、その原因は、必ずしもファシリテーションの力量の不足にあるとは限らないということです。4章で述べた通り、ワークショップがうまくいくかどうかは、プログラムデザインの段階で計画していた問いのデザインに大きく影響を受けます。

　ファシリテーターが、ワークショップの当日に「創る活動のファシリテーションが難しい」と感じているとき、その要因はプログラムデザインの課題設定の甘さにある可能性も大いにあるわけです。さらにいえば、ワークショップデザイン以前の「課題のデザイン」の段階に問題があった可能性も否めません。

　ワークショップデザインにおいて、ファシリテーションとプログラムデザインは切り離すことができません。ファシリテーションにおいて「難しい」と感じることのすべてを、ファシリテーションの力量や工夫だけで解決しようとするのではなく、毎回のファシリテーションにおける反省や気づきを、次の「課題の定義」や「プログラムデザイン」にフィードバックし、熟達していくことが重要です。

概して、問いのデザインの初心者は、課題のデザインよりもプロセスのデザインを重視し、そしてプロセスのデザインのなかでも、事前のプログラムデザインよりも、当日のファシリテーションに関心を向ける傾向があります。他方で、問いのデザインに熟達すると、当日のファシリテーションは当然重視しながらも、当日の努力だけではどうにもならないことを理解し、事前のプログラムデザインに力を入れ、さらにその上流である課題のデザインこそが問題解決の成否を決めることを理解し、関心が上流へと遡っていく傾向があるのです。

ファシリテーターの本当の役割とは何か

　とはいえ、調査の結果が示す通り、経験年数が豊富な熟達者は、単にプログラムデザインの技術が高いだけでなく、初心者や中堅には見えていなかった視点から現場を捉えていたことが、同時に読みとれます。プログラムだけでは解決できない、当日のファシリテーターとしての役割が存在するからです。それでは、問いのデザインの観点から見たときの、当日のファシリテーターの役割とは、いったいどんなものでしょうか。

　まず、プログラムデザインにおいて作成した問いを、適切な伝え方で、参加者に届けることです。そして、投げかけた問いを起点として生まれる参加者の思考や対話のプロセスを丁寧に見守ることです。

　状況が思わしくなければ、より良いプロセスになるように、用意していた問いを修正したり、問いを深めるための時間設定を調整したり、その場で新たな問いを作成し投げかけたりすることで、対話のプロセスに伴走します。

　用意していた問いを客観的に伝達するだけでなく、ファシリテーター自身も含め、場にいる全員が、テーマを自分ごととして捉えながら対話ができる場をつくります。

　対話がうまくいけば、それぞれのグループから、問いに対する答えが、新たに意味づけられて立ち上がってくるでしょう。ファシリテーターはそれらの意味を俯瞰的に捉えて、視点を揺さぶったり、再解釈したりしながら、課題解決に向けた具体的なアクションプランや発展的なテーマを生成し、非日常の場であるワークショップに区切りをつけていきます。

　注意しなければいけないのは、ファシリテーターはあくまで課題解決のた

めの「黒子」であるということです。参加者が「主役」として、問いに集中できるように、場の心理的安全を保持し、環境をコーディネートする必要があります。

5.2.
ファシリテーターのコアスキル

ファシリテーターのコアスキルとは

前節で述べたファシリテーターの役割を遂行するためには、問題の本質を捉える「素朴思考」「天邪鬼思考」「道具思考」「構造化思考」「哲学的思考」と、ワークショップの「プログラムデザイン」のスキルはもちろん、それに加えてファシリテーターとしての以下の六つのコアスキルが必要になります。

ファシリテーターのコアスキル

(1) 説明力

(2) 場の観察力

(3) 即興力

(4) 情報編集力

(5) リフレーミング力

(6) 場のホールド力

次項からは、六つのコアスキルについて、具体的に解説します。

コアスキル（1）説明力

説明力とは、参加者にとって必要な情報をわかりやすく伝達する力のことです。多くのワークショップにおいて、ファシリテーターは参加者の前に立ち、イントロダクションでプログラムの目的と概要について説明し、参加者に動機づけながら課題解決のプロセスへと誘っていきます。

アイスブレイクや「知る活動」の「足場の問い」から、「創る活動」のメ

```
1. 問いの焦点を明確に伝える

2. 問いに記述されていない背景の意図を伝える

3. その前の問いとのつながりについて補足する
```

図 5　問いの意図をうまく伝えるポイント

インテーマに至るまで、事前に作成した問いを参加者に投げかけ、ときには「なぜその問いなのか」についても背景を説明し、参加者が違和感なく問いに集中できるように、また問いを起点として創造的対話が深まるように、必要十分な情報を明確に伝達する必要があります。

　一般的にファシリテーターというと、場に耳を傾け、参加者の意見を引きだす役割であるという印象が強いせいか、説明力は軽視されがちです。しかし、ファシリテーションがうまくいかないと悩んでいる初心者の実践を見ると、説明の説得力や明瞭さが欠けることによって、作成した問いの意図がうまく伝えられなかったり、設定した課題に参加者を惹きつけられなかったりして、プログラムが計画通りに機能せず、問いのポテンシャルを活かせていないケースが多いのです。ファシリテーションの難しさの調査でも「適切な説明」に関する難しさは現場で多く認識されていました。

　問いの意図をうまく伝えるためには、第一に、問いの焦点を明確に伝えることが必要です（図5）。

　たとえば「あなたがこれまで経験した居心地が良かった場はどんな場ですか？具体的な事例を挙げながら、共通する要素について話し合ってください」と投げかければ、参加者にとって問いの探索の対象と制約は明確になり、思考や対話が焦点化されるでしょう。

　ところが「居心地の良かった場の経験は？」と曖昧な表現で投げかけてしまえば、問いの意図は伝わらないかもしれません。

　第二に、問いに記述されていない背景の意図を伝えることも重要です。すべての問いについて、言い訳のように長々と説明を添える必要はありませんが、この問いを設定したファシリテーターの意図や、課題とのつながりを一言添えるだけで、問いに文脈が生まれ、参加者にとって問いが考えやすくなっ

> 1. 好奇心に基づく注意を引く
> 2. 参加者自身との関連性を意識させる

図6　問いに惹きつけるポイント

たり、試行錯誤がしやすくなったりすることがあります。

　第三に、その前の問いとのつながりについて補足することです。特に「足場の問い」を活用した場合には、つながりを説明しないと、前の問いで考えたことが、次の問いに活かされない場合も少なくありません。

　足場の問いに取り組む参加者自身が本番の問いとのつながりに気づけるような「会心の問い」の連鎖ができることもありますが、それには相当の熟練が必要です。プログラムの要素と要素をつなぐのも、ファシリテーターの役割です。

　参加者をプログラムに惹きつけ、動機づけるためには、第一に、好奇心に基づく「注意」を引くことです（図6）。参加者にとって「面白そうだ」「考えてみたい」と思えるような、興味や関心を刺激することで、注意を引くことができます。

　課題を定義する過程で、五つの思考法（2章参照）を使って問題を捉え直した経験がここで活きるかもしれません。前述した「あなたがこれまで経験した居心地が良かった場はどんな場ですか？」という問いを投げかける際に、「一見すると居心地が良さそうな空間なのに、落ち着かずに長居できなかった経験はありませんか？人間にとっての居心地の良さとは、何によって成立するのでしょう？」などと、関連する問いを添えることで、素朴に「なぜだろう？」と不思議に思う気持ちを喚起し、問いに惹きつけられるかもしれません。

　第二に、参加者自身との関連性を意識させることです。人間は、どんなによく練られた問いであっても、自分とは関係ないと思えば、前向きにはなれません。自分自身の実体験を振り返れば考えられるかもしれない、自分の日常生活に役立つかもしれないと思える補足をすることで、動機づけることが可能です。

また、パワーポイントやキーノートなどのスライド資料を投影しながら進行する場合には、スライドのデザインもまた説明力に含まれます。参加者は対話をしているうちに、枝葉の話題に没入し、元の問いを忘れてしまうこともあります。考え続けてほしい問いをスライドに明確に表示し、また同時に意識してほしい問いの背景や、注意点なども簡潔に示しておくと、参加者は迷子にならずに済むでしょう。

コアスキル（2）場の観察力

　場の観察力とは、参加者から発せられる情報を収集し、場が今どのような状況にあるのか、課題解決のプロセスは順調なのか、創造的対話は深まっているのか、参加者の1人1人が動機づけられているか、といった状況を、参加者の思考や対話のプロセスを丁寧に見守りながら把握する力のことです。

　参加者の対話の内容に耳を傾けることもまた、観察の一種に含まれます。グループが複数ある場合は、そのとき注目しているグループについては1人1人の発言に耳を傾けることができますが、その他のグループすべてを同時に把握することはできません。

　そのようなときには、声のボリュームに注目することで、ある程度の状況を把握することができます。シーンと静まり返っているときは何か行き詰まっているサインと考えられますし、大きな声で盛り上がっているときは本題から脱線してしまっているサインであることもあります。声のボリュームは、詳細に観察すべきグループを見分ける判断材料になります。

　基本的には、投げかけた問いが参加者にどのように伝達され、対話がどのように進んでいるか、事前に“測量”していたシミュレーションの結果と比較しながら、想定通りの展開なのか、問題が起きているのか、想定外だが課題解決の観点から望ましい展開なのかを判断します。

　気をつけるべきポイントは、観察の結果は、あくまで「課題解決のプロセスとして望ましいかどうか」によって判断をすべきということです。

　たとえば、目の前のグループのなかに、明らかに1人、発言の機会が少ない“おとなしい参加者”がいたとします。かれこれ15分以上は発言をしていなかったとしましょう。あなたがファシリテーターなら、この参加者に対してどのような行動をとりますか？

　ファシリテーションの経験年数が浅い場合には、すぐにこの状況を「このままではまずい」とおおげさに考えすぎてしまい、“おとなしい参加者”に発言させるための施策をあれこれ考え、「何か意見はありませんか？」と尋ねたり、盛り上げ役としてグループに入り込んで空気を変えようとしたりします。

　この介入は、結果としてうまく働くかもしれませんが、必ずしも適切な介入とは限りません。ファシリテーションの経験年数が浅いうちは、参加者の全員が大きな声で発言をする盛り上がりこそが良いワークショップだと思い込んでしまいがちです。

　複雑な課題解決に迫るための創造的対話において、「沈黙する時間」は必ずしもまずい状況とは限らず、ときに必要な場面もあります。大切なことは、目の前の“おとなしい参加者”は、なぜ発言をしていないのか、その理由です。内面でどのようなことを考え、「発言しない」でいるのかを把握することが大切です。

　参加者の内面を把握する際、表情や姿勢、目線などを観察することで、その心理を想像します。他の参加者が前のめりになっているなかで、その参加者だけが上半身を椅子の背もたれに預け、腕を組んで、眉間にしわを寄せているとしたら、何か納得のいかない、モヤモヤすることがあるのかもしれません。そのモヤモヤが言いだせずにいるのであれば、「何か意見はありませんか？」と尋ねることは、意見を引きだす良いきっかけになる可能性もあります。

　あるいは、テーブルの模造紙に書かれた問いをじっと見つめたり、天井を見上げたりしながら、考えを巡らせている様子が見られれば、心のなかに生まれつつある思考を、言語化しようと試行錯誤している最中かもしれません。

　そうであれば、発言を急がせることは、試行錯誤の妨げになる可能性もあります。そういった納得がいかずに考えている人、あるいはモヤモヤを解消しきれずにいる人が、以後の対話を決定づける大きな転換点になることがあります。安易な議論の収束をはかろうとしているとき、一部の思い込みからスタートして小さな声に目をつむったまま走り始めているとき、円滑な議論のためにその小さなモヤモヤに目をつむってしまおうという衝動に駆られます。筆者らは、そういった「静かなる変革者」との出会いを創造的対話に結

びつける場面こそ、ファシリテーターの腕の見せ所だと考えています。

　観察とは、客観的に観測可能な「事実」に関する情報を幅広く収集し、それらに整合する意味を「解釈」することです。参加者の発言、それに対する相槌、会話のやりとり、表情、姿勢、座り方、立ち方、付箋やワークシートに書かれている文字の内容や量など、目や耳で把握できる「事実」情報を多角的に収集し、状況を解釈するための手がかりとすることです。

　参加者の人数が多い場合には、ファシリテーター1人ですべての参加者をつぶさに観察するのは現実的ではない場合もあるでしょう。その際には、問いに対する意見を付箋やワークシートに書きだしてもらう機会を増やすなどして、目視して情報を収集しやすくするように、プログラムデザインの段階から工夫しておくことも有効です。

　後に改めて述べますが、各グループにテーブル・ファシリテーターとして状況を把握する人を予め指定しておいて、その人に状況を確認することで全体を把握する方法も有効です。

　事実に対する「解釈」は、「虫の目」と「鳥の目」の二つのモードの両方を使って解釈しておくとよいでしょう。虫の目とは、1人1人の参加者個人に目を向けて、内面でどのような思考や感情が巡らされているのか、精緻に観察するモードです。鳥の目とは、参加者全体を俯瞰的に捉えて、今「場」がどのような状況にあるのかを見立てるモードです。

　このときに、場を擬態語で表現したり、何かに喩えることも、解釈のトレーニングになります（図7）。意見が活発に飛び交っているが、これは場が「モヤモヤ」しているのか、「ワクワク」しているのか、それとも「ザワザワ」しているのか。やや静まっているように見えるのは、「種をまき、土を耕し

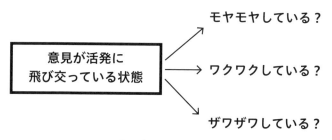

図7　場の状態を見立てる

ている」状態なのか、「発芽しかかっている」状態なのか、あるいは「水を
あげすぎて、息が詰まっている」状態なのか。

　ファシリテーションの最中にリアルタイムで鳥の目と虫の目で適切な解釈
をするには経験値が必要です。初心者のうちは、ワークショップが終わった
後に、写真や映像の記録を振り返りながら、事実を解釈する練習をするとよ
いでしょう。

コアスキル（3）即興力

　即興力とは、計画していた台本にとらわれずに、その場の状況に応じて柔
軟に振る舞う力のことです。一般的に、即興（improvisation）は、演劇や
音楽などパフォーマンスの世界において、型にとらわれずに自由に表現する
手法として用いられます。

　参加者主体の創造的なプロセスを尊重するワークショップは、まさに即興
の繰り返しです。おおまかな台本としてのプログラムに従いながらも、「観察」
によって察知した微細な変化に合わせて、計画していた問いかけの表現を変
更したり、補足の説明を加えたり、予定していた時間設定を調整したり、まっ
たく別の問いに差し替えたりなど、問いのデザインを修正することは、熟達
したファシリテーターにとっても日常茶飯事です。

　即興演劇（インプロ）を専門とする大学教員でもあり、また熟達したファ
シリテーターとしても活躍する高尾隆は、即興の本質について、以下のよう
に語っています[*4]。

　　　インプロは、それぞれの人が好き勝手に思いついたことをやる「でた
　　らめ」ではない。それぞれの人から生まれたアイディアを、お互いに受
　　け容れあい、ふくらませていくことで、初めて今まで誰もつくったこと
　　のない新しい物語を生み出すことができる。しかし、生み出そう、受け
　　容れよう、発展させようと「頑張って」も、その通りにできないところ
　　がインプロの難しいところであり、面白いところである。「頑張る」の
　　をやめ、自然に任せることで、かえってうまくいくこともある。

　即興力が高いファシリテーターというと、どんな人や、どんな振る舞いを

想像するでしょうか。突発的なトラブルにうまく対処できたり、参加者の意見に対して気の利いたコメントができたり、グループワークが行き詰まったときに創造的なアイデアを提案できたり、そんな振る舞いを思い浮かべるかもしれません。

　逆説的ですが、高尾が述べている通り、予期せぬ事態に即興的に対応するためには、無理をしたり、頑張ろうとしたりしないことが必要です。目の前のトラブルを「トラブル」として拒絶し、ねじ伏せようとしないこと。参加者のアイデアに対して「もっと良いコメントやアイデアを提案しなければ」と身構えないこと。それが、即興的なファシリテーションを支える基本姿勢なのです。

　即興演劇の世界では、このような基本姿勢をよく「イエス、アンド」と表現します。目の前で起きている事象が、たとえ予期していなかった望ましくない事態であったとしても、否定的に捉えるのではなく、まず一度「イエス」と受け入れる。その上で、自分からの無理のない素直な反応を、「アンド」として提案するのです。

　予期せぬ事態とは、裏を返せば、問いのデザイナーとしての自分の想像力を参加者が上回ることでもあります。「なるほど、そうきたか」と想定外の出来事を受け入れて、楽しもうとすること。それが創造的対話に即興的に伴走していくために必要な姿勢です。創造とは壊すこと。自らの当初の想定が壊れる瞬間にこそ、創造の種があると考え積極的に受け入れていく姿勢が求められます。

コアスキル（4）情報編集力

　情報編集力とは、複数の情報を組み合わせて、新しい意味を持った情報へまとめあげる力のことです。

　ワークショップの後半では、問いに対して、参加者の考えや、対話で生まれた意味が、いくつも場に立ち現れます。たとえば三つのグループから、三者三様の別々の意味を持つ結論が発表されたとします。

　これに対して「三つの意見が出ましたね」と述べるだけで総括してしまっては、それ以上の対話の深まりは期待できないでしょう。

　これに対して「それぞれ異なる意見が出ましたが、こういう考え方が共通

していましたね」「この二つの意見は同じ方向を向いていますが、もう一つの意見とは、対立関係にありますね。それを乗り越える方法はないでしょうか？」などと、情報に内在した意味と意味をつなぎあわせ、次元を上げて、新たな意味づけをしたり、別の問いを生成したりして、場に返すことで、課題解決のプロセスをさらに促進させるのです。

具体的には、次の四つの情報編集の工夫が有効です。

情報編集の工夫

①共通点を探る

②相違点を探る

③情報を構造化する

④視点の不足を探る

---

①共通点を探る

複数の意見の共通点を探ることで、新しい意味を見いだす方法です。同じテーマで話し合った結果、多様な意見が生成されても、根底で大切にしたい価値観や、見いだされた意味の特徴などに、共通している要素は何かあるはずです。自分のグループの対話に没入していた参加者が、他のグループの意見との共通点に気づけるように、ファシリテーターがそれを指摘することで、自分たちの意見を包含する意味を場に立ち上がらせるのです。

ただし、語られているキーワードなど、意見の表現による表層的な類似点ではなく、背後にある価値観やこだわり、意見の構造など、本質的な共通点に目を向けることが重要です。

たとえば、未来のカーアクセサリーのアイデアを考えるワークショップにおいて、「人工知能の技術で、運転をより楽しめるようにできないか」「人工知能の技術で、運転時と自動運転時の車内環境をモードチェンジしたい」という二つの意見が出たとします。

これに対して、表現に目を向けて「二つとも、人工知能を活用したアイデアですね」とまとめることもできますが、背後にあるこだわりや目的に目を向けると「自動運転技術が普及しても、"運転をしたい"という欲求は残る

のですね」などと、一段深い気づきを場に抽出することができます。

②相違点を探る

共通点を探るとともに、相違点を探ることも重要です。多様な意見が飛び交うなかで、相違点は挙げれば切りがありませんが、特に一見すると似ている意見だけれど、視点やこだわりに、小さいけれど重要な違いがある際に、そこに着目することで、新しい問いを生みだし、対話を深める契機となります。

③情報を構造化する

意見同士の共通点や相違点を探ると同時に、意見と意見の関係性を「構造化思考」を使って整理することも有効です。ここでいう構造化思考とは、複数の情報を俯瞰し、情報同士の関係性について分析・整理し、意見の全体像を構造的に捉える考え方を指します。

課題のデザインのフェーズと違って、じっくり紙に書きだしながら意見を構造化する暇はありませんから、参加者の意見に耳を傾けながら、頭のなかで構造を掴む必要があります。

観察力のトレーニングと同様に、初心者のうちはワークショップが終わった後に、参加者の意見を振り返りながら、「どのような構造化が可能だったか」を考えるようにし、リアルタイムでできるように練習をするとよいでしょう。

④視点の不足を探る

意見の構造化ができるようになると、全体のなかで検討されていない「抜け落ちている視点」や「意見の偏り」に気づけるようになります。

参加者の複数の意見をそのまま並べるだけでは、声の大きな人の意見が優先されてしまったり、賛成意見ばかりが並んで多数決で議論が傾いてしまうことがあります。

そこで、情報の構造化を経て整理された情報のバランスをとることで、安易なとりまとめを防ぎ、不足を探る役割が期待されます。視点の不足が発見できれば、これはそのまま次の問いかけに発展させることができます。

たとえば、未来のカーアクセサリーのアイデアが「運転が好きなドライバー」の視点に偏っていることに気がつけば、「運転を億劫に感じている生

活者の視点で考えるといかがでしょうか？」と問いかけることで、思考に揺さぶりを与え、新たな対話のきっかけをつくることができます。

コアスキル（5）リフレーミング力

　リフレーミング力とは、3 章の「目標の再設定」でも紹介したリフレーミングをする力のことです。ワークショップ当日のファシリテーションにおいては、参加者の対話によって場に立ち現れた意味を、別の認識の枠組みから捉え直すことで、意味づけを変えることです。

　コアスキルの「場の観察力」を活用して、対話のプロセスや参加者の発表に耳を傾けていると、繰り返し登場するキーワードや言葉遣い、また特定の視点の強さなど、参加者や場にある種の「癖」を発見することがあります。

　そうした「癖」は、参加者にとって大切にしたい価値観やこだわりを反映

①利他的に考える	場の意見が自分本位の視点に偏っている場合に、利他的な視点を促す
②大義を問い直す	手段ばかりが話されるようになっている場合に、大義を確認する
③前向きに捉える	場がネガティブな意見に偏っている場合に、前向きな視点から捉え直す
④規範外にはみだす	規範的な意見に偏っている場合に、あえて規範外の意見を促す
⑤小さく分割する	場の意見が抽象的かつ壮大な場合に、具体的な複数の意見に分割する
⑥動詞に言い換える	名詞形のキーワードが繰り返し使われている場合に、動詞に言い換える
⑦言葉を定義する	未定義の言葉が繰り返し登場する場合に、その言葉の定義を確認する
⑧主体を変える	特定の主体による発言が増えている場合に、別の主体から捉え直してみる
⑨時間尺度を変える	特定の時間軸に意見が集約している場合に、時間軸を変えてみる
⑩第三の道を探る	意見が二項対立に陥っている場合に、「第三の道」の可能性を探る

表 4　リフレーミングのテクニック

している場合も多く、主体的な対話を深めていく上で、ファシリテーターとしても大切にしたい特徴です。

他方で、参加者の「癖」は、言い換えれば認識の固定化の要因にもなります。場に「癖」が蔓延しているために、視点が偏り、創造的対話を阻害してしまう場合もあります。

そうしたときは、3章で紹介した10のリフレーミングのテクニックを活用して、ファシリテーターとして揺さぶりをかけていくことが効果的です（表4）。

リフレーミング力を発揮するためには、他のコアスキル「場の観察力」「即興力」「情報編集力」を総動員する必要があります。課題解決のために自由自在にリフレーミングを使いこなせるようになれば、ファシリテーションのスキルが熟達してきた証拠でしょう。

コアスキル（6）場のホールド力

熟達したファシリテーターに、ファシリテーターの役割を尋ねると、多くの熟達者が「場をホールドすること」と答えます。ホールドとは、「持つ」「つかむ」「握る」という意味です。実際に「場をホールドする」ことを「場を握る」と表現することもあります。

実際に何かを手で握るわけではないので、あくまでメタファーとして使われている言葉で、日本語だとイメージしにくいかもしれませんが、水がなみなみと注がれた大きなボウルを、中身がこぼれないように、目的地に到着するまでバランスよく支えるようなイメージに近いかもしれません。

ワークショップでは、アジェンダが明確な会議とは異なり、目標やプログラムが用意されながらも、固定観念にとらわれない発想や、対話から多様な意味が生みだされるプロセスを奨励するために、計画時に想定していなかった展開が多々起こります。

他方で「なんでもあり」になってしまっては、目標から大きく逸脱したまま「時間切れ」となってしまうリスクもあります。そのような危うい状況では、参加者は安心して創造性を発揮することができないでしょう。

参加者が自由な発想と対話に集中しながらも、課題のデザインの際に設定したワークショップ全体の目標が達成されるように、課題解決のプロセスを支えること。それが、場をホールドするということです。

水が注がれたボウルの中で自由に泳ぐ参加者にとって、ボウルを支える ファシリテーターの存在は、認識の俎上にあがらないかもしれません。けれ ども、ファシリテーターがボウルから目を背けて、支える手を緩めてしまえ ば、たちまち水はボウルの外へと飛び散ってしまうでしょう。

これは、参加者を誘導したり、場をコントロールすることとは明確に異な ります。あくまで、参加者の主体性と創造性が発揮される環境をつくるため の「黒子」として、場が傾かないように、場においてどのような動きが生ま れているかを感じながら、しっかりと支えるのです。

観察を通して場の状態をつぶさに把握しながら、時に「即興力」を使って プログラムを変更したり、「リフレーミング力」を使って場の視点を揺さぶ りながら、時間内に目標が達成されることにコミットすること。

ゴールを押しつけたり、走る方向を誘導するのではなく、課題解決のプロ セスに対して、参加者のエネルギーが十二分に発揮されることにコミットす ること。

場のホールドとは、コアスキルを総動員して繰り広げるファシリテーショ ンそのものといえるかもしれません。

5.3.
ファシリテーターの芸風

ファシリテーターの芸風とは

以上の六つのコアスキルを駆使して、作成した問いを参加者に伝え、問い が深まる様子を見守り、必要に応じて問いを調整したり、新たな問いを投げ かけることが、ファシリテーターの基本的な役割です。

ただし、コアスキルのすべてが満遍なく得意である必要は、必ずしもあり ません。たとえば「即興力」が苦手な人は、事前に入念にプログラムをデザ インしておくことで不測の事態を低減するなど、ファシリテーションの不得 手を補うことはできます。

また、コアスキルが補完関係にある別のファシリテーターとタッグを組み、 ペアで進行することで、苦手なスキルをお互いにサポートすることも可能で

す。ファシリテーターとして、すべてのスキルを完璧に身につけておかなく
てもよいのです。

　ファシリテーターとして熟達するためには、苦手なスキルを鍛えることも
大切ですが、自分の得意とする強みを伸ばすことを意識するとよいでしょう。
ファシリテーションを熟達するためには、ファシリテーターそれぞれに「芸
風」のようなものが存在することを、理解しておくも大切です。

　筆者（安斎）が行った、熟達したファシリテーターの技に関する調査研究
でも、当日の立ち振る舞いや、背後にある価値観は、ファシリテーターによっ
て多種多様であることが確認できました。

　ここでは、ファシリテーターの「芸風」について、紐解いていきましょう。

　ファシリテーターの「芸風」を決める要素は、「コミュニケーションスタン
ス」「武器」「信念」の三つに分解することができます。

　ファシリテーターの芸風
（1）場に対するコミュニケーションスタンス
（2）場を握り、変化を起こすための武器
（3）学習と創造の場づくりに関する信念

芸風（1）場に対するコミュニケーションスタンス

　ファシリテーターと一口にいっても、よく喋る人もいれば、ほとんど喋ら
ない人もいます。まず参加者の日常の悩みを聞くところから始める人もいれ
ば、自ら口火をきって非日常の世界へ誘っていく人もいます。論理的な整理
を好む人もいれば、場の感情を第一に進行する人もいるでしょう。

　これらは、場に対するコミュニケーションのスタンスの違いです。ファシ
リテーターのコミュニケーションスタンスの違いは、図8の2軸のマトリク
スで整理可能です。

　縦軸は、「参加者に対して自ら働きかけ、触発しながら進行していくタイプ」
か、「参加者の意見や対話に耳を傾け、それを共感的に受けとめながら進行
していくタイプ」かを表しています。

図8　場に対するコミュニケーションスタンスの整理

　横軸は、「場に関わる際に論理的なコミュニケーションを重視するタイプ」か、「場に関わる際に感情的なコミュニケーションを重視するタイプ」かを表しています。

　それぞれのタイプの特徴は表5のようにまとめられます。

　ファシリテーターによっては、はっきりとどこかのタイプに当てはまる人もいれば、「コミュニケーションは感情寄りだが、場を触発するか共感するかは対象者や課題によって変わる」といった人もいるでしょう。

　興味深いことに、初心者であればあるほど、自分の元々のコミュニケーションの特性とは真逆のタイプに対して、ファシリテーターとしての憧れを抱く傾向があります。たとえば、あまり自分からリーダーシップを発揮して話しかける性格ではなく、職場や友人とのコミュニケーションは「共感×論理タイプ」にもかかわらず、「ファシリテーターは感情を露わにしながら、場に積極的に働きかけなければならない」といった固定観念を抱き、本来得意であるスタンスとは真逆のスタンスを目指してしまう、といった具合です。

①触発×感情タイプ	参加者の内発的動機を刺激する提案をし、活動へと誘っていくタイプ
②触発×論理タイプ	場に対して説得的な切り口や枠組みを提案し、思考を刺激するタイプ
③共感×論理タイプ	参加者が話していることを客観的に受けとめ、思考を整理するタイプ
④共感×感情タイプ	参加者の本音に耳を傾け、共感しながら対話の場をつくっていくタイプ

表5　ファシリテーターのコミュニケーションスタンスのタイプ

自分の苦手なコミュニケーションスタンスを無理にとろうとすると、不自然な立ち振る舞いになっていきます。自分がパフォーマンスを発揮しやすいコミュニケーションスタンスを理解し、その特性を活かしてファシリテーションをするとよいでしょう。

芸風（2）場を握り、変化を起こすための武器

第二に、実際にワークショップの場をホールドしたり、学習や創発の変化を生みだしたりしていく際に、ファシリテーターとして何を武器にしているか、ということも、芸風に大きく関わります。

前述したコミュニケーションスタンスそのものを武器にしているファシリテーターもいれば、たとえば「対話のプロセスをリアルタイムで図解することができる」「マーケティングの知識と方法に習熟している」「最新のテクノロジーのトレンドに詳しい」「金融の専門家である」「漫談が得意」など、特定の技術や専門知を「武器」にしているファシリテーターも少なくありません。

前述した六つのコアスキルのうち、他のファシリテーターに比べて得意なコアスキルがあれば、それを武器としてもよいでしょう。理想的には、コミュニケーションスタンス、コアスキル、専門知識など、複数の強みを組み合わせて、自分らしい武器を確立できるとよいでしょう。

筆者らは、大学の教員であるという職業特性と、「触発×論理タイプ」というコミュニケーションスタンスに、研究で得た幅広い知識を組み合わせながら、もともと得意だった「天邪鬼思考」を活かしたコアスキル「リフレーミング力」を武器にしています。

芸風（3）学習と創造の場づくりに関する信念

最後に、ワークショップの実践の背後にどのような信念を持っているかも、ファシリテーターにとって多種多様であり、芸風に大きく影響します。

信念とは、言い換えれば、ワークショップにおいて何を望ましいと思うか、学習や創造のプロセスはどうあるべきか、ということに関する価値観です。プロセスの望ましさは、定義した課題によって規定されますが、前提として、ワークショップという場がどうあるべきか、ファシリテーションとはどうあるべきかという価値観が、場に影響を与え、芸風として作用します。

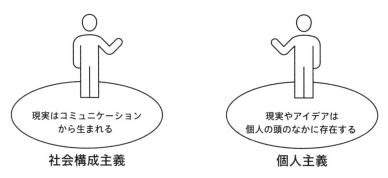

あなたはどちらの信念を持ったファシリテーター？

現実はコミュニケーション
から生まれる

現実やアイデアは
個人の頭のなかに存在する

社会構成主義　　　　**個人主義**

図9　ファシリテーターの信念の違い

　たとえば、1章で紹介した「社会構成主義」を例に考えてみましょう。対話の重要性を考える上での背景理論となっている社会構成主義ですが、この概念を体感的に理解し大切にしているファシリテーターと、あまり重視していないファシリテーターでは、ファシリテーターとしての信念は大きく変わります（図9）。

　社会構成主義とは、私たちの現実の認識は、客観的に測定できるものではなく、関係者同士のコミュニケーションによって意味づけられ、合意されることで形成される、という考え方です。

　これに対置される考え方の一つは「個人主義」です。現実やアイデアは「個人の頭のなか」に存在すると考え、対話による意味の生成や集団の関係性を重視しない考え方です。

　無意識のうちに「個人主義」を価値観の前提としているファシリテーターは、ワークショップを、個人のアイデアの情報収集や投票の場として考えます。結果として、ワークシートに個人のアイデアを記入させたら、グループで個人のアイデアを共有する時間はとるものの、グループワークでお互いの意味づけをすり合わせたり、新たに意味を生成したりすることなく、個人のアイデアをブラッシュアップさせることに重きを置きます。

　また、組織の問題解決や地域のアクションプランについて、関係者の合意を形成する際にも、対話によって合意を形成するのではなく、多数決など個人の意見の投票によって意思決定することを自然と好みます。大切なことは、

個人の頭のなかにあると考えているからです。

　「社会構成主義」を信念とするファシリテーターが、「個人主義」を信念とするファシリテーターのワークショップを見ると、「まるでグループインタビューのようだ」「まるで選挙の投票のようだ」と違和感を覚えるでしょう。

　逆に、個人主義のファシリテーターは、社会構成主義のファシリテーターのワークショップは、場から生まれた成果物が、いったい誰の意見なのか、アイデアの所在が曖昧で、モヤモヤするかもしれません。

　筆者らは、いうまでもなく、社会構成主義を信念の基盤としています。組織の“問題”は関係性のなかにあり、問いを起点とした創造的対話によってそれらが解決されていくプロセスを、数え切れないほど目撃してきたからです。

　もちろん1人の卓越したアイデアによって場が揺り動かされる場面もたくさんありますが、1人のアイデアに固執してしまうと集団の思考がその個人を越えられなくなってしまいます。そして、その関係性の変化を経験したことが個人を変え、変化した個人が変わることでまた関係性が変化します。その循環こそが創造的対話のメカニズムそのものなのです。

　他にも「ワークショップにおいて何を“参加”と捉えるか」「参加者全員が活発に発言することが望ましいと考えるか」「ファシリテーターはどれくらい積極的に場に介入すべきか」「プログラムはどの程度自由であるべきか」などの考え方にも、ファシリテーターの実践観や信念がよく現われます。

　このような、ワークショップにおいて「何が望ましいか」を規定する信念は、幼少期から形成された価値観に加えて、ワークショップの実践経験を積んでいくなかで磨かれ獲得されていくもので、熟練したファシリテーターであれば必ず複数の信念を保有しています。

　こうした信念は、自分自身のスタンスや武器をどのように使うか、の背後にある判断基準といってもよいでしょう。無意識のうちに、どのような価値観を信じているか。学習や創造のプロセスはどうあるべきだと考えているか。こうした自身の信念を定期的に振り返る機会を持つとよいでしょう。

　以上、ファシリテーターの「芸風」を「コミュニケーションスタンス」「武器」「信念」の三つに分解しながら、「芸風とは何か」について整理してきました。

　「芸風」とは、「芸の仕方」や「持ち味」という意味です。個人に本来的に

内在している特性だけでなく、後天的に獲得した技術や方法論が入り混じったもの、として捉えられる言葉です。

　「個性」というとなかなか変えられないし、変える必要がないものであるような印象を受けますが、「芸風」は試行錯誤によって学習可能である、というところが重要です。俳優や芸人がキャリアの熟達の過程で芸風を変えることがあるように、ファシリテーターもまた、己の芸風を大切な拠り所にしながらも、変容可能なものとしてアップデートし続けることが重要なのではないでしょうか。

5.4.

対話を深めるファシリテーションの技術

　本節では、前節までに解説してきたファシリテーターのコアスキルと芸風を踏まえながら、具体的にワークショップのプログラムに沿ってどのようにファシリテーションをしていくか、解説します。

「導入」のファシリテーション

　まず、ワークショップのプログラムの最初の段階である「導入」についてです。「導入」のファシリテーションは、熟練したファシリテーターが最も気を配っているフェーズです。

ワークショップに参加する態度を形成する

　「導入」のファシリテーションにおいてすべきことは、第一に、ワークショップの背景を丁寧に説明し、プログラムに参加する態度を形成することです。

　唐突にプログラムの流れなどの事務的な連絡から入ってしまっては、参加する意義が感じられず、受動的な参加態度になってしまうでしょう。少しじっくり時間をかけて、ワークショップを開催するに至った経緯などの背景、どんな課題にどのようにアプローチするためにワークショップを企画したのか、「課題のデザイン」のフェーズで考えたことを丁寧に参加者に共有する必要があります。

　ワークショップとは、普段とは異なる視点からテーマにアプローチする非

215

日常的な場です。参加者が日常のしがらみや普段の会議のモードから少し離れて、「今日はいつもと違う角度から考えてみよう」「他の人の意見にも耳を傾けながら、このテーマについてじっくり考えてみよう」と思ってもらえるように、設定したテーマの切り口の面白さが伝わるように説明し、興味や関心を惹きつけることを意識するとよいでしょう。

テーマが壮大であったり、組織や社会レベルの視点が強い場合には、イントロダクションやアイスブレイクで「あなたは〜」「皆さんは〜」といった、「二人称の問い」を意識的に投げかけ、自分ごと化を促すことも重要です。

一言でシンプルに惹きつけられる問いが理想的ですが、無理に一つの問いで惹きつけようとせず、定義した課題に関連する複数の問いを投げかけることも有効です。

たとえば、これまで繰り返し紹介してきた「Ba Design Workshop」においても、「場とは一体何でしょうか?」「あれは"良い場"だったな、というとき、その良さとはどこからくるのでしょうか?」「場をデザインするとは、どういうことでしょうか?」「空間をデザインすることとは、何が違うのでしょうか?」などと、複数の角度から問いを投げかけて参加者をテーマに惹きつけた上で、「皆さんは将来カフェを経営するわけではないと思いますが、本日は未来のカフェをデザインすることで、場のデザインについて考えていきたいと思います」といった具合に、導入しています。

参加者への動機づけは、丁寧にするに越したことはありません。筆者(安斎)自身も、イントロダクションの動機づけをおろそかにしてしまったために、せっかくデザインしたプログラムをうまく機能させられなかった経験があります。まさに前述した「Ba Design Workshop」で、レゴブロックで未来のカフェをデザインすることをテーマにしたワークショップで、参加者を公募で集めました。

筆者はてっきり、このワークショップに参加している時点で、「レゴブロックで未来のカフェをデザインする」活動に参加者は動機づけられていると考えていました。

ところが、ある回のワークショップのイントロダクションの段階で、顔を曇らせている参加者がいたのです。ワークショップの趣旨を説明している間、腕を組んで首を傾げている。「知る活動」のワークに進んでも、その参加者

だけ、付箋の記入が遅く、集中していない様子です。「どうかしましたか？」「わからないことがありますか？」と尋ねてみても、「うーん…」という様子です。完全に眉間に皺を寄せ、明らかにワークに納得していない様子だったので、「何が気になりますか？」と尋ねると、「なぜカフェをつくらなきゃいけないのかがわからない」と言うのです。

当時の筆者はこれにはとても驚きました。告知文を読んで参加をしてきている時点で、活動に取り組むことには合意ができていると思い込んでいたからです。

話を詳しく聞いてみると、意外に疑問はシンプルで、「自分は場のデザインには強い関心を持っていて、このワークショップも楽しみにしていた。けれど、場にはさまざまなものがあるなかで、なぜカフェをつくらなければいけないのかがわからない」という素朴な疑問でした。

筆者は、筆者自身がカフェ好きであること、多くの人にとって馴染みがある題材であること、パリのカフェ文化には場のデザインのヒントがたくさんあることなど、理由を説明しました。

すると、その参加者は途端に霧が晴れたように「なるほど、わかりました」と納得し、その後のワークは別人のように集中し、とても興味深いカフェのアイデアを生みだしてくれました。

ワークショップの参加者の動機は人それぞれで、活動内容に「面白そうだからやってみたい」と惹かれている場合もあれば、テーマに対して「考えてみたい」「学びを深めたい」と興味を持っている場合もあります。ファシリテーターがイントロダクションですべきことは、多様な参加者の目線を揃えて、全員が「なぜこのワークショップに参加するのか」ということに納得する状況をつくりだすことなのです。

ファシリテーターのスタンスを場に表明する

「導入」のファシリテーションにおいて第二にすべきこととして、ファシリテーターとしてのスタンスを場に表明することも重要です。

事前にクライアントの窓口の担当者や責任者と対話を重ねて、フラットな関係性で「課題のデザイン」をできていたとしても、ワークショップの当日に初めて出会う参加者にとっては、ファシリテーターに対して何か答えのよ

うなものを教えてくれる専門家、もしくはコンサルタントか何かだと勘違い
される場合も少なくありません。

　筆者らのもとには多様な専門領域から問いのデザインやワークショップデ
ザインの依頼が寄せられます。自分が得意な分野からの依頼もあれば、そう
でないものもあります。

　ここでは、ファシリテーターが無知な領域のファシリテーションと、詳し
い領域のファシリテーションについて、対比しながら解説しましょう。

無知な領域のファシリテーション

　たとえば、変革が激しい金融業界からワークショップの依頼があったとし
ましょう。筆者らはそんなとき、「私は金融の専門家ではないので、皆さん
の代わりに答えを出すことはありません」とワークショップのイントロダク
ションにおいて宣言します。

　主催者とは念入りに打ち合わせをしておく必要が当然ありますが、参加者
の一部はその宣言を聞いて一瞬怪訝そうな表情をします。そこですかさず、
「その代わり、皆さんが普段考えたことのないまったく異なる視点で、徹底
的に深く考える時間を一緒につくらせていただきます」と、自分たちがファ
シリテーションをする場に参加する意義をしっかりと伝えるのです。テーマ
に対する答えは持ち合わせていないが、ともに考えを深める伴走者であるこ
とを伝え、場をホールドしながら参加者との関係構築を試みます。

　「新たな信用」「一秒与信」は、銀行マンの幹部研修や新入行員研修で最近
リクエストの多いワークショップのテーマです。今金融の世界で、ネット
通販の取引履歴で返済能力が常に計算されて借入の可否が一秒で判断される
サービスがあるのですが、これは既存の銀行にとっては脅威以外の何物でも
ないのです。

　筆者らはもちろん金融の専門家ではないので、込み入った銀行の話はほと
んどしません。その代わり、たとえば「新しいレストランを探すときに、皆
さんは権威あるランキング本の星の数か、グルメサイトの口コミの点数か、
どちらを信用しますか？」と尋ねるのです。

　参加した銀行マンも自分の専門分野については表情も硬く、また信じたく
ないという想いからか、批判的で警戒するような姿勢になりがちなのですが、

ふと身近な話題となるとストンと時代の変革を納得する瞬間が訪れます。そのときすかさず「では、金融の世界でいうグルメサイトは何を意味しますか?」と尋ねることで、金融に最も詳しい参加者たちが新しいしくみについて自分ごととして考え始めるのです。

　無知な領域のファシリテーションは、ワークショップのイントロダクションの説明の仕方に工夫が必要ですが、いったん動きだせば参加者にとっては自分ごととして深く考えてもらいやすいという効果もあります。

　他方で、ファシリテーター自身が客観的な立場を貫くあまりに、テーマに対して距離感が生まれすぎてしまい、「他人ごと」のスタンスになってしまってはいけません。ファシリテーターは課題解決のための「黒子」ではあるものの、課題解決のプロセスには責任を持たなくてはなりません。

　筆者(安斎)が、以前にある地域の課題解決のワークショップのファシリテーションをしていたときのことです。筆者はその地域の「余所者」でしたから、地域の課題に関して、自分自身が踏み込んだ意見を述べないように、客観的な立場を意識して場に関わっていました。

　すると、その地域に長年住んでいる参加者から「お前の意見はどうなんだ!」と、突然怒鳴られたことがありました。

　筆者は困惑しながらも反省し、「外から見ている私にとっては、この地域はこのように感じ、このように思いました」「けれども、私はあくまで余所者ですから、皆さん自身が納得のいく答えに辿り着くまで、責任を持ってサポートします」と、自分の意見を述べながらも、伴走者であるスタンスを改めて表明しました。

　答えは持ち合わせていないが、答えに辿り着くプロセスには責任を持っている。そのようなスタンスを場に共有することは、場をホールドすることにもつながるでしょう。

　1章で述べた通り、ワークショップで投げかける「問い」は、相手の答えを引きだす「質問」や、生徒に気づきを与える「発問」とは異なり、その場にいる誰もが気づいていない答えに辿り着くためのトリガーです。

詳しい領域のファシリテーション
　今度は逆に詳しい専門領域でのワークショップの場合はどうでしょうか。

たとえば、筆者らでいえば学習環境デザインやロボット、情報、伝統産業などの専門分野でワークショップをデザインすると、学生時代に読み込んだ無数の論文から具体的なモデルや研究者の名前が浮かんできます。ほかにも自動車、家電、情報サービス、住宅などは、ワークショップデザインの依頼も多く、結果として現場の課題や最先端技術について詳しくなったものもあります。

　しかし、そこでもテーマとなる専門領域の知識や業務経験を参加者に誤った伝え方をしてしまうと、参加者との関係が指導者と受講生のような一方通行の上下関係として固定化してしまうことが懸念されます。一度参加者が受動的になってしまうと、なかなか主体的な思考や対話を引きだすのが難しくなってしまいますし、ファシリテーター自身がそのような意図を持たなくても、せっかく辿り着いた課題解決のアイデアも、実は誘導してもらった結果であって、自分たちとしての達成感が得られない可能性もあります。

　確かに、専門知識はとても重要です。特に情報を構造化するときに役立ちます。たとえば、参加者の議論が特定の方向に偏っているとき、情報が不足するとき、できるだけ具体的な情報を提供することができれば、バランスのよい議論を参加者にしてもらうことができます。

　これは答えを隠し持つというのとは意味が異なります。答えを知っていれば、打ち合わせの段階で話せばいいわけですし、アイデアもそれで事足りるならワークショップを開催する意味そのものがありません。専門領域の知識は、それで課題が解決できるわけではなく、議論のバランスや不足する情報を補うことに有効なのです。

　また、同じ課題を抱えるまったく別のアナロジーを引きだすことによって、参加者の思考を刺激することもできるため、できるだけ多様な専門領域の知識を豊富に持っていれば持っているほど効果的なファシリテーションが実現できることはいうまでもありません。

　ただし、その伝え方を誤れば参加者を受け身にしてしまう危惧があることを常に心に留めておく必要があります。もし当該テーマに近しい専門領域の知識や経験がある場合には、それをひけらかさず、そっと参加者の足元において去るような姿勢が求められます。

　参加者に答えを求める質問者でもなく、答えを与える先生でもなく、ワークショップのファシリテーターは、問いを媒体としながら創造的対話の機会

を生みだすことで、全員が納得する答えに辿り着くまでの支援者なのです。この新奇な役割そのものをしっかりと表明し、場に共有することで、より一つ一つの問いが活きることになります。

「知る活動」のファシリテーション

「知る活動」では、ファシリテーターやゲストから知識や情報の話題提供をしたり、参加者同士の意見交換を促したりすることで、「創る活動」に向けた「種まき」をする時間です。

話題提供については、ファシリテーターのコアスキルのうち「説明力」が物をいいます。参加者の活動が中心のワークショップにおいて、ファシリテーターが長々と講義をしては本末転倒で、参加者の主体性や対話の機会を奪ってしまいます。

配布資料やスライド資料にも工夫しながら、必要な情報を簡潔に伝えます。大事なことは、話題提供をしたことによって、参加者の思考を停止させないことです。あくまでその後の試行錯誤や創造的対話のための種まきであることに留意し、参加者の経験と結びつけるような問いかけをしたり、情報を咀嚼する時間をとるなどして、参加者の主体性を保ちます。

話題提供を通して何について考えを深めたかったのか、提供した情報をどのように活用してほしいのか、「創る活動」への接続を意識して丁寧に説明するとよいでしょう。

参加者同士の意見交換を促す場合についても、ファシリテーションの工夫が重要です。「知る活動」で参加者の意見交換を挟む理由は、参加者がテーマを自分ごと化して、過去の経験を掘り起こしたり、テーマに対するこだわりを発現させたりするためです。プログラムデザインの段階で、過去の経験を探索する問いや、価値観を探索する問いを設定するのはこのためです。

たとえば「あなたがこれまで経験した居心地が良かった場は？」という問いをもとに、意見交換を促す場面を思い浮かべてみましょう。ファシリテーターは、参加者が誰かに忖度することなく率直に自分の経験や価値観を振り返られるように、改めて「この問いに正解はありません。皆さん自身がこれまで経験してきたことに、何かヒントがあるかもしれません。どんな経験でも構いませんので、付箋に書きだしてみましょう」などと、問いに答える心

理的安全を担保したり、あるいは「たとえば、私自身の経験談になりますが…」などと、ファシリテーター自身が答え方のサンプルとして、自己開示をしたりすることも有効です。

「創る活動」のファシリテーション

「知る活動」までの「種まき」を活かして、「創る活動」では、グループで対話を深めて、新しいアイデアを生みだしていきます。「創る活動」のファシリテーションは、改めて「説明力」を発揮して、設定した課題の要件と背景を明確に伝えることです。特に遊び心やひねりを入れた問いを課題として設定している場合には、「なぜその問いなのか」について、丁寧に説明しておく必要があるでしょう。

「創る活動」の課題を伝える際の注意点は、一つには、「知る活動」と切り離されないように注意することです。せっかく「知る活動」で、付箋紙に意見を書き連ねて共有し、種がまかれていたとしても、「創る活動」の制作課題に取り組んでいるうちに、そちらに没入してしまい、「知る活動」で温めた意見や考えが忘れさられてしまうことが起こりがちです。

ファシリテーターは、何のために「知る活動」をやっていたのか、「創る活動」にどのように接続されているのか、問いと問いのつながりを明示することが大切です。

たとえば「先ほど付箋に書きだした"居心地の良さの要因"に、ヒントがたくさんあるはずです。これらを参考に、居心地の良い図書館のプランを考えていきましょう」などと、一言添えることによって、活動が分断されないように気をつけましょう。

もう一つの注意点は、「創る活動」に取り組んでいるうちに、提示された問いを忘れてしまうことを防ぐことです。「創る活動」は、プログラムのなかで最も長い時間をかけるケースが多いでしょう。手や身体を動かす活動が採用されている場合はなおさら、制作に取り組んだり、対話を深めているうちに、次第に新しい問いが頭に浮かび、話題が発展していきます。そうすると、最初に提示された課題の要件をすっかり忘れてしまい、ファシリテーターの意図とは異なる方向に脱線したり、要件について十分に話し合えなかったりということが起こりがちです。

コアスキルの「説明力」で述べた通り、パワーポイントやキーノートなどのスライド資料を会場に大きく映しだしたり、大きな紙に印刷したりして問いを明示して、「創る活動」の間、常に問いを参照できるようにしておくとよいでしょう。

三つのレベルで「創る活動」を観察する

「創る活動」は、課題設定がうまくいき、その課題をうまく伝えられたら、ファシリテーターは基本的には参加者が制作や対話を通して問いを深めていくプロセスを見守ります。無理にグループワークに介入する必要はなく、参加者が主体的に対話を深め、順調に気づきが生まれているときは、盛り上がりにあえて水を差す必要もありませんから、ほとんど介入をしないまま「創る活動」を終えてしまうケースもあります。

そういったケースであっても、コアスキルの「場の観察力」を活用して、「創る活動」がうまくいっているかどうかを、①場レベル、②グループレベル、③個人レベルの三つのレベルから観察しておく必要があるでしょう（図10）。

①場レベルの観察

場レベルの観察とは、ワークショップが全体としてうまくいっているかどうか、問いが参加者全体に受け入れられているかどうか、「鳥の目」で俯瞰する視点です。

場を俯瞰して見ていると、参加者全員が問いの意図を理解し納得しているかどうか、制作や対話に集中できる状態かどうか、感じとることができるはずです。参加者が問いを受け入れていないときは、首を傾げたり、隣の参加者に「どういうこと？」と尋ねたり、表示しているスライドの問いの文言を何度

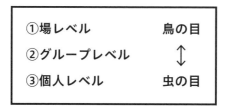

図10　観察の三つのレベル

も確認したりする様子が散見され、どこか場が浮き足立った状態で落ち着きません。納得度が低ければ、課題に対する質問の手がいくつか挙がるでしょう。

　丁寧に問いの背景を説明し、問いが参加者全体に受け入れられると、グループの「外側」に散っていた意識がグループの「内部」に向き始め、制作や対話に集中し始めます。このようなときは、問いが場全体に馴染んでいく感覚が得られるはずです。

　「創る活動」の最中は、場がワクワクしているのか、モヤモヤしているのか、ザワザワしているのか、すべてのグループが目の前の問いに対して集中している状態かどうか、モニタリングし続けます。

②グループレベルの観察

　グループレベルの観察とは、個別のグループでどんな話し合いがなされているかを丁寧に観察する視点です。場全体を観察しながら、気になるグループがあれば、もう少し解像度を高めて、グループの様子を見守ります。

　提示された問いをどのように解釈し、どのような切り口で取り組んでいるのか。課題に対するグループ全体の熱量はどうか。全員の姿勢はどうか。前のめりになっているか。立ち上がっているか。まだ様子を見ている状態か。グループのなかでリーダーシップを発揮している人は誰か。1人1人はどのような関係性か。乗り切れていない人はいないか。口数の少ない人はいないか。その人は今どのような役割を負っているか。このようにグループの関係性に目を向けて、創造的対話が展開されているかどうかを観察します。

③個人レベルの観察

　個人レベルの観察とは、グループにおける個人の振る舞いを「虫の目」で観察し、内面で起きていること想像することです。前述した通り、表情や姿勢、目線などを観察することで、参加者が今何を考えているかを想像します。

　参加者が大勢いるワークショップにおいて、1人1人の参加者を個人レベルで観察することは現実的ではありません。場レベルの観察、グループレベルの観察を通して、気になったグループメンバーが見つかった場合に、丁寧に観察すればよいでしょう。

このように、三つのレベルを往復しながら「創る活動」の様子を観察し、介入の必要がなければ見守り続け、介入が必要であれば具体的にサポートやプログラムの調整をします。

特に、プログラムデザインの際に意識した場の「視座」を常に把握しておくと、介入の必要性が察知しやすくなります。

たとえば、組織レベルの視座で、未来に目を向けて対話をしてほしいときに、自分の過去の経験の共有で盛り上がっているグループがあれば介入し、グループメンバーの共通点を探ったり、意味づけを促したりすることで、視座を話し合ってほしいテーマに、より接近させていく介入が必要でしょう。

逆に、場で話されていることがどこか他人ごとで、会社や社会ばかりが主語になっている場合は、「あなた自身は個人的にどう思いますか？」「あなただったらどのようにしますか？」などと、二人称の問いを意識的に投げかけ、個人の視座を促すことが必要でしょう。

「まとめ」のファシリテーション

「まとめ」のフェーズでは、「創る活動」によって生まれた創造的対話の成果を、各グループから全体に共有していきます。制作課題を設定していた場合には、お互いの作品を発表し、鑑賞する時間をとります。これは言い換えれば、問いから立ち上がった「意味」の数々が、場に発露する瞬間です。

ファシリテーションの初心者にとっては緊張を感じる場面かもしれません。発表された内容について、気の利いたコメントを返さなければならないというプレッシャーがあるためです。

しかしながら、このフェーズでファシリテーターは気負う必要はありません。プログラムデザインの段階では想定しきれていなかった予想外の「意味」が飛びだすことを楽しみに、純粋な好奇心を持って、発表に耳を傾けるとよいでしょう。予定していた終わりの言葉を予定通り並べるよりも、むしろその場で手に入れたばかりの予想していなかった言葉こそ、全体にフィードバックすべきなのです。

問いに対する答えはファシリテーターも持っていなかったのですから、ファシリテーターも参加者も同じ１人の学習者です。問いに対して各グループが出した答えに素直な気持ちで対峙し、浮かび上がってきた感情を大切に

しましょう。

　素朴な疑問点があれば、それを投げかければよいですし、素晴らしいと思えば、素晴らしいと伝えればよいのです。どこか検討が足りないと感じたならば、それを正直に伝えれば、参加者にとっては良いフィードバックになるでしょう。良いコメントをするためには、逆説的ですが、無理に良いコメントをしようとしなくてよいのです。指導者よりは、学習者としてその場にいることが、むしろ言葉選びのコツになります。

　発表が終われば、振り返りの時間をとります。プロジェクトの設計次第では、この時間が「締め」になる場合もあるでしょうし、次に向けた「作戦会議」になる場合もあるでしょう。

　1章で述べた通り、問いを起点とした創造的対話は、また新たな問いを生みだします。この時点で、参加者の頭のなかには、「次に考えたくなっている新たな問い」が生まれかかっているはずです。

　振り返りの時間では「わかったこと」や「次のアクション」について話し合うことも大切ですが、同時に「わからなくなったこと」も意識的に問いかけるとよいでしょう。次につながる新たな問いを場に可視化することで、問いのサイクルを回転させ続けることも、ファシリテーターの重要な役割です。

　すべての問いがその場で解決されるよりは、持ち帰りたくなるような問いがたくさん生まれる場こそが、創造的対話の場だということをもう一度ここで言葉にしておくと、参加者も心地良く問いを持ち帰ることができるようになります。

5.5.
ファシリテーションの効果を高める工夫

4タイプの即興の問いかけを駆使する

　ここまで見てきた通り、ファシリテーターはプログラムデザインの段階で用意していた問いを投げかけながらも、その問いを活かすための補足の問いを重ねたり、参加者の反応に合わせて別の問いを投げかけたり、状況に応じた問いかけを臨機応変に駆使することが求められます。

①シンプル・クエスチョン	参加者の意見に対する素朴な疑問
②ティーチング・クエスチョン	参加者に意図的な気づきを与えるためのフィードバック
③コーチング・クエスチョン	参加者の意欲、思考、価値観を引きだすための問いかけ
④フィロソフィカル・クエスチョン	学習テーマをより深めるための探究的な問いかけ

表6　ファシリテーションの即興的な問いかけ

　このようなファシリテーターの即興的な問いかけは、その目的や機能によって、以下の四つのバリエーションに分類されます（表6）。

①シンプル・クエスチョン

　いわゆる「素朴な疑問」です。

　特にワークショップのプロセスデザイン上の意図はなく、参加者の発言や行動、グループから発表されたアイデアなどに対して、わからなかったことや、素直に気になったことについて、ファシリテーターから質問するパターンです。

　ワークショップの目的に合わせた「変化を起こすための意図的介入」ではなく、単に「わからないから尋ねる」類のものです。偶発的に、これがきっかけとなって、コミュニケーションが深まることもありえるでしょう。

②ティーチング・クエスチョン

　思考や対話を深めるべき方向性や視点がそれなりに明確であるにもかかわらず、参加者の思考や対話のプロセスにおいて検討されていない視点があった場合に、ある種の教育的な意図を持って介入するパターンです。

　たとえば、観光客と住民の両方のニーズを満たす観光施策を考えることが課題であるにもかかわらず、ワークショップの話し合いが観光客の目線に偏っていて、住民のニーズがあまり検討されていない場合に「このアイデアを実際にこの地域で実行する上で、懸念はありませんか？」「住んでいる人にとっては、どのようなメリットがありそうですか？」などと投げかけるこ

とで、欠けていた視点への気づきを促すのです。

　企業研修や学校の授業など、教育目標がはっきりしている場合には頻発する問いかけですが、ワークショップにおいてもまったく出ないわけではありません。

③コーチング・クエスチョン

　コーチングのスタンスのように、参加者のなかにある意欲や思考、価値観などをより引きだすための問いかけです。

　ワークショップの思想上、ティーチング・クエスチョンよりも、こちらの方が頻出するのではないでしょうか。気づかせたい視点や、誘導したい正解があるわけではなく、参加者の意見を引きだすことで、コミュニケーションを前進させたり、気づきを深めるための介入です。

④フィロソフィカル・クエスチョン

　日本語にすれば「哲学的な問い」です。ワークショップに設定したテーマをより深めるための探究的な問いかけです。

　課題の定義によっては、もともと哲学的な問いをプログラムに設定してある場合もあるでしょうが、そうでない場合であっても、当日の状況のなかで、偶発的に生まれた参加者の発言や振る舞いを起点に、「哲学的思考」を駆使して問い直すことは場の探究を深める上で有効です。

　参加者が対話のなかで繰り返し同じ言葉を使っているときなどは、フィロソフィカル・クエスチョンを投げかけるチャンスです。

　たとえば、新しい加工食品のアイデアを考える商品開発プロジェクトにおいて、問いの文言に設定していなかったにもかかわらず、複数のグループから「健康的な加工食品」というキーワードが生まれていたとしましょう。

　このように、複数のグループから偶発的に類似ワードが飛びだしてくることは、ワークショップにおいては少なくありません。このようなことが起こると、グループが共鳴したかのように盛り上がり、この方向性にこそ、課題解決のブレイクスルーがあるかのような感覚になっていきます。

　そういうときこそ、ファシリテーターは冷静に「哲学的思考」を発揮して、「そもそも、健康的とはどういうことでしょうか?」「加工食品を食べること

タイプ	問う側		問われる側
①シンプル	答え持っていない		不明
②ティーチング	答えを持っている	気づかせる →	答え持っていない
③コーチング	答え持っていない	引きだす ←	答えを持っている
④フィロソフィカル	答え持っていない	共に考える ← →	答え持っていない

表7　問いかけの答えは誰が持っているか

は、健康的なのでしょうか？」などと、場に投げかけるのです。そうして、問いかけの力で場の試行錯誤をもう一段深めることで、探究をドライブさせていくのです。

　以上のファシリテーションの即興的な問いかけの4パターンは、問いかけにおいて、期待される答えの在り処が異なります（表7）。

　ファシリテーターを観察していると、シンプル・クエスチョンが好きな人、コーチング・クエスチョンばかりしてしまう人、ティーチング・クエスチョンが得意な人など、咄嗟に口をついて出る問いかけの芸風は、人によって異なります。

　自分自身の傾向を把握した上で、プログラムの目的や状況に応じて使い分けられるとよいでしょう。フィロソフィカル・クエスチョンを使いこなせることは、ファシリテーションの醍醐味ではありますが、ワークショップの冒頭から連発したり、あまりにも深すぎて参加者全員が閉口してしまっては本末転倒になります。

　即興の問いかけは、全体のバランスをとりながら、会心のタイミングを探っていく必要があります。

チームによるファシリテーション

　チームを組んでワークショップを実施する際には、ファシリテーションの連携が有効です。これまで説明してきたようなファシリテーターの役割を、

①チーフファシリテーター	全体の進行・時間管理・意思決定
②フロアファシリテーター	参加者に近い距離で活動を直接的に支援
③バックファシリテーター	会場全体の安全管理などの裏方の支援

表8　チームを組むファシリテーターの役割

1人で担当する必要はないのです。

　拙著『ワークショップデザイン論』では、チームでファシリテーションをする際の役割を「①チーフファシリテーター」「②フロアファシリテーター」「③バックファシリテーター」と整理しました（表8）。

①チーフファシリテーター

　事前にデザインしたプログラムに従って、ワークショップ全体の進行と時間管理を行うメインのファシリテーターです。

　参加者全体の状況を「鳥の目」で俯瞰しながら、活動を支援します。事前にプログラムとして計画した問いを参加者に投げかけるほか、場の状況に合わせて、他のファシリテーターと連携しながら、用意していた問いを調整したり、ときに差し替えたりしながら、場全体に共有される問いをコントロールします。

　ワークショップの成否に責任を持って場をホールドし、プログラムの修正など重要な意思決定をする必要があるため、課題のデザインの段階から関わっていたメンバーが担当することが望ましいでしょう。

②フロアファシリテーター

　チーフファシリテーターの統括のもとで、より参加者に近い距離で、活動を直接的に支援するファシリテーターです。

　グループの状況や、参加者1人1人の状況を「虫の目」で丁寧に観察し、適切なサポートをします。チーフファシリテーターが投げかけた問いが場に馴染んでいない場合は、疑問や懸念を拾いあげながら、問いの背景を補足し

たり、回答の具体例を説明したりするなどして、参加者の問いの理解度を担保します。また、状況に応じて、前述した四つの即興的な問いかけを投げかけます。

フロアファシリテーターは、スタッフの人数が十分な場合は、複数名アサインし、各グループに1人ずつ配置する場合もあります。人数が十分でない場合は、会場内を自然に巡回しながら、1人で複数のグループを担当する場合もあります。

③バックファシリテーター

直接的な進行や参加者への介入はせず、ワークショップの会場全体の安全管理などを行う、いわゆる「裏方」のスタッフです。一般的に裏方のスタッフをファシリテーターと呼ぶことは少ないかもしれませんが、場の対話を深めるためには重要な役割を担っています。

役割としては、参加者の受付や、見学者の対応、写真撮影などの記録、BGMの管理、飲食の準備など、外部環境の管理を主に担当します。これ自体は、あまり「問いかけ」とは関係しませんが、スタッフのなかで最も場を俯瞰的に観察することができるので、気になることがあれば、チーフファシリテーターやフロアファシリテーターに報告し、連携をとりながら実践をサポートします。

また、映像、写真、メモなどでワークショップの様子を記録しておき、次のワークショップに活かすことも、バックファシリテーターの重要な役割です。チーフファシリテーターが、参加者のグループを網羅的に分析できないとき、バックファシリテーターの存在が頼りになります。「面白いグループがいたら教えてほしい」とバックファシリテーターに伝えておくと、俯瞰的に観察できる立場だからこそ見つけられる、面白いエピソードを見つけてくれることがあります。

課題やプログラムが複雑であったり、参加者がワークショップに慣れていなかったりして、リアルタイムで丁寧なサポートが必要な場合、そして十分な人数のスタッフがアサインできる場合には、チームによるファシリテーションはとても有効な手段です。

組織内のファシリテーターを育てる

　こうしたチームを組んでワークショップを運営することは、チーム内のスタッフのファシリテーションの経験値がばらばらの場合には、スタッフ育成の観点からも効果的なやり方です。チーフファシリテーターとしてメインで場を進行するにはやや経験値が足りなかったとしても、フロアファシリテーターやバックファシリテーターであれば責任の範囲も狭く、スタッフ同士のフォローもしやすいため、ファシリテーションの良い練習になります。

　筆者（安斎）が代表を務める株式会社 MIMIGURI では、経験年数が10年を超える熟練者も多く在籍していますが、まだ発展途上のファシリテーターもいます。そこで、すべてのプロジェクトをチームでファシリテーションすることによって、ファシリテーターの育成機会としています。

　ワークショップを終えると、すべてのファシリテーターで振り返り会を行い、プログラムの改善点や、それぞれのファシリテーターの振る舞いについて相互にフィードバックをしながら、ファシリテーションの技術をブラッシュアップできる経験学習の機会になるように運営しています。そのようにして、何度かフロアファシリテーターを経験すると、やがてチーフファシリテーターを担当することができるようになります。

　チームによるファシリテーションは、経験の浅いファシリテーターだけでなく、熟練したファシリテーターにとっても学びの機会になります。チーフファシリテーターとして一人前になっていくと、だんだんと他のファシリテーターがメインで進行するワークショップの参加機会が減っていきます。

　そこで、たまには他のファシリテーターがチーフファシリテーターとして担当するワークショップに、フロアファシリテーターとして参加してみると、「なるほど、こういうやり方もあるのか」と新たな発見があったり、「普段、自分が何気なくやっていた工夫には意味があったのだな」と自分の暗黙知が相対化されたり、良い内省の機会になるのです。

　組織やコミュニティとしてファシリテーションを実践していく際には、どのような体制で実践を運営すると、中長期的にファシリテーションの技術の学習効果が高まるか、戦略的に設計するとよいでしょう。

空間のレイアウトの工夫

　ファシリテーションの効果を高めるための工夫は、ファシリテーターの努力や、チームによる連携だけではありません。ワークショップ会場の空間レイアウトでもファシリテーションを手助けしてくれるような工夫をすることができます。

　拙著『ワークショップデザイン論』では、精神科医のハンフリー・オズモンドの研究[*5]を参照しながら、人と人のコミュニケーションのモードの違いによって、適切な家具のレイアウトがあることを指摘し、「ソシオペタル配置」と「ソシオフーガル配置」の二つを紹介しています（図11）。

　ソシオペタル配置とは、円卓やL字型ソファーのような、人間同士が向き合い、コミュニケーションがしやすい座席配置です。ワークショップの島状のグループ席は、このソシオペタル配置です。当然ながら、ソシオペタル配置は、集団で問いを深めるのに向いているレイアウトです。対話を重視した活動や、グループで何かを制作する活動は、ソシオペタル配置の空間レイアウトが望ましいでしょう。

　ソシオフーガル配置とは、空港のベンチや図書館のボックス席のような、プライバシーを重視し、コミュニケーションを阻害するレイアウトです。近くにいる人と対面するのではなく、目線が合わないように、互いに背を向けて離反的に座ります。ソシオフーガル配置は、個人で問いを深めるのに向いているレイアウトです。周囲を気にせず個人で問いに対峙したり、対話の途

図11　ソシオペタル配置（左）とソシオフーガル配置（右）

図12　グラフィックレコーディングの例（MIMIGURIの講座の記録）

中でふと立ち止まって内省したりするときは、ソシオフーガル配置の空間レイアウトが望ましいでしょう。

　ワークショップの会場は、ソシオペタル配置が主になりやすく、意識的にソシオフーガル配置を設置しなければ、個人で問いを深めるための支援がおろそかになりがちです。壁際のカウンター席をつくっておいたり、隅っこで1人になれるスペースをつくるなど、集団で問いを深める時間と、個人で問いを深める時間を行ったり来たりできるように、空間の工夫をしておくとよいでしょう。

　ワークショップは、多くの場合、机や椅子を動かしやすい空間で実施されますが、最初から最後までレイアウトをまったく変更しないワークショップが意外に少なくないことはもったいないことだと思います。

対話を可視化するグラフィックレコーディング

　対話を深めるファシリテーションの技術の一つに、対話のプロセスを可視化する、「グラフィックレコーディング」と呼ばれる手法があります（図12）。グラフィックレコーディングを行う人のことをグラフィックレコーダーと呼びます。

　グラフィックレコーディングの第一人者である清水淳子氏によれば、グラフィックレコーダーとは、人々の対話や議論をリアルタイムでグラフィックによって可視化する人のことであり、会議やワークショップの会場で、壁に

貼られた模造紙やホワイトボードにその場で話された内容をグラフィカルに
まとめ、記録する役割のことを指します。

　耳からの聴覚情報をメインに、話し合いの内容を構造的に整理したり、参
加者や場の潜在的な感情を読みとって表現する点が特徴的です。

　グラフィックを使わないファシリテーターに比べて、グラフィックによっ
て一目で場の状況や対話の内容を「見せる」ことができるため、共通理解を
構築したり、場のメタ認知を促すことができる点に、大きな強みがあります。

　対話のプロセスを記録し、問いがどのように深まっていったのかを議事録
的に振り返るための記録として活用することもできますし、対話のプロセス
にリアルタイムにフィードバックをかけることもできます。

　グラフィックレコーダーもファシリテーターのコアスキルである「場の観
察力」「即興力」「情報編集力」「リフレーミング力」「場のホールド力」を高
く有している必要があります。「説明力」の代わりに「描画力」が必要、といっ
たところでしょうか。

　MIMIGURIでは、課題が複雑であったり、予算が潤沢な場合には、チー
フファシリテーター、フロアファシリテーター、バックファシリテーター
に、グラフィックレコーダーを加えて、万全のファシリテーション体制でプ
ロジェクトに臨みます。

　喋るのが得意なわけではないけれど、グラフィックで表現したり構造化し
たりするのは得意かもしれないという人は、それを自分のファシリテーショ

ンの「芸風」として捉えて、問いを活かしたグラフィックレコーダーとして熟達していくのも一つの手かもしれません。

ファシリテーションの技術を磨き続けるために

本章では、ファシリテーションに必要な技法について、コアスキル、芸風、具体的な問いかけの技術、効果を高める工夫の面から解説してきました。

ファシリテーションの技術を磨く道に、終わりはありません。どんなに熟練したファシリテーターも、人間の認識と関係性の固定化の病いに対峙し続ける限り、「完璧なファシリテーション」というのは存在しないように思います。ある場面で完璧に思われたファシリテーションの技術が、別のある場面においてもまったく同じように機能するとは限らないからです。

それでもなお、すべてのファシリテーターは己の技術を鍛錬し学び続ける必要があると、筆者らは考えます。

第一に、ファシリテーションの技術を磨き続けることは、人間の学習と創造性の本質を探究し続けることに他ならないからです。

そして第二に、ファシリテーター自身が学ぶことを止めてしまったら、そのファシリテーターがつくる場は、本当の意味で良い学びの場にはならないと思うからです。学んでいる人の傍でこそ学びが伝播するので、ファシリテーターこそ一番の学び手であるべきです。

組織行動を専門とする理論家デイビッド・コルブは、人が経験を通して学

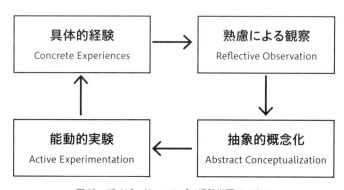

図13　デイビッド・コルブの経験学習サイクル

んでいくサイクルを「経験学習サイクル」として、図13のように定式化しました[6]。

このモデルは、企業内人材育成のさまざまな場面で、現場の学習を支援するモデルとなっています。しかしこのモデルは、短期的な学習を捉えるスコープとしては適切ですが、中長期的な実践者としての熟達を考える上では、十分ではないように思います。

第一に、このモデルは「自分自身が経験したこと」がベースになるため、いわゆる「持論」に閉じがちで、長期的に技を磨いていく上では、堅牢な実践知が形成しにくい点です。

そして第二に、自分自身の芸風の基盤となる「学習と創造の場づくりに関する信念」を問い直すような、深いリフレクションには及ばないという点が挙げられます。

これに対して、教師教育学のフレット・コルトハーヘンは、より深いリフレクションを示した「ALACTモデル」（図14）を提唱しました[7]。

コルトハーヘンによれば、「本質的な諸相への気づき」のレベルまで到達するには、学術的な知識（大文字の理論：Theory）と日常経験から形成した持論（小文字の理論：theory）の結合が必要だと指摘しています。つまり、

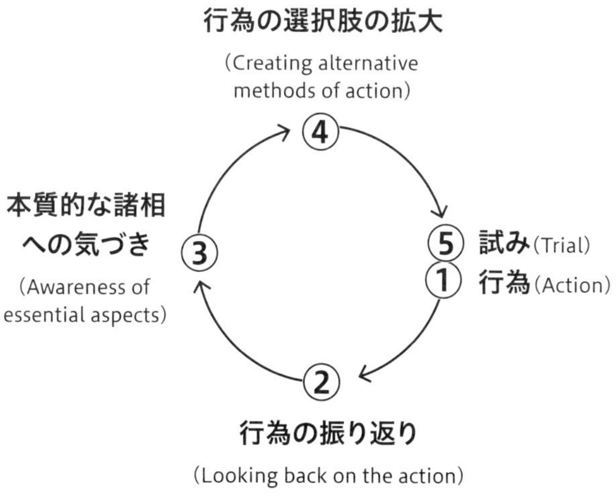

図14　フレット・コルトハーヘンの ALACTモデル

日頃の現場経験から自分だけの持論を形成するだけでなく、そこに学術的な関連理論を結びつけることで、実践知を深く強く立体化させていくのです。

　本書もまた、筆者らの現場で培った持論（theory）だけでなく、学習や創造性、人間の心理やコミュニケーションに関する膨大な理論（Theory）に基づいて執筆しています。この本の知見が、読者であるあなたの持論(theory)と結びつくことで、あなたの実践知はより強固なものとなっていくはずです。

　ちなみに筆者（安斎）が代表を務める株式会社 MIMIGURI が運営するオンラインメディア「CULTIBASE（カルティベース）」では、ファシリテーターが Theory と theory を結びつけながら学べる学習コンテンツを提供しています。本書の内容を深めるために活用してください[8]。

　次にあなたがすべきことは、本書の知見を活かしながら、能動的な実験の計画を立て、あなたの実践現場において、それを試してみることです。そこで得た具体的な経験は、次の経験学習のサイクルを回すための内省の素材になっているはずです。そのように持論を現場で育てながら、関連する理論のインプットも並行し、問いのデザイナーとして、ファシリテーターとして、技術を磨き続けるプロセスそのものを是非楽しんでください。

* 1　広石英記（2005）「ワークショップの学び論：社会構成主義からみた参加型学習の持つ意識」『教育方法学研究』31

* 2　安斎勇樹、青木翔子（2019）「ワークショップ実践者のファシリテーションにおける困難さの認識」『日本教育工学論文誌』42（3）

* 3　森玲奈（2015）『ワークショップデザインにおける熟達と実践者の育成』ひつじ書房

* 4　高尾隆（2006）『インプロ教育：即興演劇は創造性を育てるか？』フィルムアート社

* 5　Osmond,H.（1957）Function as the basis of psychiatric ward design, Mental hospitals 23

* 6　Kolb,D.A.（1984）Experiential learning: Experience as the source of learning and development, Prentice-Hall, Inc.

* 7　フレッド・コルトハーヘン（2012）『教師教育学：理論と実践をつなぐリアリスティック・アプローチ』学文社

* 8　「CULTIBASE（カルティベース）」は、チームや組織の創造性を引き出すためのファシリテーションやマネジメントの最新知見を学ぶためのオンラインメディア。テキスト記事、ポッドキャスト、動画教材、ライブイベント等の豊富なコンテンツで構成され、筆者らの対談動画やゲストとの対談記事も配信している。https://cultibase.jp/

Part **IV**

問いのデザインの事例

6章

企業、地域、学校の課題を解決する

ケース1

組織ビジョンの社員への浸透

資生堂

1.1.

概要

　株式会社資生堂の依頼で、資生堂グループが掲げる組織ビジョン「VISION 2020」の実現に向けた行動指針「TRUST 8」を全世界のグループ社員1人1人に浸透させるためのワークショップ型プロジェクト（2018年）を筆者（安斎）が代表を務める株式会社MIMIGURIが担当しました。

　企業において、組織の経営理念を明確に掲げ、それを従業員に浸透させることは、求心力のある組織をつくりあげる上で必要不可欠です。経営理念には、組織の目標を示したもの、使命を示したもの、信念や価値観を示したものなどさまざまありますが、行動の規範や指針を示す場合もあります。

　このケースでは、自社のビジョンを実現するために必要な八つの行動指針「THINK BIG」「TAKE RISKS」「HANDS ON」「COLLABORATE」「BE OPEN」「ACT WITH INTEGRITY」「BE ACCOUNTABLE」「APPLAUD SUCCESS」が定められていました（図1）。

　この行動指針をグループ社員1人1人が自分ごととして深く理解し、自らの現場でそれを主体的に実践していけるような状態をつくることが必要でしたが、資生堂グループ社員は世界中に在籍し、その数は4万6000人（2018年時点）に達します。国籍も業務内容も異なる全社員に対して、「TRUST8」

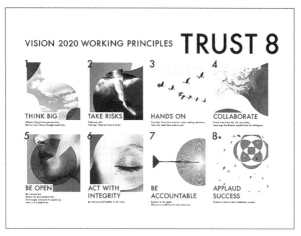

図1　資生堂グループが掲げる行動指針「TRUST 8」(2018 年当時)

をどのように自分ごととして浸透させていくのか、世界規模での展開を想定したプロジェクト設計と大規模ファシリテーションが求められていました。

1.2.
課題のデザイン

遊び心を持って楽しく理念を理解する

　筆者に相談が持ちかけられたのは、中長期戦略「VISION 2020」が策定され、実現に向けた行動指針「TRUST8」がこれから社内にリリースされるというタイミングでした。

　理念浸透の目標や問題認識について丁寧にヒアリングを行いました。課題解決のビジョンは明確で、全社員が業務において「TRUST8」を実践し、中長期戦略「VISION 2020」が実現された状態を目指していました。

　成果目標は、まずは全社員が「TRUST8」について深く理解している状態が目指されていましたが、仮に 30 人ずつに「TRUST8」の理解を深めるワークショップを実施するとしたら、4 万 6000 人に浸透させるためには 1500 回以上のワークショップが必要です。これを MIMIGURI だけで担当するのは、到底現実的ではありません。さらに資生堂グループの活動範囲は、日

成果目標	・全社員が「TRUST8」について深く理解している状態 ・社内展開できるワークショップ・プログラム、ツールキット、ファシリテーション・マニュアルと映像教材の開発
プロセス目標	・遊び心を持って楽しく行動指針について考えを深められる
ビジョン	・全社員が業務において「TRUST8」を実践し、中長期戦略「VISION2020」が実現される

表1　目標の整理の結果

本だけでなく、中国、アジア、アメリカ、ヨーロッパなど、国内外に及びます。

　それゆえに、社内のリーダーたちが率先して、自分たちのチームに理念浸透のワークショップを実施できるように、ファシリテーションに熟達していなくても展開できるシンプルなワークショップ・プログラムとツールキットの開発や、社内ファシリテーター育成のためのファシリテーション・マニュアルや映像教材（筆者がファシリテーションしている様子を撮影し、ポイントを解説したもの）の制作も期待されていました。

　プロセス目標としては、行動指針を解説するだけの退屈な研修ではなく、遊び心を持って楽しく行動指針について考えを深められるようなプロセスが期待されていました。

　以上を整理し、クライアントが認識している目標を表1のようにまとめました。

　表1に示した目標設定については、筆者も違和感はなく、大きなリフレーミングの必要性は感じませんでしたが、目標の難易度が相当に高いと感じていました。全社員に対して直接的にファシリテーションができないので、現場の様子をみてファシリテーションのスキルを駆使して"なんとかする"ことはできません。

　このように、ファシリテーションに熟達していなくても安定して実施できるプログラムに落とし込まなければならないところが、大きなハードルでした。問題の本質をピンポイントで捉えないと、課題解決のツボを外し、4万6000人の創造的対話を促すことなどできないでしょう。

いかに現場目線で理念を"再編集"するか？

　具体的なプロセスのデザインに入る前に、「哲学的思考」を駆使して「理

念が浸透するとはどういうことか？」「行動指針を楽しく理解するとはどういうことか？」「そもそも、理念とは何か？」「理念は何のために存在しているのか？」などと、このプロジェクトの本質を捉えながら、「構造化思考」を使って「目標の実現を阻害する要因」についても分析をしました。

すると、3章で紹介した「五つの阻害要因」のうち「目標が自分ごとになっていない」パターンに該当することに気づきました。目標が組織のトップから与えられる場合、現場の社員にとっては「自分ごと」にならないことが、実現を阻害してしまうのです。

今回のプロジェクトは、まさに全社的な理念をトップダウン型で浸透させていくプロジェクトでした。上から「この行動指針を守ろう」と一方的に提案をされても、心の底から納得することは、容易ではありません。当事者1人1人が「自分にとっての目標の意味」について考えられるように、プロセス目標を調整する必要があると感じました。

そもそも、経営理念の本質について考えていくと、経営層は、社員を上からトップダウンに押さえつけるために行動指針を策定しているわけではないはずです。ビジョンを達成するために、社員1人1人が主体的・能動的に働けるための指針として、「TRUST8」を策定しているはずです。そうでなければ、「TAKE RISKS」など、現場の倫理観や試行錯誤を要する指針は、策定しないでしょう。

したがって、本プロジェクトにおいても、行動指針をトップダウン的に押しつけるのではなく、自分たちの現場の目線から、一つ一つの行動指針の意味を「再編集する」ような、ボトムアップ的な経験をしないと、自分ごとに

成果目標	・全社員が「TRUST8」について深く理解している状態 ・社内展開できるワークショップ・プログラム、ツールキット、ファシリテーション・マニュアルと映像教材の開発
プロセス目標	・遊び心を持って楽しく行動指針について考えを深められる ・行動指針を現場の目線から再編集する
ビジョン	・全社員が業務において「TRUST8」を実践し、中長期戦略「VISION2020」が実現される
課題の定義	・全社員が行動指針を現場目線で再編集し、楽しみながら理解を深める

表2　目標の再設定、課題の定義の結果

はならないと考えました。

　そこで、プロセス目標に「行動指針を現場の目線から再編集する」を追加し、課題を「全社員が行動指針を現場目線で再編集し、楽しみながら理解を深めることができる遊び心のあるワークショップ・プログラムを開発する」と定義しました（表2）。ただし、これはプロジェクトを受託したMIMIGURI目線の課題定義であって、問題の当事者であるクライアント社員の目線で言い換えると、「全社員が行動指針を現場目線で再編集し、楽しみながら理解を深める」となります。

1.3.
プロセスのデザイン

理念を読み解く経験を細分化する

　今回のプロジェクトの大きな制約は、2〜3時間程度の単発のワークショップ・プログラムに落とし込まなければならない点でした。国内外の全社員に理念を浸透させていくにあたって、半日や終日など長時間かかるプログラムでは導入のハードルになってしまいますし、ファシリテーションに習熟していないリーダーでも、安定して展開できるシンプルなプロセスに落とさなければなりませんでした。

　定義した課題「行動指針を現場目線で再編集し、楽しみながら理解を深める」は、そのまま「創りだす経験」として設定することができますが、これを実現するには、いくつかの細分化された経験が必要です。

　まず前提として、それぞれの行動指針の言葉の意味や意図を理解することが必要です。「THINK BIG」「TAKE RISKS」などの言葉が、何を意味しているのか、トップの意図も含めて、頭で理解しておく必要があります。今回のケースでは、行動指針の策定にあたって、行動指針の意図をトップが解説した動画が制作されていたので、そうしたコンテンツに目を通すなどの経験が必要です。

　しかし、行動指針の言葉の意味を理解しただけでは、自分たちの現場において具体的な行動を起こしていくにはまだ至りません。

　会社には、営業部の社員もいれば、研究開発を担当する社員もいれば、人

事部の社員もいます。置かれた環境や業務の内容によって、具体的な「COL-LABORATE」の仕方は変わってくるでしょうし、「TAKE RISKS」の意味合いは異なるはずです。チームによっては「APPLAUD SUCCESS」の風土が努力するまでもなくすでに実現できているかもしれませんし、人によって性格的に「BE OPEN」があまり得意でないので大きな課題である、という人もいるでしょう。そうした「個別の文脈」の目線から、行動指針の意味を再解釈する経験も必要です。

　しかし、それだけでは、まだ行動指針に対して受動的な姿勢であることは変わりません。プロセス目標で示したように、もう少し能動的に、行動指針そのものを再編集する経験が必要です。

　たとえば、自分のチームや業務の文脈において、一つ一つの行動指針の優先順位を検討したり、複数の指針を組み合わせて新たな指針を生みだしたり、ある指針の表現を自分の文脈に合わせて具体化したりブラッシュアップしたりするような経験です。

　さらに、この行動指針を実践していくと自分たちのチームや業務はどのように変化するのか、行動指針の実現イメージとその意義について実感する経験ができれば、具体的に行動を変えていく動機づけがなされるはずです。行動指針を実現して、ビジョンに向かっている自分たちの姿を思い浮かべながらワクワクするような感情が味わえれば、ビジョンに向けた成果目標が達成されるでしょう。

　以上を踏まえて、課題解決に必要な経験を図2のように細分化しました。

もし理念を一つだけ差し替えるとしたら？

　図2で示した「経験の細分化」うち経験①「行動指針の言葉の意味や意図を理解する」は、トップが行動指針について解説した動画の視聴によって実現することができます。ワークショップのプログラムのうち「導入」もしくは「知る活動」に位置づけるか、事前の視聴を義務づけるという方法もあるでしょう。

　残る経験②〜④を、ワークショップにおいて、問いのデザインの力によって引き起こす必要があります。

　経験②「自分が置かれた文脈から、行動指針の意味を再解釈する」につい

```
┌──────────────── 定義した課題 ────────────────┐
│ 全社員が行動指針を現場目線で再編集し、楽しみながら理解を深める │
└──────────────────────────────────────────┘
                          ┆
                          ▼
┌──────────────── 創りだす経験 ────────────────┐
│ 行動指針を現場目線で再編集し、楽しみながら理解を深める │
└──────────────────────────────────────────┘

                   経験の細分化
                          ▼
┌──────────────────────────────────────────┐
│ ①行動指針の言葉の意味や意図を理解する │
└──────────────────────────────────────────┘

┌──────────────────────────────────────────┐
│ ②自分が置かれた文脈から、行動指針の意味を再解釈する │
└──────────────────────────────────────────┘

┌──────────────────────────────────────────┐
│ ③自分が置かれた文脈に合わせて、行動指針を再編集する │
└──────────────────────────────────────────┘

┌──────────────────────────────────────────┐
│ ④行動指針を実現した状態を思い浮かべ、実践のイメージをつくる │
└──────────────────────────────────────────┘
```

図2　課題解決に必要な経験の細分化

ては、素直に「行動指針を、自分のチームや業務に合わせて別の言葉に言い換えると？」といった問いかけで、経験を促すことができそうです。

　しかし、八つすべての指針を言い換えることを前提にすると、チームによっては時間がかかりすぎてしまう可能性があることと、やや単調な作業になってしまい、プロセス目標である「遊び心を持って楽しく行動指針について考えを深められる」が達成できないかもしれません。

　そこで、「自分のチームに特に重要だと思う三つの指針は？」という問いを作成しました。

　問いを因数分解すると、この問いに答えるためには「自分のチームにとって重要な指針とは何か？」について個別に検討しなければならず、その上で「八つのうち、特に重要な三つを選ぶ」という制約があることによって、指針同士の重要性を比較する思考を促すことができると考えたからです。

　この問いであれば、個人で答えを出すにあたっても作業的にならず、またグループで共有する過程で答えの違いから、驚きや好奇心を刺激しながらお互いの意味づけを共有する対話を促進できるのではないかと期待したのです。

　経験③「自分が置かれた文脈に合わせて、行動指針を再編集する」については、経験②の延長として考えられそうですが、指針を能動的に楽しみながら再編集できるようなきっかけづくりが必要です。

　そこで、4章で紹介した「足場の問い」のテクニックである「架空設定」のパターンを活用して、「もし行動指針を一つ削除し、新たに一つ追加するとしたら？」という問いを作成しました。

　プログラムデザインでも「天邪鬼思考」を発揮して、思い切って「トップが定めた八つの行動指針のうち、一つだけ差し替えてよいとしたら？」という架空設定のもとで、行動指針を文字通り再編集する経験を設定したのです。

　削除するといっても、全社として掲げる行動理念はすべてが重要で、不要なものはないはずです。しかし、八つの行動指針をよりチームの文脈に合わせて実践しようとしたときに、部署やチームによっては、すでに当たり前のように実現できている指針もあるかもしれませんし、チームの状況に合わせて別の言い方に変えた方が、実践しやすくなるものもあるかもしれません。

　いずれにしても「一つだけ差し替えてよい」という制約のもとで、遊び心をもって、指針を再編集する機会がつくれれば、行動指針に対する多様な意味づけが交錯され、チームの対話が深まるであろうと考えたのです。

　経験④「行動指針を実現した状態を思い浮かべ、実践のイメージをつくる」については、ワークショップの「創る活動」にふさわしく、アウトプットの形式に工夫をして「行動指針を実現した状態を思い浮かべ、写真ポスターを撮

00:00-00:30	［導入］イントロダクション／動画視聴
00:30-00:45	［導入］アイスブレイク：自分が実践できている指針とできていない指針は？
00:45-01:00	［知る活動］チームで重要な指針を三つ選ぶ
01:00-01:40	［創る活動①］チームで指針を一つ差し替えるとしたら？
01:40-01:50	［休憩］
01:50-02:25	［創る活動②］行動指針が実現した実写ポスターを撮影する
02:25-02:40	［まとめ］作品の発表
02:40-03:00	［まとめ］振り返り

表3　ワークショップのプログラム

図3　行動指針のカード（2018年当時のもの）

影するとしたら？」というふうに、制作課題の形式の問いに落とし込みました。

　以上をもとに、アイスブレイクの足場の問いなども調整しつつ、表3のようなプログラムにまとめました。トップの解説動画の視聴も含めた3時間のパッケージですが、必要に応じて2時間ほどに圧縮できるショートプログラムも含めて、開発しました。八つの行動指針については、手元で比較や検討がしやすいように、カード型のツールを準備しました（図3）。

問いの背景を丁寧に説明するファシリテーション

　当日のファシリテーションで特に気をつけたのは、ファシリテーターのコアスキル「説明力」を意識しながら、問いの背景や意図を丁寧に説明した点です。特に最も丁寧な説明が必要だった問いは、一つ目の「創る活動」として設定した「チームで指針を一つ差し替えるとしたら？」という架空設定の問いです。

すでに述べた通り、この問いは「トップが定めた行動指針を削除させる」という点で、意図をきちんと説明しなければ、参加者に行動指針を軽視させるリスクを孕んでいます。

そこで、以下のように問いの設定の意図を丁寧に解説することで、誤解が発生することを避け、問いに集中できるように意識しました。

「先ほどのステップでは、チーム内でもさまざまな見方が浮かび上がったことで、「TRUST8」をチーム内の異なる視点から多角的に捉えることで理解が深まったり、解釈が発展したと思います。

この「TRUST8」をチーム内で実践していく上で、もし「少し変えていいよ」と言われたら、皆さんならこの「TRUST8」をどう変えますか？

このステップでは、チームの文脈に合った自分たちのオリジナルの「TRUST8'」を考えてみたいと思います。

「TRUST8」の八つのプリンシプルの一つ一つの位置づけや、八つの関係性は、部署やチームにとって異なるはずです。チームにとってすでに実現した当たり前のものとなっているプリンシプルもあるかもしれません。また、チームの状況に合わせて、別の言い方にして解釈した方が、実践しやすくなるものもあるでしょう。

各プリンシプルをチームの文脈から多角的に理解するために、あえて「TRUST8」を自分たちの視点で編集してみることで、「TRUST8」への自分なりの理解、納得を深めることが狙いです」

このように丁寧な説明を心がけていたものの、プログラムデザインの段階では、このプログラムで確実にうまくいくかどうか、懸念もありました。経営層が決めた八つの行動指針の一つを消して書き換えてしまうというワークが、果たして全社で受け入れてもらえるのかどうか、少なからず不安があったからです。

しかし、筆者がファシリテーターとして実施した役員チーム対象のトライアル・ワークショップにおいて、その不安は払拭されました。行動指針を定

図4　新たに追加された行動指針のカード

めた役員の方々が自ら「どれを壊そうかな？」「これは自分的には譲れない
な！」「自分たちのチームは、この行動指針はもう実現できているから削除し
て、代わりに"Smile"を入れようか？」などと、楽しみながらお互いの指針
に対する意味づけを交換し、対話を深めている様子が見られたからです(図4)。

1.4.

課題解決の成果

　社員に理念を浸透させるためには、各部門・事業所単位で各リーダーが繰
り返しワークショップを実施していく必要があります。ファシリテーション
の経験がない人でも着実にプログラムを実施できるように、明快なスライド
資料、使いやすいツールキット、詳細なファシリテーション・マニュアルを
日本語・英語のそれぞれで制作し、さらにファシリテーター育成研修や映像
教材などでフォローアップすることで、世界各地で開催されたワークショッ
プを通した行動指針の浸透プロセスに伴走しました。

　制作したワークショップ・プログラムとファシリテーション・マニュアル
に従って、各部門・事業所のリーダーを中心に、無事に資生堂グループの国
内外のすべてのエリアにおいて、本ワークショップを実践することができま
した。参加した社員の多くが「楽しかった」と漏らすこのプログラムによっ
て、行動指針「TRUST8」が各現場で前向きに解釈され、ビジョン実現に向
けた土壌づくりを支援することができました。

ケース 2

オフィス家具のイノベーション

インスメタル

2.1.

概要

金属のレーザー加工を専門とする株式会社インスメタルの依頼で実施した、金属を活かした今までにないオフィス家具を生みだすプロジェクト（2018年）についてご紹介します。筆者（安斎）がプロジェクト設計とファシリテーションを担当しました。株式会社ツクルバ、株式会社インクワイア、株式会社スーパークラウズといった、これからのクリエイティブ業界を牽引するベンチャー企業をパートナーとして巻き込んだプロジェクトでした。

2.2.

課題のデザイン

ものづくりの衝動から生まれたプロジェクト

当初、筆者のもとに寄せられた依頼は「金属加工技術を活かした自社プロダクトをつくりたい」というもので、「家具」や「オフィス」といったキーワードは明確には含まれていませんでした。

ヒアリングを通して依頼の背景を確認すると、インスメタル社は、レーザー溶接、レーザー加工の「コンビニ」と称されるほど、幅広く多様な加工に対応できる高い技術力を有していながらも、事業は受託加工が中心でした。

愛知県名古屋市の老舗鋳造メーカーである愛知ドビー株式会社が鋳物ホーロー鍋の自社ブランドである「バーミキュラ」を展開しているように、技術メーカーが自社ブランドを打ちだす事例は増えてきています。本ケースもまた、技術力を誇れる自社プロダクトをつくりたい、そうした欲求から出発したプロジェクトでした。

成果目標	・金属加工技術を活かしたプロダクトのコンセプトとプロトタイプ
プロセス目標	・社内の有志メンバーでアイデアを検討する
ビジョン	・自社技術を誇れるプロダクトブランドを立ち上げる

表4　目標の整理の結果

　逆にいえば、どのようなプロダクトをつくりたいかについてはこだわりはなく、一例として「家具」という案が挙がっていた状態でした。プロダクトは自社として誇れるものであればどのようなものでもよく、とにかく自社のオリジナル・プロダクトについて、自社の技術者やバックオフィスのメンバーも巻き込みながら、有志で考えたいということでした。

　プロジェクトのゴールは、プロダクトのコンセプトとプロトタイプ（試作品）までを生みだすことで、その後は自社で製造や販売の体制を整えていく計画でした。

　以上から、表4のように目標を整理しました。

　筆者は、課題設定の罠である「自分本位」「自己目的化」に陥らないように、リフレーミングのテクニックである「大義を問い直す」を意識しながら、目標の再検討を試みました。すなわち、「何のために家具をつくるのか」について、「自社技術を活かす」以外の理由を見つけださなければ、社会的に意義のあるプロジェクトにならないと考えたのです。

　筆者は「素朴思考」「天邪鬼思考」を使いながら「なぜ家具なのか？」「住宅家具なのか？あるいはオフィス家具なのか？」「届けたいターゲットはいるのか？」などについて掘り下げていきました。言語化されていないだけで、クライアント側に何かプロダクトに関するこだわりがあるかもしれないと考えたからです。

　ところが、ターゲットやプロダクトのカテゴリーに対するこだわりは、やはりあまりなさそうでした。家具に行き着いたきっかけを尋ねると、インターネットでたまたま見つけた、仕掛けが凝らされた組み立て式の金属家具にインスピレーションを受けて、試作品をつくってみたところ、「自分たちでもつくれるかもしれない」と思ったとのことでした。あくまで、ものづくりの原初的な楽しさや、「何か面白いものをつくりたい」という「衝動（impulse）」

が起点となっていました。

　筆者は、市場に対してこだわりがないことは悪いことではないと考え、この内的な衝動を活かすことがプロジェクトの成功の鍵だと考えました。クライアントのものづくりの衝動を阻害しないけれど、クライアントが合意できる「なぜつくるのか？」の大義を設定することが、課題設定のポイントだと考えたのです。

「オフィスとは何か？」という問いから大義を見いだす

　カテゴリーにこだわりがなかったとはいえ、初期の着想である「家具をつくる」という方向性については、クライアントも筆者も「家具をつくるのは面白そうだ」という感覚は共有できていたので、そのまま採用してもよいように思えました。

　では、どのような家具を、なんのためにつくるのか。目標を精緻化するために、筆者は「道具思考」を用いて、さまざまな専門家の顔を思い浮かべながら、「あの人なら"金属家具をつくる"というこのテーマをどう捉えるだろうか」と想像し、問題を捉え直しました。

　そこで具体的に思い浮かんだのが、筆者とかねてから親交があった株式会社ツクルバ代表取締役CCO（2018年当時）の中村真広さんでした。ツクルバは「場の発明」をミッションに掲げ、実空間と情報空間を横断した場づくりを実現するベンチャー企業で、リノベーション住宅の流通プラットフォーム「cowcamo（カウカモ）」を運営しているほか、さまざまな企業のオフィス空間のデザインも数多く手掛けている会社です。ツクルバの代表である中村さんであれば、住宅にせよ、オフィスにせよ、さまざまな空間のプロジェクトに関わるなかで「家具」に対しても一家言を持っているのではないかと考えたのです。

　早速、ツクルバの中村さんに相談を持ちかけたところ、金属家具をつくるというプロジェクトに大変興味を持って、さまざまなアドバイスをもらいました。中村さん曰く「住宅でもオフィスでもどちらでも可能性があると思うが、特にオフィス家具については、さまざまな問題がある」ということでした。

　そのうちの一つの問題は、多くのベンチャー企業が、自社のオフィスデザインにアイデンティティとこだわりを持って、ツクルバにオフィス内装の依頼

をするのだそうですが、オフィス家具のすべてを大手メーカーの既製品で揃えるほど予算に余裕がなく、かといってこだわりに合致する家具も多くなく、ノーブランドの格安の家具製品で済ませてしまうケースが多いのだそうです。

　中村さん自身も、自社の理想とする働き方に合致するオフィス家具が見つからなくて困っているとのことで、仕方がなく格安の家具を購入し、自分たちで一部を改造して、ニーズに合った家具をつくっていたのだそうです。

　その話を聞いて、もしベンチャー企業にとって、独創的な働き方を支援するような家具があれば、大手家具メーカーでもない、格安家具でもない、新たな選択肢として市場が切り開けるのではないかと感じました。

　同時に、筆者の頭のなかには「そもそもベンチャー企業にとって、オフィスとは何か？」という哲学的な問いが浮かびました。大企業ほど予算が潤沢でないにもかかわらず、出来合いのオフィス空間では満たされず、自社のオフィスに投資をするということは、ベンチャー企業特有のオフィスや働き方への「こだわり」があるということです。他方で、リモートワークが推奨されるなど、「わざわざオフィスに行く必要がない」という言説も見かけます。

　「働き方が問い直されつつある現代において、オフィスの意味もまた、変容しつつあるのではないか？」と思ったのです。

　この大きな問いには、クライアントも大きな関心を示してくれました。「自分たちは普段工場で働くメンバーが多い。私たちにとっての理想のオフィスと、東京のベンチャー企業にとっての理想のオフィスは、まったく違うものだろう。それがどんなものなのか考えたいし、ベンチャー企業が求める新しい働き方を自分たちの技術で支援できるのであれば、とても喜ばしいことだ」と賛同してくれたのです。

　そこで、ビジョンに「ベンチャー企業の新しい働き方を促進する」を、プロセス目標に「ベンチャー企業におけるオフィスの意味を問い直す」を加えて目標を再設定し、課題をシンプルに「ベンチャー企業向けの新しい金属オフィス家具をデザインする」と定義しました（表5）。

　また、課題に合わせて、株式会社ツクルバだけでなく、編集デザインファームの株式会社インクワイア、デザインパートナーとして株式会社スーパークラウズを外部パートナーとして招聘し、またMIMIGURIのデザイナー、リサーチャー、ファシリテーターらをアサインし、インスメタルの有志メン

成果目標	・金属加工技術を活かしたオフィス家具のコンセプトとプロトタイプ
プロセス目標	・ベンチャー企業におけるオフィスの意味を問い直す ・社内の有志メンバーでアイデアを検討する
ビジョン	・ベンチャー企業の新しい働き方を促進する ・自社技術を誇れるプロダクトブランドを立ち上げる
課題の定義	・ベンチャー企業向けの新しい金属オフィス家具をデザインする

表5　目標の再設定、課題の定義の結果

バーと合わせて、約15名のプロジェクトチームを発足しました。

2.3.

プロセスのデザイン

さまざまな可能性を考慮した柔軟なプロジェクト設計

　プロセスをデザインするにあたって、課題解決に必要な「創りだす経験」を分割しました。

　成果目標は「金属加工技術を活かしたオフィス家具のコンセプトとプロトタイプ」ですが、いきなりオフィス家具のアイデアを検討するのではなく、プロセス目標でもある「ベンチャー企業におけるオフィスの意味を問い直す」ことを経験しておく必要があります。

　ベンチャー企業にとってオフィスがどのような意味を持っていて、どのようなニーズがあるのかについては、インタビュー調査やトレンド調査などによって調べることができます。これはプロジェクトにおいて必要な調査だと考えられますが、ベンチャーに限らず「これからの働き方」については変化の最中にあり、まだ誰も正解を知りません。プロジェクトメンバーの主体性が損なわれないように、いきなり調査をするのではなく、まず自分たちの感覚に素直に、「ベンチャー企業にとってオフィスはどのような意味があるのか?」について対話をする必要があると考えました。

　この対話でどのような話し合いがなされるのかによって、このプロジェクトの方向性はいかようにも変化する可能性があります。逆にいえば、この時

```
┌────────── 定義した課題 ──────────┐
│ ベンチャー企業向けの新しい金属オフィス家具をデザインする │
└───────────────────────────────┘
              ┊
       創りだす経験のブロックに分割
              ↓
┌───────────────────────────────────────┐
│ ①ベンチャー企業にとってのオフィスの意味を問い直す        │
└───────────────────────────────────────┘

┌───────────────────────────────────────┐
│ ②新しい金属オフィス家具のコンセプト（意味）を考える       │
└───────────────────────────────────────┘

┌───────────────────────────────────────┐
│ ③新しい金属オフィス家具のプロダクトアイデア（仕様）を考える  │
└───────────────────────────────────────┘
```

図5　課題解決に必要な「創りだす経験」

点では椅子をつくるのか、デスクをつくるのか、照明器具をつくるのか、はたまた既存のカテゴリーに当てはまらない何かをつくるのか、アウトプットの輪郭が見えず、詳細にプロセスをデザインすることは困難でした。

　そこで、その後の経験は、大まかに「新しい金属オフィス家具のコンセプトを考える」「新しい金属オフィス家具のプロダクトアイデアを考える」としておき、合計3回のワークショップで構成するプロジェクトとして定義しました（図5）。

　あらゆるアイデアは「目に見える具体的な仕様」とそれによって生みださ

ワークショップ（1）	ベンチャー企業にとってのオフィスの意味を問い直す
調査（1）	ベンチャー企業のオフィスに関するリサーチ
調査（2）	インスメタルの金属加工技術に関するリサーチ
ワークショップ（2）	新しい金属オフィス家具のコンセプト（意味）を考える
調査（3）	家具プロダクトの競合・トレンドのリサーチ
ワークショップ（3）	新しい金属オフィス家具のプロダクトアイデア（仕様）を考える
家具のプロトタイプの制作	

表6　課題解決のプロセス

れる「意味」の結びつきによって成立します。「新しい金属オフィス家具の
コンセプトを考える」ことは、プロダクトの「意味」を考えることに相当し、「新
しい金属オフィス家具のプロダクトアイデアを考える」ことは、具体的な「仕
様」に落とし込んでいくことに相当します。

　以上をもとに、間に必要な調査を組み込んで、3回のワークショップをベー
スとした課題解決のプロセスの骨子を表6のように設定しました。

　ここでは各回のワークショップ・プログラムの詳細は紹介しませんが、大
まかなプロセスの流れについて紹介します。

非構成の対話から、プロジェクトの方向性をあぶりだす

　本プロジェクトは、ケース1の資生堂の事例と違って、プログラムを細か
くつくり込むよりも、プロジェクトがさまざまな方向性に転がりうる可能性
を考慮し、柔軟にプロセスを捉えた点が特徴的です。

　特に1回目のワークショップは、対話の方向性を制限したくなかったため、
「ベンチャー企業におけるオフィスの意味とは？」という大きな問いを投げ
かけ、いわゆる個人ワークやグループワークを設定せずに、全員で自由に対
話する緩やかなプログラムで実施しました。

　さまざまな話題が飛び交うであろうことを想定し、グラフィックレコー
ディングを活用し、空間レイアウトも、少人数が話しやすいソシオペタルの
島状配置ではなく、椅子をグラフィックレコードに向けて並べ、自由に座っ

図6　1回目のワークショップの様子

てもらい、個人で考えを深めながらも、全員で話題を共有できるように工夫しました（図6）。

このやり方は、事前にプログラムをつくり込めないために、当日のファシリテーションスキルが相当に必要になります。しっかりと場をホールドし、1人1人の表情を観察しながら、「即興力」「情報編集力」「リフレーミング力」をフル稼働させながら、対話を深めていかなければなりません。

予想通り、当日はさまざまな話題が展開されました。たとえば、昼寝スペースや仮眠スペース、シャワー室、社内託児所など、オフィスに多様な生活機能が取り込まれ、オフィス機能が拡大していること。他方で、固定座席の撤廃、フルフレックスタイムの導入、リモートワークの拡充など、オフィスを最低限の機能に縮小していく傾向も存在もすること。

「この相反する傾向の行き着く先のオフィス環境はどうなるのだろうか？」と、新たな問いを立てながら、自由な対話が行われました。

そうした対話の流れから「業務を遂行するためにオフィスが必要なのではなく、その企業のアイデンティティが感じられることが、オフィスの価値なのではないか」「鳥居をくぐって参拝することで神様を感じることができる"神社"に似ているのではないか」という意見が飛び交い、共感を生みながら盛り上がりました。

この「神社」というキーワードが、思いのほか参加者全体に「しっくりくるキーワード」として受け入れられ、「神社としてのオフィスの機能を捉え直す」ということが、プロジェクトにおける一つの軸となっていきました。

神社の結界性を備えた家具プロダクトの探求

調査として予定していた「ベンチャー企業のオフィスに関するリサーチ」「インスメタルの金属加工技術に関するリサーチ」について調べながら、並行して「神社」に関わるリサーチもすることになりました。

具体的には「神道」「お祓い」などのキーワードについて理解を深めつつ、ベンチャー企業のオフィス事情と関連させながら「なぜオフィスに神棚を設置するのか」などについても、情報収集を行いました。

ベンチャー企業のオフィスについては、いくつかの企業を対象にインタビュー調査を行い、働き方や、オフィスにおけるコミュニケーションのあり

方、現在のオフィスに対する不満などについて調査をしました。

　リサーチはプロジェクトメンバーで分担し、事前に資料にまとめておき（図7）、次回のワークショップでリサーチの結果を共有するところから始めました。

　2回目のワークショップでは、リサーチ結果を共有しあいながら、金属を活かしたオフィス家具のコンセプトについて検討しました。

　ベンチャー企業に関するリサーチ結果について読み解きながら対話するなかで得られた洞察の一つに、「オフィスにおいて、複数人でのコラボレーションやミーティングのためのスペースに対するソリューションは多いが、"個人で過ごす"ためのスペースについてはソリューションが少なく、軽視されがちである」という気づきがありました。

　たしかにベンチャー企業というと、活発に会議で議論を繰り返し、多様なメンバーが協働しているイメージがあるかもしれません。けれども、だからこそ「1人になる」時間が貴重になるのではないか、という考えです。

　他方で、神社に関するリサーチからも、さまざまな発見がありました。神社の意味について改めて対話を通して深めていくなかで、「神社の面白さは、"鳥居"というシンプルな人工物をくぐることで、神秘的な空間に入ることを意味するところにある。人は結界を通して、心理的境界を見いだすことができるのではないか」という洞察がありました。

　これらの洞察が混じり合い、「結界性」が新たなキーワードとして浮かび上あがり、「オフィスというオープンな空間のなかで、緩やかにはつながっているが、確かな心理的境界のなかで、自分だけの空間に没入できるような家具とは？」という問いが生まれたのです。

　その後、競合するプロダクトがないか、リサーチを重ねながら、第3回目のワークショップでプロダクトの具体的な仕様について話し合い、結果として「オフィスの中に1人専用の"結界"をつくりだし、理想のパーソナルスペースをカスタマイズすることができる金属家具のアイデア」が生まれました（図8）。

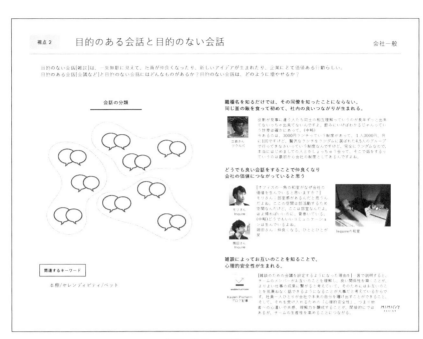

図7　リサーチ資料の例

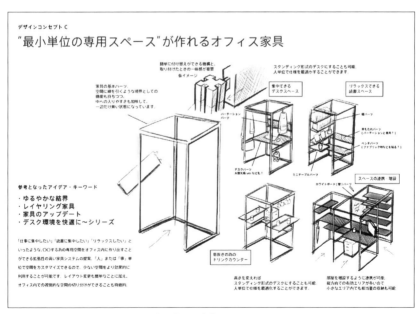

図8　プロダクトデザインのラフスケッチ

図9　完成したプロダクト「ADDMA」

2.4.
課題解決の成果

　3回のワークショップの終了後、MIMIGURI のディレクションのもとで、デザインパートナーであるスーパークラウズがプロダクトデザインおよびウェブデザインを担当し、クライアントであるインスメタルがプロダクトの製造を担当する体制で、試作とテストを繰り返し、ワークショップで生まれたコンセプトを忠実に形にするための細かい調整を行っていきました。

　たとえば、個人の空間を自由自在にアレンジするためには、各部品が簡単に着脱可能である必要があることから、組み立ての簡便さに関わる接合部の設計が重要となります。そのため、最初の試作品では、2人がかりでないと組み立てられない構造だったのが、デザイナーと技術者が協同で試行錯誤をした結果、最終的には女性が1人でも組み立てられるような接合部が実現しました。他にもさまざまなディテールについて検討した上で、販売モデルの完成に至りました（図9）。

　オフィス空間に「間（ma）」を「加える（add）」ことから、プロダクトの名前は「ADDMA（アドマ）」と名づけました[1]。

* 1 「ADDMA」については、特設ウェブサイト（http://addma.jp/）で、ワークショップの様子やプロジェクトのプロセスについて紹介している。

三浦半島の観光コンセプトの再定義

京浜急行電鉄

概要

　京浜急行電鉄株式会社の依頼で、神奈川県の三浦半島の活性化のための観光ブランディングのプロジェクトを2017年から2年間にわたって行いました。プロジェクトの設計とファシリテーションを筆者（安斎）が担当しました。本プロジェクトは、京急電鉄と東京大学の共同研究プロジェクトとして実施されました。ここでは、2017年度のプロジェクトを中心に紹介します。

　三浦半島は神奈川県南東部に位置し、東京湾と相模湾とを隔てる半島です。藤沢市片瀬から円海山北麓を経て、横浜市金沢区富岡を結んだ線より南のエリアを指し、市町村では、横須賀市、鎌倉市、逗子市、葉山町、三浦市を含みます。葉山町や逗子市は人口の増加が見られるものの、三浦半島全体としては人口減少が問題となっており、観光客もまた減少傾向にありました。

　三浦半島の交通インフラや観光施設を幅広く運営する京急電鉄にとって、都市近郊リゾートとしての三浦半島の活性化が急務でした。これまで「みさきまぐろきっぷ」「葉山女子旅きっぷ」など個別のエリアの魅力を訴求する施策は取り組んでいましたが、三浦半島全体の観光の軸となるコンセプトが存在していない状況でした。

　魅力を届けるターゲット像も曖昧で、筆者に依頼があった段階においても「若者をターゲットにすべきか？ それとも高齢者をターゲットにすべきか？」と極端な二択に思考が閉じており、ターゲットが定まっていませんでした。

　依頼主である京急電鉄の三浦半島事業開発部では、社内の議論だけでは視野が狭くなりがちで、意見もまとまらないため、より広い視点から三浦半島の価値を再考し、まとめあげたいというニーズを持っていました。

課題のデザイン

定まらない "魅力" と "観光客" のターゲット

　筆者は、持ちかけられた相談内容を「素朴思考」「天邪鬼思考」を使って丁寧にヒアリングをしながら、課題を定義する手順に従って、まずクライアントが認識している目標を表7のように整理しました。

　次に、何がクライアントが掲げている目標の達成を妨げているのか、阻害要因を検討しながら、目標の再設定を試みました。

　まず「三浦半島を訪れる観光客が増える」というビジョンについては、問題の当事者たちは合意していたものの、課題設定の罠である「自分本位」のパターンに陥っており、また「人口と観光客が年々減少している」という状況に対して、「ネガティブ」なまなざしのまま問題を捉えてしまっているように感じました。

　そこで、リフレーミングのテクニックである「利他的に考える」と「前向きに捉える」を活用して、三浦半島を訪れる観光客が価値を見いだすことを主眼に置き、ビジョンを「まだ三浦半島の魅力に気づいていない観光客が訪れ、三浦半島でしか体験できないことを経験する」と再設定しました。

　成果目標については、三浦半島の "魅力" と "観光客" のそれぞれが定義されておらず、このままでは具体的なターゲットに魅力を伝えるための「施策」を検討することができない状況でした。

　しかし、3章で述べた通り、目標に "未知数" があっても、課題は解くことができます。依頼主の間には「まだ伝えられていない三浦半島の魅力があるはずだ」「それはまだ見ぬターゲットに届けられるはずだ」という直感はあったものの、それが言語化されていない状況でした。そして、その感覚的

成果目標	・三浦半島のマグロ以外の魅力を観光客（若者もしくは高齢者）に伝えるための施策
プロセス目標	・京急グループ主体で考えていきたいが、もっと視野を拡げたい
ビジョン	・三浦半島を訪れる観光客が増える

表7　目標の整理の結果

な理解がメンバーによって異なるものであったために、「自分たちで話していても、意見がまとまらない」という状況を生みだしているようでした。

　そこで、「哲学的思考」を発揮し、「三浦半島とは一体何か？」「三浦半島を訪れることは、誰にとって、どんな意味があるのか？」などと、根本的な問いを自分自身に投げかけながら、リフレーミングのテクニック「言葉を定義する」を参考に、"共通の目標を決める"というメタ目標を活用することにしました。

　結果として、成果目標を「具体的なターゲット・ペルソナを定義する」「定義したペルソナにとっての三浦半島の経験価値を定義する」というふうに段階的に設定しました。ペルソナとは、サービスや商品のターゲットユーザー像のことで、実在しているユーザーかのように、名前、年齢、性別、職業、ライフスタイルなど架空の人物像を詳細に設定する手法です。筆者がマーケティングの基礎的な知識を持っていたことから、「道具思考」を用いて問題を捉え直した結果でもあります。

　また、定義した魅力をペルソナに伝えるための「施策」を考案したいというニーズもありましたが、成果目標に要素が盛り込まれすぎているようにも感じていました。

　そこで、目標整理の観点である「優先順位」について確認したところ、クライアントから「具体的な施策は出てきたら嬉しいが、新規事業が望ましいのか、既存事業の改善なのか、イベント企画なのか、まだ自分たちも見えていない。具体的な施策そのものは、自分たちでも検討することができる。それよりも、ワークショップでは、京急グループにとって今後の軸となるコンセプトをきちんと定義しておきたい」という意向を確認することができました。

　そこで、施策の検討は成果目標からは外し、代わりに、社内できちんと定義した魅力を共有するための「コンセプトブック」（魅力を説明した社内共有用の小冊子）を制作することを成果目標に定めました。

　プロセス目標である「京急グループ主体で考えていきたいが、もっと視野を拡げたい」については、さまざまな専門性を持った異分野のメンバーをプロジェクトメンバーとしてアサインすることで達成する方針で、クライアントに合意をとりました。

　具体的には、地理情報の専門家、編集者、デザイナー、NPO の代表など、異なる専門性を持つ 20 〜 30 代の男女 8 名を「外部チーム」としてアサイン

成果目標	・具体的なターゲット・ペルソナを定義する ・定義したペルソナにとっての三浦半島の経験価値を定義する ・定義した魅力をまとめたコンセプトブックを制作する
プロセス目標	・京急チームと外部チームがそれぞれのこだわりを発揮し、多様な視点から考えを深められるようにする
ビジョン	・まだ三浦半島の魅力に気づいていない観光客が訪れ、三浦半島でしか体験できないことを経験する
課題の定義	・具体的なターゲット・ペルソナにとっての三浦半島の経験価値を定義する

表 8　目標の再設定、課題の定義の結果

しました。京急グループ（以下、京急チーム）は、京浜急行電鉄生活事業創造本部三浦半島事業開発部、葉山マリーナ、京急ストアなど、三浦半島地域で業務に携わる 20 〜 30 代の男女 9 名がアサインされ、17 名のプロジェクトチームを結成しました。以上を踏まえて再設定した目標は、表 8 の通りです。

　これらをまとめて「具体的なターゲット・ペルソナにとっての三浦半島の経験価値を定義する」ことを課題として定義し、関係者の合意を得ました。

3.3.

プロセスのデザイン

ペルソナと経験価値を往復するプロセス設計

　プロセスをデザインするにあたって、課題解決に必要な「創りだす経験」を分割するところから始めました。

　しかしながら、本プロジェクトのプロセスデザインの難しいところは、「ターゲット・ペルソナ」と「経験価値」はそれぞれ切り離して検討することができず、"鶏と卵"の関係にあるところです。

　ペルソナが具体的に定まれば、それにともなって三浦半島に訪れる経験価値も具体的に検討することができますが、適切なターゲット・ペルソナは、三浦半島がどのような潜在的価値を持っているかによって決まるため、お互いに影響しあっているからです。

　さらに、三浦半島の経験価値は、三浦半島に実在している資源によって生

みだされるものであるため、フィールドワークや文献リサーチなどを通して三浦半島の資源を探索しなければ、「三浦半島と相性の良いターゲット・ペルソナ」や「三浦半島の経験価値」について検討することはできません。

　かといって、ペルソナや経験価値に対する仮説をまったく持たぬままフィールドワークをしても、鋭い洞察は得られないでしょう。既存の観光ガイドブックなどのリサーチであれば、ワークショップの前に済ませておくこともできますが、現時点の三浦半島に共通の観光コンセプトが存在していないことを考えると、ガイドブックなどで仮説は立てながらも、実際に自分たちの足で、ペルソナの視点からフィールドワークをした方が、ガイドブックなどでスポットライトが当たっていない資源を発見することができそうです。

```
──── 定義した課題 ────
具体的なターゲット・ペルソナにとっての三浦半島の経験価値を定義する
```

創りだす経験のブロックに分割

①ペルソナの候補案を作成し、関連しそうな資源を整理する

②ペルソナを精緻化し、ペルソナ視点で経験価値を検討する

③定義したペルソナにとっての三浦半島の経験価値を定義する

図10　課題解決に必要な「創りだす経験」

ワークショップ（1）	ペルソナの候補案を作成し、関連しそうな資源を整理する
調査（1）	現地のフィールドワーク
ワークショップ（2）	ペルソナを精緻化し、ペルソナ視点で経験価値を検討する
調査（2）	競合エリアのリサーチ
ワークショップ（3）	定義したペルソナにとっての三浦半島の経験価値を定義する
コンセプトブックの制作	

表9　課題解決のプロセス

また、他の地域にはない三浦半島ならではの魅力を定義するためには、観光地として競合するエリアとの比較リサーチも、いずれは必要です。

以上を踏まえて、課題解決に必要な「創りだす経験」を「ペルソナの候補案を作成し、関連しそうな資源を整理する」「ペルソナを精緻化し、ペルソナ視点で経験価値を検討する」「定義したペルソナにとっての三浦半島の経験価値を定義する」の三つに分割し（図10）、また必要なリサーチを合間に計画することをプロセスの骨子としました（表9）。コンセプトブックの制作は、編集やデザインなど専門的な作業を要するため、ワークショップではあくまで内容の検討にとどめ、事後作業としました。

仮説を出し合いながら、ペルソナの像を掴む

それぞれの経験を細分化し、対応する問いを作成することで、ワークショップのプログラムを作成しました。1回目のワークショップ「ペルソナの候補案を作成し、関連しそうな資源を整理する」のプログラムは表10の通りです。プロジェクト全体のキックオフでもあるため、京急チームと外部チームのチームビルディングを意識し、お互いの専門性や業務内容の紹介に時間を割き、丁寧に進行しました。

イントロダクションでは、筆者から定義した課題とその背景について丁寧に説明を行い、「三浦半島の魅力とはいったい何か？」「三浦半島に訪れるべきターゲットとは？」などと、プロジェクトの根底にある問いを投げかけな

13:00–13:15	［導入］イントロダクション
13:15–13:30	［導入］アイスブレイク
13:30–14:00	［知る活動］外部チームから話題提供
14:00–14:30	［知る活動］京急チームから話題提供
14:40–15:10	［創る活動①］ペルソナの仮作成
15:10–15:30	［まとめ①］作成結果の発表
15:40–16:30	［創る活動②］三浦半島のリソースの整理
16:30–17:00	［まとめ②］整理結果の発表

表10 1回目のワークショップのプログラム

がら、今後の大まかなプロセスについて説明を行いました。

　アイスブレイクでは、プロジェクトのキックオフでもあるため、またその時点では、三浦半島に何度も足を運んでいる京急チームに対して、外部チームには三浦半島を訪れたことがないメンバーもいたため、あえて三浦半島に関連する問いは設定せず「プロジェクトの意気込みは？」という問いかけ程度にとどめ、自由に自己紹介をしてもらいました。

　「知る活動」では、外部チームメンバーから、自身の仕事や専門性に関する話題提供を行ってもらいました。どのような視点や職能を持ったメンバーがいるのかを把握することで、後の対話をより創造的なものにするためです。京急チームからは、グループ会社5社の代表者から、それぞれの会社の概要について説明があったほか、現段階で把握している三浦半島の魅力や資源についても紹介をしてもらいました。

　「創る活動」では、3グループに分かれて、ペルソナの仮作成を行いました（図11）。いきなりペルソナの像をつくりこむのではなく、まず「三浦半島エリアに来てほしい、もしくは来るべきであるターゲットはどんな人でしょうか？」と問いかけ、付箋紙にペルソナの候補に関わりそうな要素を思いつく限り書きだすことを課題としました。この時点では付箋に書く内容に制約はかけず、「親子連れ」「20代後半の女性」「ロハスが好きな人」など、自由な表記方法で書きだしてもらいました。

　個人でペルソナの候補をある程度書きだした時点で、グループで共有する

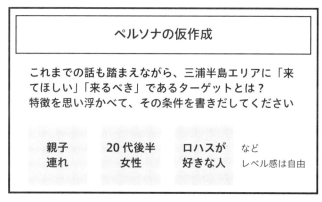

図11　ペルソナの仮作成

橘久美子	33歳 女性 ／ 疲れたバリキャリ ／ 癒しを求めている
マツダマサト	33歳 男性 ／ IT・クリエイティブ系 ／ サーファー
吉田恵	20代後半 女性 ／ 丸の内OL ／ 普段は忙しく都会を離れたい
杉山りえ	23歳 女性 ／ アパレル業 ／ おしゃれなカフェに行きたい
速水隆志	29歳 男性 ／ カーディーラー ／ 頭を空っぽにしたい

図12　ワークショップで仮生成されたペルソナの概要

ように促したところ、お互いの意味づけが共有され、自然と対話が起こり始めました。全体に「三浦半島と相性の良いターゲットはどんな人か？」という問いをさらに投げかけ、対話を促進しました。

　対話が深まりつつあるタイミングを見計らって、ペルソナをまとめるためのワークシートを配布し、「グループで簡易ペルソナを2案程度、仮作成してください」という課題を提示し、発散した付箋と対話の結果を収束させるように促しました。

　結果として、各グループから合計5案のペルソナの候補が生成されました（図12）。発表されたペルソナの仮案に対して、筆者はファシリテーターとして「編集力」を意識し、共通して20〜30代の男女であることや、特徴として「都会の疲れを癒す、非日常的な場を求めている」という共通点があることを総括し、意味づけを行いました。

共感できるペルソナの発見：課題の精緻化

　ワークショップで仮作成されたペルソナのうち、多くの参加者の納得感を得られ、特に「都会の疲れを癒す、非日常的な場を求めている」という共通の特徴を体現していた「橘久美子」というペルソナが、このプロジェクトにおけるメインペルソナの1人として、ワークショップの後にもブラッシュアップされることとなりました（図13）。

　1回目のワークショップの後半では、仮作成したペルソナの視点を意識しながら、三浦半島のリソースをスポットレベルで整理しました。

　具体的には、「ペルソナにとって魅力的な可能性が高い重要スポットとは？」「ペルソナにとって意外に魅力的かもしれないスポットとは？」「ペル

年齢：	33 歳
性別：	女性
居住地：	小田急線豪徳寺駅、徒歩 10 分、1R、家賃 7.5 万
出身地：	静岡県
家族構成：	一人暮らし（実家には父母妹）
パートナー：	独身
学歴：	早稲田大学第一文学部総合人文学科文芸専修卒
所属：	リトル・モア編集部（編集業）
役職：	なし
収入：	年収 450 万円

橘久美子

図 13　ペルソナ「橘久美子」の概要

ソナが三浦半島に足を運び楽しむ上での懸念点は？」という三つの問いを提示し、それぞれに対する答えを異なる色の付箋に書きだし、壁に貼りだした三浦半島の地図の上に貼りつけていきました（図 14）。

　まだフィールドワークを実施していないため、これまでの訪問経験やガイドブックから得た知識に偏っていることを自覚しながらも、仮作成したペルソナにとって三浦半島に訪れる経験はどのような意味を持ちそうか、仮説を検討することができました。

　以上、1 回目のワークショップのプロセスについて説明してきましたが、このワークショップの最大の成果は、ペルソナの方向性が見えたことでした。

　参加者にとって納得感があり、愛着が湧くペルソナ像が見えてきたことで、京急チーム、外部チームを含めたプロジェクトメンバーにとっての問いは「橘久美子にとって三浦半島に

図 14　三浦半島のリソースを整理するワーク

足を運ぶ価値とは何か？」という問いへと、自然と書き換わっていました。

　もちろん、プロジェクトとして他のペルソナの可能性も検討しながら進めましたが、ペルソナ・橘久美子については多くのプロジェクトメンバーが「久美子」と下の名前で親しみを込めて呼ぶほど共感が高まり、その後、フィールドワークをする際も、多くのメンバーが「久美子がこの景色を見たら感動し、つい写真を撮ってしまうだろうな」「久美子はこの移動手段はちょっと苦手かもしれないな」などと、ペルソナの視点を憑依させながら、改めて三浦半島のリソースを探索することができました。ペルソナによって、プロジェクトのまなざしが劇的に変わり、問いにリアリティが増していきました。

コンセプト「“あるがまま”を楽しむ」の完成

　その後、2回目のワークショップではフィールドワークの結果を共有しながらペルソナの視点で「三浦半島を訪れる経験価値とは？」という問いについて検討し、その後箱根や熱海など、近郊の観光地として競合になりうるエリアについて調査を重ねながら、3回目のワークショップではペルソナにとっての三浦半島の経験価値、すなわち観光コンセプトの定義を試みました。

　最終的に、三浦半島の経験価値を体現した観光コンセプトとして「“あるがまま”を楽しむ」というコンセプトが生まれました。このコンセプトは、これまでの三浦半島のイメージとして形成されていた「まぐろ」や「葉山女子旅」のような、ある一つの「点」としてのコンテンツを押しだすものではなく、ペルソナにとって三浦半島の各地を「線」として味わったときに得られる価値を意識的にまとめたものです。

　今回作成した「橘久美子」を代表とするペルソナは、都会の生活に適応しながらも、根底に疲労感を感じていて、心のどこかで癒しを求めている20〜30代の男女です。休日にSNSで他人の動向を気にするのも嫌だし、戦略的につくりこまれた観光地ではどこか癒されない。そんなときに、三浦半島というまだ観光地化されていない都会に近い“秘境”に足を運ぶことで、「そんなに頑張らなくていいのかも」と、自然体でいることの心地良さに気づく。そんな時間が、少しずつペルソナを癒していく。

　成果物として作成したコンセプトブックは、そうしたペルソナにとっての

図15　制作したコンセプトブック

三浦半島の価値や過ごし方のシナリオについてまとめました（図15）。

新たな難題から創発した「繭」というコンセプト

　このコンセプトブックが2017年度のプロジェクトの成果物であり、「橘久美子にとって三浦半島に足を運ぶ価値とは何か？」という問いに対する創造的対話の結果としての「答え」でした。

　1章で確認した通り、問いを問う行為は、結果として新たな問いを生みだします。このプロジェクトはコンセプトブックの完成で終了する予定だったのですが、プロジェクトを通して新たに生まれた問い「定義した価値を、橘久美子にいかにして届けるか？」「橘久美子が三浦半島に足を運ぶきっかけをどのようにしてつくるか？」を起点に、2018年度の継続プロジェクトへと発展していったのです。

　クライアントと話し合った結果、2018年度のプロジェクトでは、コンセプトブックの内容に従って、具体的なファーストアクションとして、ペルソナをターゲットにした「イベント」を開催しようということになりました。詳細は割愛しますが、同様に改めて課題とプロセスをデザインし、さらに2回のワークショップを通して、イベントの企画を具体化していきました。

　2018年度のプロジェクトの課題として掲げていた問いは、一言でいえば、「橘久美子が三浦半島に足を運びたくなるイベントとは？」というものでした。2017年度のプロジェクトで定義したコンセプト「"あるがまま"を楽しむ」は、橘久美子の視点から三浦半島の経験価値を言語化したもので、うま

く伝わりさえすれば、橘久美子は三浦半島を楽しんでくれるはずです。

ところが、足を運ぶきっかけとして、どのような「イベント」を企画すれば、橘久美子に「三浦半島に行ってみようかな」と思えってもらえるのか。これはなかなかにチャレンジングなテーマでした。

なぜならば、橘久美子は、おとなしい性格で、集団で群れたり、SNSに積極的に発信することを嫌うタイプの女性で、いわゆる一般的な「イベント」に頻繁に参加するタイプではなさそうに思えたからです。

イベントという手段は、確かに成功すれば、有効なアプローチになります。しかし、「橘久美子にとって最適なイベントとはどのようなものか?」という問いは、考えれば考えるほど難しく、2018年度の1回目のワークショップでは、主にこの問いに頭を悩ませたのでした。

しかも、ちょうどこのとき、テレビ東京の番組「ガイアの夜明け」の地方創生をテーマにした特集の取材が決定し、ワークショップのプロセスから当日のイベントの様子に至るまでが、テレビ公開されることが決まったのです。

これはプロジェクトの評価として大変喜ばしいことでありましたが、「地方創生」として成果が感じられるイベントを企画しなければならない暗黙のプレッシャーが強まりました。100名規模の参加者が一堂に会して盛り上がっているイベントはテレビ映えするでしょうが、橘久美子は音楽フェスなどの派手なイベントは好まず、観光をするにしても、マイペースで好きなところを回って、「自分のだけのお気に入り」を発見することに喜びを感じるタイプです。ただでさえ「橘久美子向けのイベント」というお題に頭を悩ま

図16　2018年度の1回目のワークショップの様子

図17　ワークショップのグラフィックレコーディングの一部（清水淳子氏作）

せていたところに、テレビ取材のハードルが重くのしかかってきたのです。

　ところが、この逆境に、プロジェクトメンバーたちは燃え上がりました。掲げていた問いも「橘久美子が楽しめる100名規模のイベントを企画するには？」と、暗黙のうちに書き換わりました。このある意味で矛盾した制約に、プロジェクトメンバーの創造性は刺激され、2018年度の1回目のワークショップは非常に活発な対話が展開し、さまざまなアイデアが飛び交いました。まさに「危険だけど居心地が良いカフェとは？」という矛盾を含んだ問いの効果を想起させました（図16）。

　ワークショップで対話を重ねるうちに生まれた切り口が、「繭（まゆ）」というアナロジー（喩え）でした。繭のように、優しく包み込み癒してくれる存在があれば、橘久美子は安心して1人の内省的な時間を過ごせるのではないか。

　一つ一つの繭には違った魅力が詰まっていて、橘久美子は自由に振る舞いながら、自分のお気に入りの繭を見つけ、そこに没頭することができる。一つ一つの繭に中心／周辺という概念はなく、三浦半島に多数散在しているが、それらがネットワークのようにつながり、全体としても大きな存在感を生む

ことができるような、そんなイメージをイベントで実現できないか。

　まだまだイベントとしての具体的なイメージは掴みきれないものの、プロジェクトメンバー全員に「これだ！」という感覚が走りました。ひとまず大きな方向性として、橘久美子にとっての「繭＝cocoon」を三浦半島につくる、というコンセプトで合意が得られ、1回目のワークショップは無事に終了することができました。図17は、ワークショップ当日の清水淳子さんによるグラフィックレコーディングです。

内部分裂 !? 意見対立をどのように乗り越えるか

　1回目のワークショップを終え、イベントのコンセプトも繭をモチーフにした「Miura Cocoon（ミウラ・コクーン）」として、固まりつつありました。後は2回目のワークショップで具体的なイベントの仕様を設計できれば、このプロジェクトは無事に着地できそうに見えました。

　ところが、実はこの2年間にわたって5回のワークショップを実施した本プロジェクトにおいて、ファシリテーションに最も手を焼いたのは、この最終回のワークショップでした。これまで深く連携してきた京急チームと外部チームの意見が、最後の最後で、真っ二つに割れてしまったのです。

　2回目のワークショップの開催が迫ったある日のことです。クライアントである京急グループの担当者から、ファシリテーターを務める筆者宛に、1通のメールが届きました。

　そのメールには、京急グループの上層部も「Miura Cocoon（ミウラ・コクーン）」をコンセプトとする方向性には賛同してくれているが、京急グループの利益につながる設計にする必要があるため、地元住民が提供するサービスを「ミニコクーン」（本屋、農家、カフェなど）と位置づけながら、最終的には京急が提供する「コアコクーン」に誘導したい。コアコクーンは「京急油壺マリンパーク」（京急グループが運営する水族館施設）に設定する方向性で考えている。その前提で、明日のワークショップの議論をしたい。といった旨のことが書かれていました。

　なるほど確かに、京急グループの立場で考えると、その方針は納得いくものでした。三浦半島の活性化は社会貢献活動だけでやっているわけではなく、あくまで三浦半島に点在している京急グループのビジネスにつながらなけれ

ば、投資としては意味がないものになってしまいます。

　したがって、「観光客が来て、地元が盛り上がる」ということも重要ですが、「京急が推進している意味」が明確化して、それが「京急グループの利益につながる」ことにならなければ、たしかに上層部は納得しないでしょう。

　しかし、この要望を前提にワークショップを進行した場合、プロジェクトメンバーのうち外部メンバーたちは、大きく反発するであろうことが想像できました。何よりも橘久美子をペルソナにしてイベントの企画を考えてきた外部メンバーにとっては、繭には中心／周辺の概念をつくらずに、橘久美子が自分の意思で自由に好きな繭を回ることができる点に、こだわりがあったからです。

　橘久美子は、あくまで"あるがまま"の三浦半島を楽しむために来るわけで、水族館に行きたくて三浦半島に来るわけではありません。三浦半島に"あるがまま"に点在する「ミニコクーンはおまけ」で、結局のところ「コアコクーンである水族館を利用してもらうためのイベントでした」と感じさせてしまっては、イベントコンセプトの本質を損なってしまい、結果として橘久美子に価値が届けられないのではないか、と感じるだろうと思ったのです。

　ワークショップの最終回は2018年5月18日。イベントの本番は2カ月後の7月21〜22日と決まっていましたから、ここでプロジェクトを瓦解させるわけにはいきません。かといって、「京急グループの利益を優先させるか」「ペルソナ視点に立った外部チームの意見を優先させるか」という二項対立に陥ってしまっては、成果物のクオリティを妥協することになってしまいます。これこそ、1章から繰り返し述べてきた「関係性の病い」と言えるかもしれません。二者の前提が食い違い、「溝」が生まれてしまったのです。

　こういうときこそ、問いのデザインの出番です。筆者は、意見が二項対立に陥ってしまった場合のファシリテーションのリフレーミングのテクニック「第三の道」を活用し、「京急電鉄がこのイベントに取り組む意義とは何か？」「京急電鉄が取り組むからこそ、ペルソナに付加価値をもたらせないか？」という問いを立て、対話の機会を設けました。その背後には「京急電鉄が取り組む意義は、施設の活用なのだろうか？」という、「天邪鬼思考」による前提を疑う問いも内包していました。

創造的対話から浮かび上がった第三の道

　ケース2でも実施した「非構成の対話」のような形式で、グラフィックレコーディングに向き合って着座する形式で、全体の自由対話の時間を設けました。もともと用意していたプログラムは中止し、何時間かかってもよいから、全員が納得する答えを導く。そんな覚悟を持って、対話の時間にファシリテーターとして向き合いました。

　外部チームのメンバーは、「京急油壺マリンパーク」を「コアコクーン」にすることには違和感があり反対であることを正直に述べました。他方で、京急チームのメンバーは、「自社としてやる意義と利益がなければ、イベント企画として社内稟議を通せない」ことを譲らず、お互いの大事にしたいものは共存が可能なのか、対話を重ねました。

　結果として、批判的な意見がぶつかり合うような場面が何度となくありながらも、「第三の道」としての合意点が、徐々に見えてきました。対話から浮かび上がってきた新しい意味の兆しは、京急グループとして実施する意義を考えたときに、それは必ずしも「自社の水族館に誘導すること」ではないはずだ、という提案でした。むしろ、京急グループが鉄道やバスなどの交通事業が主軸である鉄道会社であることを踏まえれば、施設を利用してもらうことよりも、「繭の足場」を移動するインフラを支える方が会社の本業に合っているのではないか、という切り口から、突破口が見いだされたのです。

　この切り口には、京急チームも納得感がありました。たしかに、自社の利益や意義を考えたときに、水族館に誘導することだけが手段ではないはずです。他方で、実際に三浦半島に施設を持っている強みは活かしたい。

　それならば、たとえばイベントに参加する「受付」として水族館を位置づけ、受付において京急グループが用意した「電動自転車」などの交通手段を利用することで、各所にある地元のコクーンを巡回する形式にすれば、イベントの本質は損なわずに、京急グループとして実施する意義や役割を見いだせるのではないか、という方向に、場のまなざしが向いていったのです。

　一方で、外部チーム側にも、これらの対話を通して考え方に変容が見られました。コクーンには中心／周辺の概念をつくりたくないというこだわりを持っていましたが、小さなコクーンを回遊するだけでなく、みんなで三浦半

図18 「三浦 Cocoon」のビジュアルイメージ

島の圧巻の景色や夕日を堪能できる、大きなコクーンは存在してもいいかもしれない。それが「京急グループの水族館」であることに違和感があったが、三浦半島の先端にある「城ヶ島公園」などの大自然が広がる場が「コアコクーン」であれば、橘久美子の「1人で過ごす時間」の締めくくりとしてふさわしい場になるのではないか。そんなビジョンが新たに生まれたのです。

　そこから、「自転車で三浦半島に点在するコクーンを回遊し、夜は城ヶ島公園にテントを広げて、景色を楽しみながら1泊する」ことをコンセプトとしたイベントの姿が、ようやく具体的に見えてきました。

3.4.

課題解決の成果

　最終的に完成したイベントは「三浦 Cocoon」として、自転車回遊型の宿泊イベントとして2018年7月21〜22日に開催しました（図18）。参加チケットはすべて完売。当日70名を超える参加者が三浦半島を訪れました。

　来場者アンケートでは、7割以上の参加者がペルソナとして設定していた年代層と同じ20〜30代、9割以上の参加者が「三浦にまた来たい」と答える結果となり、都市近郊リゾートとしての三浦半島の魅力を実現していく新たなスタートになりました。現在も、不定期で「三浦 Cocoon」は開催されています[2]。

---

* 2　三浦 Cocoon については、特設ウェブサイト（http://miuracocoon.keikyu.co.jp/）で詳しく紹介している。

生徒と先生で考える理想の授業づくり

関西の中高生とナレッジキャピタル

4.1.

概要

筆者（塩瀬）が担当した、中高生とその先生とが協働して「良い授業」を
つくるワークショップについて紹介します。

「授業をつくるのは誰か」と問われれば、「先生」と即答される人が多いか
もしれませんが、ここでは「生徒」も受け身ではない授業づくりへ関わる方
法を考えました。特に「理想の授業とは何か？」を丁寧に突き詰めることで、
主体的で対話的で深い学びという大きな学習観の実践にもつながることを気
づかせてくれるワークショップとなりました。

一般社団法人ナレッジキャピタルがグランフロント大阪（大阪市北区）で
実施した新たな中高生向けイベント（2019年12月7〜8日、中高生36名、
先生13名が参加）の企画が対象です。

大学や企業の研究者、起業家らも登壇する市民講座を多数開催するナレッ
ジキャピタルは、講師と受講生の関係がより密度の高いものへと深化する新
たな工夫や仕掛けを模索していました。さらに、イノベーティブな中高生を
表彰するアワードの開催で培ってきた中高生や先生とのネットワークをよ
り発展させる企画にしたいという想いがあったため、共同で新たなワーク
ショップをデザインしました。

4.2.

課題のデザイン

中高生と先生という授業のプロと協働する

ナレッジキャピタルは、社会の叡智を新たな資本として循環させる機能を

担う組織です。市民講座をその社会資本の交換装置の一つとして位置づけるならば、「良い講座・授業とは何か？」を考えることが質向上の近道だと考えました。

しかし、誰かにとって良い講座・授業は、また別の誰かにとって必ずしも良いものとは限りません。企画スタッフだけで新しい講座スタイルを考えると、どうしてもその視点が限られてしまいます。

そこで、もう一つの依頼内容でもあった「中高生との協働を新たな段階へとアップデートする」という課題と一緒に一度に解決を図ることにしました。

毎日6〜7時間、年間1000時間も授業を受けている中高生こそが、「良い授業とは何か？」を知っているプロだと位置づけ、彼ら彼女らのアイデアがこの地域の知識循環を加速させることにつながる可能性が生まれたわけです。

もちろん、1年のうちに何度も先生と生徒が顔を合わせる学校での授業と、講師と受講生が一度しか会わないかもしれない市民講座の授業とでは性質が大きく異なります。

しかし、毎日のように教える先生も受ける生徒も「授業」に関してプロ中のプロだと考えれば、その膨大な実績と経験を知識循環型社会の形成に還元しない手はありません。あえて「授業」というフレームワークに注目することで、中高生が自分ごととして自らの経験を重ねて取り組みやすい課題として設定できると考えました。

社会実装するためのクレドをつくる

ここで課題を定義するにあたって、「哲学的思考」を使います。「良い授業」と一口にいっても、人によって考え方も異なるため、より深くより丁寧に主題と向き合うために「理想の授業づくり」を掲げることにしました（表11）。

そしてもう一つ、「道具思考」の観点から、「理想の授業づくり」に関するクレド（心得・信条）をつくることにしました。授業のあるべき姿を議論することも大切ですが、社会実装する場面においてはそれがある意味で手離れの良い形態に収まる必要があります。そこで、道具の一つとしてクレドを媒介することで、対象を共有したり働きかけやすくなることが期待されます。

成果目標	・理想の授業を実現するクレドをつくる
プロセス目標	・クレドづくりを通じて、授業のように一見受け身と捉えられがちなものも主体的に変えられることを自覚する
ビジョン	・中高生自らが社会変革の主体者である自覚を持つ機会をつくること
課題の定義	・生徒と先生の視点から理想の授業を実現するクレドをつくる

表11　目標の整理と課題の定義の結果

4.3.

プロセスのデザイン

酷い授業のアイデアから規範外の思考を促す

　ワークショップは2日間にわたる構成で、1日目は「理想の授業」について考え、仮のクレドを試作すること、2日目は仮のクレドを授業で実践してプロトタイピングして実行可能なクレドに仕上げることとしました（図19）。

　タイトルは「クレドを作ろう！授業の受け方を考えてみよう」としました。2日間のワークショップのプログラムは表12の通りです。

　「理想の授業について考えよう」と問いかけるとき、課題設定の罠でも紹介した「優等生」的な回答に終始することが危惧されます。「真面目に聞く」「静かにノートをとる」といった優等生的なアイデアは、誰も否定しない代わりに、当たり前すぎて、結局、埋没してしまいます。

　そこで、問題を捉える思考法の一つ「天邪鬼思考」によって、まったく逆の発想でクレドを考えてもらいました。「最低最悪の授業を考えよう」と声掛けすると、「生徒が誰も目を合わせてくれない」「先生がやたら身の上話ばかりをする」といった冗談めいたアイデアが次々に出てきます。

　この酷い授業のアイデアを素直に発想すれば、通常の改善案を提示することができます。さらに、この酷いアイデアを逆転の発想で活かしてみることで、規範外にはみでたアイデアにつなげることができます。

　たとえば、「先生がやたら身の上話ばかりをする」ことを活かして、「先生が身の上話を最初にすれば、等身大で伝わるからテーマに興味が湧くので

▶ Day1：12/7（土）13:00−18:00	
13:00−13:20（20分）	趣旨説明と自己紹介
13:30−14:15（45分）	授業を盛り上げる生徒の授業態度について考える
14:30−15:15（45分）	生徒を夢中にする先生の授業方法について考える
15:30−16:30（60分）	2日目に迎える先生3人について調べる
16:30−18:00（90分）	試作したクレド発表
▶ Day2：12/8（日）13:00−18:00	
13:00−13:15（15分）	2日目の流れと先生紹介
13:15−14:05（50分）	授業30分＋フィードバック（チーム内5分＋先生15分）
14:15−15:05（50分）	授業30分＋フィードバック（チーム内5分＋先生15分）
15:15−16:05（50分）	授業30分＋フィードバック（チーム内5分＋先生15分）
16:15−17:15（60分）	クレド完成（生徒心得＋先生心得）
17:15−17:30（15分）	全体総括

表12　ワークショップのプログラム

図19　ワークショップの様子（©2019 Takayuki Shiose, Knowledge Capital）

は」といった優等生的発想からは得られないアイデアも生まれます。

主体を変えてリフレーミングしてみる

　ワークショップでは、「主体を変える」というリフレーミングを意識できるように、明示的に二つの時間を設けました。生徒目線で「どんなに声が小さくて面白くない先生でも、盛り上がる理想の授業態度を考える」時間と、先生目線で「どんなに眠たそうにしている生徒も、目を見開いて夢中になる理想の授業を考える」時間の2種類です。

　生徒目線で考える時間には、「先生の問いかけにあんまり反応していないよね」「質問をしにくい雰囲気は、先生だけじゃなくて、生徒たちにも問題があるのかも」などと、授業づくりにおける生徒の役割に関する対話がたくさん展開されます。

　先生目線で考える時間には、実際の中学校や高校の教育現場で登壇する先生にインタビューする時間を設けました。「先生が今までで一番手応えのあった授業はどんなものですか？」といった質問もあれば、「先生は毎回良い授業をしようと思っていますか？」といった痛いところを鋭く突くストレートな質問まで、中高生の素朴な問いが先生に投げかけられます。

　先生から「実は好きで得意な分野もあれば、嫌いで苦手な分野もある」という正直な気持ちを聞いた生徒たちは、「先生も好き嫌いや得意不得意を正直に言えばいいのに！」と好意的に受けとめていました。

　もちろん授業のプロですから、得意不得意や好き嫌いに左右されてはいけないという建前はいくらでも並べることはできますが、優等生的な建前論だけでは成り立たない深い対話こそが本質的な課題解決にとって不可欠です。

　天邪鬼思考で規範外のアイデアを膨らませた中高生は、主体を変えたそれぞれの立場から「理想の授業」を実現するクレドを考えました。

　先生心得の例としては、「授業のはじめに目標を明確にする」「自分も楽しんで授業をする」などを設定しました。生徒心得としては、「内容を鵜呑みにせず批判的思考で聞く」「積極的に質問すべし」などを設定しました。

　2日目は、ここで設定した仮のクレドを実践して、すぐ修正を重ねるプロトタイピングを行いました（図20）。36人の生徒が三つのまとまりに分かれ、それぞれ1人ずつ先生がつきます。先生には先生心得を、生徒は生徒心得を

図20　作成したクレドをもとにした対話の様子 (©2019 Takayuki Shiose, Knowledge Capital)

読み上げてからミニ講義がスタートします。

　先生が30分講義した後に、授業内容ではなくクレドの達成状況について生徒と先生とで振り返りを20分します。「批判的思考で授業を聞いてくれるのは嬉しいけれど、みんなの表情が険しくてちょっと怖かった」という先生の正直な印象や、「身の上話が長すぎて授業の中身が短くなってしまっては本末転倒」という生徒の感想など、仮のクレドが思ったほどうまく機能しない場面を振り返り、すぐに修正を図ります。「まずは笑顔。笑顔で批判的思考はどう？」などと、クレドを修正しながら次の先生のもとへ移動します。これを3回繰り返して、もう一度先生にもヒアリングをしながら、最終的なクレドを仕上げていきました。

4.4.
課題解決の成果

　以上のワークショップの結果、先生心得には、「授業のはじめに目標を明確にする」「生徒が振り返る時間をつくる」という今さら言葉にするまでもない当たり前の心得も並びます（図21）。一方で、「先生自らの興味を紹介すること」「自ら楽しむ姿を惜しみなく晒すこと」のように、わざわざ言葉にはしてこなかったことが改めて強調されたことはとても興味深いことです。

　そして、「自分たちが授業をつくるという気持ちを持つこと」という生徒心得は、先生だけでも生徒だけでもない、授業づくりの第三の道を探る方法

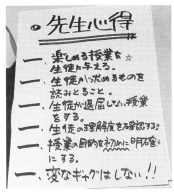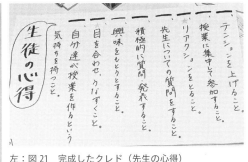

左：図21　完成したクレド（先生の心得）
右：図22　完成したクレド（生徒の心得）
（©2019 Takayuki Shiose, Knowledge Capital）

として、とても大切なクレドになりました（図22）。

　筆者は、かねてから中高生たちには社会変革の担い手としての自信を持ってもらいたいと考えていました。

　そのような懸念は、『平成26年版内閣府調査子ども・若者白書』の「特集　今を生きる若者の意識〜国際比較からみえてくるもの」に依拠します。アメリカやドイツ、フランスなど6カ国の13〜29歳の若者と比較して、「社会現象が変えられるかもしれない」という設問に対して、日本の若者は突出して消極的な回答を示していたからです。

　この社会変革の可能性について、問題意識をずっと持っていたこともあり、今回の理想の授業ワークショップで最後にとった中高生のアンケートに新たな可能性を感じました。「中学生でも物事を変えられると実感した」「授業を受けるのは全部先生によって左右されると思っていたけど、生徒の態度によっても変わるんだなと思った」とあったことが、何よりの成果です。

　生徒にとっての社会≒学校において、これまで絶対的とされていた授業が自分の態度如何によって変わりうるという自覚は、中高生にとってかけがえのない経験になることと期待しています。

　学習指導要領でも強調されている「主体的・対話的で深い学び」を実現させるためのテーマ設定について、多くの相談を受ける機会がありますが、小中高にわたって1万時間以上の授業を受けるであろう児童生徒にとって、「理想の授業」について考えることは、極めて社会的意義のある重要な課題であると考えます。

ノーベル平和賞受賞者と高校生の対話の場づくり

京都の公立高校生とインパクトハブ京都

5.1.

概要

　次に紹介するのは、ファシリテーターが問い直しをするのではなく、参加した高校生自身が何度も問い直しをして一つの問いを精錬していく仕掛けについてです。

　これは2019年11月にノーベル平和賞受賞者のムハマド・ユヌス博士が京都を訪れる際に、高校生とじっくり対話できる場をつくりたいと筆者（塩瀬）が相談を受けたときのことです。ソーシャルアントレプレナーをはじめとする社会変革者が集うインパクトハブ京都から、この貴重な対話の時間を通り一遍の講演会と質疑応答で終わらせるのはもったいないので、もっと深い対話の機会になるように場をデザインしてほしいという依頼でした。京都の公立高校に声を掛け、4校16人が集まってくれました。

　開始時期が中間試験直前で、複数の高校の生徒が参加するため試験時期も高校によってずれるので、本番までに全員が集合できる日がたった2回しかないという準備時間が乏しい難しい状況でスタートしました。

5.2.

課題のデザイン

物理的に離れた参加者が思考を共有する仕掛け

　3章で目標の実現の阻害要因として触れた「そもそも対話の機会がない」ということについては、組織内のチームメンバーの消極性の話だけではなく、今回の設定のように熱意や動機があったとしても物理的距離の離れた異なる学校の生徒同士が、また試験勉強などで時間的猶予がない場合など、好むと

好まざるとによらず訪れます。

　また「目標が自分ごとになっていない」という点についても、SDGsなどが声高に叫ばれる現在も、新興国での貧困問題は、高校生にとって教科書で見る遠い国の出来事として捉えられ、その課題をリアリティをもって受けとめきれないことがあります。

　筆者は、このワークショップをデザインするにあたり、もう1人のファシリテーターとして旧知のハナムラチカヒロさんに加わってもらいました。彼はユヌス博士の出身地であるバングラデシュのチッタゴンでのアートプロジェクトにも日本人として唯一参画したランドスケープデザイナーです。

　高校生に深く考えてはもらいたいが、集まれる時間が最小限のなかで問いを深めるためには、単純なルールで繰り返し継続する方法がよいだろうと意気投合し、「貧困とは何か？」という素朴でかつ本質的な問いに献身してもらおうと考えました。

リアリティの感じにくい問いを自分ごとにする

　そこで、ユヌス博士に会う本番の日まで、高校生には、「貧困とは何か？」という問いについて30日間、毎日一つずつカードに書いてSNSでお互いに共有するという30日間チャレンジを始めてもらいました。

　ただ毎日同じカードを使って同じ問いに向き合うというシンプルなスキームによって、高校生がたとえ物理的に離れたところにいても同じペースで各自考えることができるため、緩やかな連帯感で前に進めることができると考えたのです。

　ここでの目的は、高校生自身が自分たちの力で深めた問いを世界で一番その課題に向き合ってきた博士にぶつけることであり、何か貧困対策についての結論を安易に出すことではありません。

　問題を捉える思考法として、そもそものところに立ち戻って深く考える「哲学的思考」を志向し、網羅的・多面的に捉えるため「構造化思考」を持ち込みたいところですが、高校生としての「素朴思考」を最も大切にしたかったため、よほど生徒たちが言葉に詰まらない限りは、そのまま任せたいと考えていました。

プロセスのデザイン

30日で深めた500個の質問

　決起集会となった初日も、放課後に2時間を確保するのが精一杯でした。ユヌス博士を迎える経緯を紹介した後、早速その場で「貧困とは何か？」を言葉にしてもらいました。

　前半の1時間は、その最初の言葉を何度か言い換えた後、後半の1時間はそのイメージをレゴブロックで表現し直して発表し合いました。

　たとえば、シーソーの両側に裕福な人と貧困の人を並べてみたり、小中大の三つの家が並んでいてそれぞれの住人が隣の家を羨ましそうに眺めているといった興味深い視点でレゴの作品はつくられていました。いずれもプレゼン慣れした高校生であったことから、とてもきれいにまとまった発表をしてくれました。

　翌日から、「貧困とは○○である」というフレーズを毎日絞りだし、50字程度で説明したカードが高校生のSNSにアップされていきました。しかし、それが1週間も過ぎると、どの生徒も書きだす言葉に詰まっていきます。「貧困とは富の再配分である」「貧困が教科書に載ると他人ごとになる」といった言葉が出ていた勢いはどこかに消え、だんだん自分たちの表現の枯渇に悩みだします。しばらくすると、本を読んだり、インターネットで見かけた関連記事を引用したりと、堂々巡りを繰り返しながらも徐々に貧困に対する考えを説明する語彙が増えてくる手応えを感じ始めます。

　本番の5日前、久しぶりに顔を合わせた16人は同じ問いを深め合った仲間として再会します。そしてそれぞれが持ち寄った問いを集めていざ5分の発表練習を試みたら、10分、15分と時間をかけても収まりませんでした。30日間チャレンジで語彙を増やしすぎたからか、本番直前でまったくまとまらないことに焦りを感じるほどでした。

　筆者がここで高校生たちにかけた言葉はシンプルなものです。「プレゼンがきれいにまとまっている必要はまったくないですよ。たくさん自分たちで絞りだした問いの中から選りすぐりの問い、これだけは自分の言葉で聞いて

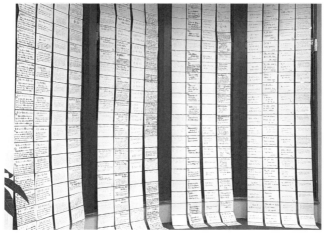

図23　ワークショップの会場に貼りだされた500の問い（©2019 Naoyuki Ogino, Impact Hub Kyoto）

みたいという究極の問いをたった一つでもいいから博士にぶつけましょう」。

16人が30個ずつ、合計約500個の問いが会場に貼りだされました（図23）。高校生が3〜4人1組でユヌス博士と15分間ずつ向き合い、自分たちが考えたことを自分たちの言葉で問いかけたのです。円卓を囲み、そこに用意した円盤状の模造紙に高校生自らが考えた貧困問題の構造を記入しました。

ユヌス博士を迎え、趣旨説明、当日の進行、終わりの挨拶など、全体進行のほとんどを高校生に任せました。筆者とハナムラさんの2人は、ユヌス博士と高校生の対話パートだけ、対話に集中してもらおうとファシリテーター役を務めました。そしてうまく高校生の問いが伝わらなかったり、緊張して言葉が出なくなったりしたときにフォローにいつでも入れるように黒子のつもりでその場にいました。

結果的に、私たち2人のファシリテーターは「はい、そろそろ時間ですので、次のグループに交代をお願いします」というつなぎの発言しか出番がないほど、高校生たちの進行は完璧でした。

高校生のグループは思い思いのテーマで、文字とレゴブロックでこれまで考えてきた経緯をユヌス博士に語り、それから自分たちの考えた問いをぶつけました。

図24　ワークショップの様子 (©2019 Naoyuki Ogino, Impact Hub Kyoto)

　タイヤやボディのレゴブロックを組み合わせて1台の自動車を組みあげた高校生からスタートしました。「これ1台をつくるのに何千何万という人の仕事が背後に隠れていることを私たちは忘れてはいけない」。

　多くの学生が英語を駆使して、これまで考えてきた経緯や自分たちなりの貧困のメカニズムを説明しました。しかし、ユヌス博士に投げかける一番の問いだけは「私たちの今の英語力では表面的な言葉になりそうなので、日本語で話させてください」といって、自分たちの母語でしっかりと語っていました。ユヌス博士と直接喋ろうと英語を駆使することも素晴らしいし、いざユヌス博士に直接投げかける渾身の問いは、最も自分らしい言葉で語れる母語を選ぶことも素晴らしい。

　「格差を解消するものとして教育に期待が集まるが、日本では教育投資額の差が次に受けられる教育の差を生むといわれています。むしろ教育によって格差は広がるのではないでしょうか」。

　ふつう大人ならこのような本質的な問いは避けると思われますが、高校生は素朴な問いをただありのままにぶつけます。

　「今、自分たちは恵まれた状態にいる。格差を埋めたら、自分たちが損をするかもしれない。それでも、私たちが貧困に目を向けるにはどのような言葉が必要か」。

図25 高校生の問いかけに答えるユヌス博士 (©2019 Naoyuki Ogino, Impact Hub Kyoto)

　こうした大人だったら絶対口にしない質問までをも、ユヌス博士に直接投げかけました。

　すると、ユヌス博士も真摯にその問いに答えくれました。

　「貧しさはその人の特性ではなく、その人が望もうが望むまいがシステムとしてつくられている。そのシステムを社会がつくったのであれば、それをつくった側にもそのシステムのなかにいて知らぬふりをしている者にも責任がある」と答えました。

　また別の高校生は次のような問いを投げかけました。

　「私たちは30日間チャレンジをしてきました。同じ宿題をユヌス博士が出されたら何と返しますか」。

　大人であれば、世界で一番考えてきた活動家に躊躇して聞けなかった本質的な問いですが、それすらもズバッと射抜いたのです。

　その日に参加したすべての高校生、大人が固唾を呑んでユヌス博士の答えに耳を立てました。

　すると、ユヌス博士がシンプルな言葉で即答されたのです。

　"Denial of the Opportunity（機会が拒絶されていることです）"

「機会がないのではなくて、奪われている。個人の問題ではなく、システムの問題であり、与えられたシステムを疑う勇気が大切である。与えられたものが自分に合わなかったとき、システムのために、組織のために、会社のために、働く必要はない。自分でそれをつくりなさい」と熱く真剣に答えてくださいました。大人や社会がつくったルールに闇雲に従う必要はない。むしろ自分たちで創造しなさい、といっているようでした。

高校生たちが本気で貧困について考えたことに対して、世界で一番、貧困について考えてきた人が本気で応えてくれた瞬間、高校生たちの目が輝きました。その高校生たちの学びの瞬間を周囲にいた大人たちも目頭を熱くして注目していました。

高校生たちが必死で深めた問いをユヌス博士にぶつけられたことは、とてつもなく貴重な経験になったと感じました。しかも、それが誰かから与えられた言葉の暗記ではなく、自らの頭と胸に何度も何度も声をかけながら真摯に向き合った結果としての言葉だったのですからなおさらです。

5.4.
課題解決の成果

システムは自分たちで変えられる

貧困について考え始めた高校生たちは当初、「かわいそう」「恵まれない」「努力が足りないこともある」など、それを個人の要因による問題として捉えていました。しかし、考えを深めていくうちに、貧困は個人だけではどうにもならないシステムの問題だと気づきました。

しかし、大きなシステムといえど、それは人がつくったもの、手順に沿って考えれば、それは自分たちの力で変えていくこともできることに気づきます。ただ、その手順は、自分の行動を変えるといった手順とは異なる大きな視点が必要なのですが、個人の独力を評価する今の学校教育では俯瞰する力を学べるようになっていないことが問題なのです。

未来に必要な力の一つは、自分の現在地から見える範囲だけでなく、そこから少し高い位置に視座を置き、「全体状況をシステムとして俯瞰する力」

です。もう一つの力は、「創造的自信」です。それは、自分の努力や過去を信じる「経験的自信」とは別に、まだ相対していない問題を前にしても自分は何かを変えることができるという未知へ対峙する自信です。この創造的自信を身につけるには、少しの背伸びを繰り返す挑戦の連鎖に身を置くほかありません。

教育にも "Denial of the Opportunity" が存在する

　今回参加した16人の高校生や応援してくださった先生方は、この企画がまだどんなものかも知らないうちから飛び込む決断をしてくれました。今回の企画に限らず、同じような場面で周囲の大人が躊躇することも少なくありません。「本校の生徒たちは落ち着いて話を聞くことができません」「うちの生徒たちは好奇心があまりないので何の質問もできないと思います」などと、周囲の大人が先に線を引いてしまうのです。これこそが、教育の "Denial of the Opportunity（機会の拒絶）" の一つかもしれません。

　そして、この機会を奪っている大人が、必ずしも悪気があってそうしているとは限らないということが、根深い問題なのです。

　どんな情報を子どもたちに届けるべきか。どんな機会を子どもたちに用意しなければならないか。大人は大切な子どもたちのことを思って、必死に知恵を絞ります。

　しかし、大人は自分が理解できるもの、自分が共感できるものから、知らず知らずのうちに機会を選んで、子どもに提供しているのかもしれません。もちろん子どもたちを危険から遠ざけ、悪意から守ることは大人の責務ではありますが、見通しの立たない無理難題への挑戦が挫折以上に大きな学びにつながることがあるのです。

博物館での問いの展示

京都大学総合博物館

6.1.
概要

　他の事例と少し趣向を変えて、対峙する相手に直接問いかけられない「問い」について紹介します。博物館での展示において、細かな解説の代わりに短い「問い」を表示する方法です。

　筆者（塩瀬）が所属する京都大学総合博物館では、大学が所蔵する自然史標本や文化史資料、技術史資料の数々を展示しますが、一般的な博物館と異なる大学博物館の特殊性として、最先端の研究内容を学術的に紹介する機会が多くあります。iPS細胞や理論化学、宇宙科学など医学や工学の最先端研究ともなると、専門用語や難解な数式が多数登場するため、当該専門分野の研究者が伝えたい内容と来館者が知りたい内容とに大きな隔たりが生じます。この大きな溝を埋めるために「問い」をデザインしようという試みです。

6.2.
課題のデザイン

　博物館で資料を展示するときに欠かせないのがキャプションと呼ばれる解説文です。キャプションは50〜70字程度の簡潔で平易な文章による説明が求められます。フォントや文字サイズだけでなく、照明のあて方などでも見やすさが変わりますが、館や学芸員ごとにさまざまなスタイルがあります。

　展示品数が100点を越えてくると、読む方も疲れてくるので、全体のバランスも勘案しなければなりません。しかし、ルーブル美術館やユトレヒト美術館などの過去の研究では、来館者の作品鑑賞時間が展示品の著名無名に左右されたり、むしろキャプションの長さに反比例して鑑賞時間が減ったりするといった、元も子もない研究結果が明らかにされています。

大学博物館で展示される最先端研究の場合は、長いカタカナが並ぶ専門用語や難解な数式が避けられません。研究者自身、最先端の分野に長くいればいるほど、改めてそれを平易な言葉で置き換えることが骨の折れる作業になります。また、展示に初挑戦する研究者が、一般の来館者に当該分野に関心を持ってもらおうと、解説以外にも「私たちにどんな研究をしてほしいですか？」「○○研究が進むと社会はどう変わると思いますか？」といった問いかけパネルを設置するパターンも比較的多く見かけます。しかし、このような問いかけに対しては問い直しをさせてもらわなくてはなりません。

そもそも来館者は、研究者が何を研究しているのかも、どうやって研究しているのかも、研究そのものが何なのかも知りません。そこから間接的な対話を始めなくてはならないのです。いかに最初の問いかけで興味を持ってもらえるか、ワークショップのように場の観察も即興もリアルタイムには何もできないなかで周到なシミュレーションを繰り返さなければなりません。

6.3.
プロセスのデザイン

2010 年に開催された京都大学総合博物館の企画展「科学技術Xの謎」では、日本ではじめてX線研究に成功した 1896 年の黎明期に使われたX線技術史資料が展示されました。病院のレントゲン写真、空港の手荷物検査、超新星爆発等はX線で撮影されますが、X線という放射線の一種は目に見ることができないため、X線を描いてポスターを作成することすら難しい。

X線を使用する研究者に尋ねると、「X線とは光の一種で、波でもあり、粒子でもあります」「X線とは透けて見えるわけではなく、透過した光がフィルムに写っているだけです」と説明されるだけで、展示のポスターを作成するデザイナーの頭には何も浮かびません。

そこで展示チームが辿り着いた副題が「X線ってなんだろう？」でした。展示チーム全員の頭のなかにあった素朴な問い「X線ってなんだろう？」をそのまま博物館の表にバナーとして吊るすことになりました。

展示品のなかに、1896 年に京都ではじめて撮影されたX線写真がありました（図 26）。当初は、「眼鏡ケースに入った教授の眼鏡やがま口財布、そ

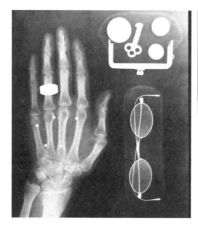
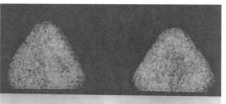

左：図 26　何が写って何が写らない？
右：図 27　どっちがしゃけでどっちがたらこ？

して手のひらが写っています」と長めの解説文を用意していましたが、長い解説文が意味をなさないとする先行研究や注視点計測による予備実験を経て、丁寧な説明の真逆となりそうなキャプション「何が写って何が写らない？」という一つの問いだけを添えることとしました。

　他にもたとえば、X線によってモノが透けて見えるという思い込みを払拭する仕掛けとして、異なる具材の入った二つのおにぎりのX線写真を展示しました（図 27）。そのキャプションが、「どっちがしゃけでどっちがたらこ？」です。X線は水分を含んだご飯を透過しにくいために白い像がレントゲンフィルムに写り、具材の違いはほとんど見分けがつきません。

　来館者はそれぞれのキャプションの問いかけに対して、食い入るようにレントゲンフィルムの中の像を見比べていました。細胞のようにナノスケールの極小世界から、宇宙の超新星爆発のように数万光年スケールの極大世界まで、異なる解像度のX線を使って大判レントゲンフィルムに焼きつけられた淡く美しい写真が来館者を魅了した展示となりました。

　ここでの問いは、来館者に知識や答えを求めるものではなく、関心を惹きつけて展示品に注目してもらう問いかけです。

6.4.
課題解決の成果

図28 ゆりかごの寝心地を
覚えていますか？

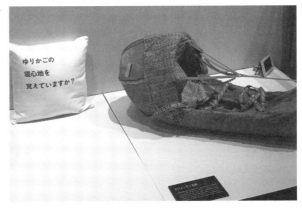

　来館者の関心が展示品のどこに向けられているのか、注視点を計測する装置を使って普通の解説キャプション群とひねった問いかけの1行キャプション群とで比較すると、明らかに展示品への注視時間が変わります。

　ただし、展示会場におけるアンケートからは、自発的に内容を読み解こうとした来館者にはこの問いかけ1行キャプションはおおむね好評でしたが、同時に解説文を普段から熟読する来館者にとっては物足りないとの声も少なくなかったので、展示手法としてはいつも使えるとは限りません。

　しかしその後も、展示のなかでの「問い」は、来館者の注意を喚起し、資料の見方を変えるきっかけを生む有力な展示手法として確立しています。

　たとえば京都大学総合博物館で2016年4月に開催された企画展「ねむり展：眠れるものの文化誌」では、世界諸民族のさまざまなゆりかごや枕、ベッドなどの寝具を展示し、世界中の人々がいつ、どこで、どうやって眠ってきたのかを多様な文化誌として捉える展示でした。

　ここでは白いクッションを大きなキャプション立てに見立てて、北欧のゆりかごの脇に「ゆりかごの寝心地を覚えていますか？」、中国やアフリカの歴史的なベッド資料の脇に「あなたはなぜ平らな場所で眠っているのですか？」といった問いを展示しました（図28）。

　博物館で展示する問いについては、自分のなかにある経験を楽しく探索できたり、展示品そのものを宝探しのようにじっくり見てしまうような問いであれば、問いかけられたこと自体が気持ちよく、まったく異なる表情で問いを噛みしめてもらえます。

おわりに

「どうやってその問いを思いついたのですか？」

筆者らがこれまで一番たくさん受けてきた質問の一つかもしれません。その問いかけの頻度が増えてくるのと時を同じくして、筆者らに依頼されるワークショップデザインの内容も、より多様な場面と分野からお声がけいただく機会が増えてきました。

本書『問いのデザイン：創造的対話のファシリテーション』を執筆することになった経緯は、そのようなお声がけに対して筆者らの経験から少しでもお役に立てることができればと考えてのことです。

本書の前半では、そもそも自分たちが取り組んでいる問題の本質がどのようなものかを捉える思考法について紹介しています。「問題」「課題」といった混同されそうな概念を詳細に整理し、使い分け、特に無意識に固定化されがちな「認識」や「関係性」に注目して、それをいかに揺さぶり、突き崩していくかを整理しました。

本書の後半では、筆者らが得意とする創造的対話の手法として「ワークショップ」や「ファシリテーション」の技術を紹介しています。問題解決の依頼を受けてから本当に解くべき課題に辿り着くまで、どのように関係者に問いかけを重ねればよいか、その具体的な技法について紹介し、さらに関係性が時々刻々と変化していく創造的対話のなかで、リアルタイムに出し入れする問いの技法を体系化しています。

学習環境デザインと知能システムデザインの研究でそれぞれ大学院を修了した筆者らが、『問いのデザイン』というタイトルで本を執筆することに躊躇がなかったわけではありません。個々の研究分野で磨かれてきた認知科学モデルや数理モデルの歴史から、それら教科書的なデザイン論の精緻さを嫌というほど学んできたからです。

しかし、個別の分野や事例に必ずしも明るいわけではない２人が、これだけ多様な分野から声をかけてもらえるということは、逆説的にではありますが、そこに共通の構造があるからだと考えるようになりました。

　本書の製作をきっかけに筆者らがお互いの問いのつくり方をヒアリングし合い、共通点と相違点を見極めて言語化してきたなかで、まさに学習環境デザインや知能システムデザインの研究とも通底する学習観、システム観がやはり私たちの知的基盤となっていたことを発見し自覚する機会となりました。

　企業、学校、地域ごとに、それぞれ異なる固有の問題を抱えるが故に、一番そのことに詳しいはずの当事者や関係者では向き合いきれない問題があります。豊富な専門知識や長年培った人的関係がかえって足枷となり、解くべき課題を構造上見えなくしてしまうのです。

　そのときこそ、「問いの立て方」に注目をしてみてください。本書『問いのデザイン』によって、立ち塞がる問題が瓦解し、解くべき課題に皆さんが注力できる機会を増やすことができたら本望です。

　2020 年 5 月

安斎勇樹、塩瀬隆之

安斎勇樹（あんざい・ゆうき）

株式会社 MIMIGURI 代表取締役 Co-CEO。東京大学大学院情報学環特任助教。1985 年生まれ。東京大学工学部卒業、同大学院学際情報学府博士課程修了。博士（学際情報学）。人と組織の創造性を引き出すファシリテーションとマネジメントの方法論について研究している。著書に『問いかけの作法：チームの魅力と才能を引き出す技術』（単著）、『パラドックス思考：矛盾に満ちた世界で最適な問題解決をはかる』『リサーチ・ドリブン・イノベーション：「問い」を起点にアイデアを探究する』『ワークショップデザイン論：創ることで学ぶ』（以上共著）など。

塩瀬隆之（しおせ・たかゆき）

京都大学総合博物館准教授。1973 年生まれ。京都大学工学部卒業、同大学院工学研究科修了。博士（工学）。専門はシステム工学。2012 年 7 月より経済産業省産業技術政策課にて技術戦略担当の課長補佐に従事。2014 年 7 月より復職。小中高校におけるキャリア教育、企業におけるイノベーター育成研修など、ワークショップ多数。平成 29 年度文部科学大臣賞（科学技術分野の理解増進）受賞。著書に『インクルーシブデザイン：社会の課題を解決する参加型デザイン』『未来を変える偉人の言葉』（以上共著）など。

問いのデザイン
創造的対話のファシリテーション

2020 年　6 月 10 日　初版第 1 刷発行
2023 年　5 月 10 日　初版第 5 刷発行

著者	安斎勇樹・塩瀬隆之
発行所	株式会社学芸出版社
	京都市下京区木津屋橋通西洞院東入
	電話 075-343-0811　〒 600-8216
発行者	前田裕資
編集	宮本裕美
装丁	吉田直記・吉野拓人・高田洋明
	（MIMIGURI）
DTP	梁川智子
印刷・製本	モリモト印刷

©Yuki Anzai, Takayuki Shiose 2020　Printed in Japan
ISBN978-4-7615-2743-3

JCOPY 〈(社)出版者著作権管理機構委託出版物〉
本書の無断複写（電子化を含む）は著作権法上での例外を除き禁じられています。複写される場合は、そのつど事前に、(社)出版者著作権管理機構（電話 03-5244-5088、FAX 03-5244-5089、e-mail: info@jcopy.or.jp）の許諾を得て下さい。また本書を代行業者等の第三者に依頼してスキャンやデジタル化することは、たとえ個人や家庭内での利用でも著作権法違反です。